Tahar Ben Jelloun

de l'Académie Goncourt

Le bonheur conjugal

Gallimard

Tahar Ben Jelloun est né à Fès en 1944. Il s'installe à Paris dès 1971, publie ses poèmes aux Éditions Maspero et voit son premier roman, *Harrouda*, édité par Maurice Nadeau aux Éditions Denoël en 1973. Poète et romancier, il est l'auteur notamment de *L'enfant de sable* et de sa suite *La nuit sacrée*, qui a obtenu le prix Goncourt en 1987, ainsi que de *Partir* et de *Lettre à Matisse et autres écrits sur l'art*.

« MARIANNE : Crois-tu que deux êtres puissent vivre ensemble toute une vie ?

JOHAN : Le mariage est une convention sociale idiote, renouvelable tous les ans ou résiliable. [...] Pense à payer tes contraventions de voiture, elles s'entassent. »

Scènes de la vie conjugale,
Ingmar Bergman

« Nous faisons notre chance. »

Gilda, King Vidor.

PREMIÈRE PARTIE

L'HOMME QUI AIMAIT TROP LES FEMMES

PROLOGUE

Elle s'est posée sur le bout de son nez. Ni grosse ni petite. Une mouche quelconque, grise, noire, légère, inconvenante. Elle se sent bien, là, sur ce nez où elle vient d'atterrir comme une machine volante sur un porte-avions. Elle se nettoie les pattes de devant. On dirait qu'elle les frotte, les astique pour quelque mission urgente. Rien ne la dérange. Elle s'active tout en restant sur place. Elle ne pèse rien, mais elle gêne. Elle énerve l'homme qui ne peut la chasser. Il a essayé de bouger, de faire du vent, il a soufflé, il a crié. La mouche est indifférente. Elle ne bronche pas. Elle est là, bien là, et ne compte pas déguerpir. Pourtant l'homme ne lui veut aucun mal, il souhaite juste qu'elle s'en aille, qu'elle le laisse en paix, lui qui ne peut plus remuer les doigts, les mains, les bras. Son corps ne fonctionne plus. Il est (momentanément) empêché. Une sorte de panne au niveau du cerveau. Un accident survenu il y a quelques mois. Quelque chose qu'il n'avait pas vu venir et qui l'a frappé comme la foudre. Sa tête ne commande plus ses membres. Là, par exemple, il voudrait que son bras se lève et chasse l'intruse. Mais rien ne bouge. La mouche, elle, s'en moque. Qu'il soit malade ou en bonne santé, ça ne change rien, elle continue tranquillement à faire sa toilette sur le bout de ce nez grandiose. L'homme essaie une fois encore de se mouvoir. La mouche s'accroche. Il sent ses minuscules pattes quasi transparentes s'incruster dans sa peau. Elle est bien installée. Aucune envie d'aller ailleurs. Comment est-elle arrivée jusque-là ? Quel malheur l'a donc envoyée ? Les mouches sont libres, elles n'obéissent à personne, elles font ce qu'elles veulent, s'envolent quand on essaie de les chasser ou les écraser. On dit qu'elles voient à trois cents soixante degrés. Que leur vigilance est impressionnante. Pour le moment, l'homme cherche à savoir quel chemin elle a emprunté pour l'atteindre. Ah, le jardin ! Les chiens qui ne terminent pas leur gamelle. Les mouches du quartier connaissent toute sa maison et le coin près du portail. Elles y accourent de partout, certaines d'y trouver infailliblement leur pitance. Après avoir bien mangé, elles se promènent, volent ici et là pour digérer. Elles chantonnent, plongent dans le vide, vont dans tous les sens. Voilà qu'un nez humain se présente et les invite à lui rendre visite. Depuis que la première s'y est posée, aucune autre n'a osé lui disputer son territoire. L'homme, lui, souffre. Il a envie de se gratter, envie de la chasser, envie de se lever, de courir et de nettoyer lui-même l'endroit sale du jardin où le gardien a l'habitude de jeter une partie de la poubelle. Il se prend même à refaire le monde : si le jardinier avait été à l'école, si ses parents paysans n'avaient pas quitté leur village pour venir s'installer en ville, devenir mendiants, laveurs de voitures, gardiens de parking, si le Maroc n'avait pas connu deux années d'horrible sécheresse, si l'argent du pays était mieux réparti entre les villes et les campagnes, si celles-ci étaient considérées comme un grenier et un trésor du pays, si la réforme agraire avait été faite avec justice, si ce matin-là le gardien avait eu l'idée de débarrasser cette partie du jardin vouée aux immondices, s'il avait pris la peine de chasser les mouches qui s'y donnent rendez-vous, si en plus les deux hommes qui s'occupent de lui avaient été à son chevet, cette mouche, cette satanée mouche, n'aurait pas pu atterrir sur son nez et lui donner des démangeaisons cruelles à le rendre fou, lui qu'un accident vasculaire cérébral a cloué dans un lit il y a maintenant six mois.

Il se dit qu'il est à la merci d'un insecte, un tout petit insecte. Lui qu'un simple moustique pouvait, quand il était en bonne santé, mettre dans un état de rage incompréhensible. Enfant, il se livrait la nuit à de véritables chasses aux moustiques qu'il écrasait avec des gros bouquins dont les couvertures gardent encore aujourd'hui des traces de sang. Car, là où il vivait, ils semblaient insensibles aux plantes, comme aux détergents et aux produits toxiques. Sa femme était allée jusqu'à faire intervenir un sorcier qui avait rédigé des talismans et récité des prières pour les chasser. Mais ils étaient plus forts que tout. Ils passaient la nuit à pomper le sang des humains et disparaissaient à l'aube. Des vampires.

Cet après-midi, la mouche est venue venger tous

15

les insectes du Maroc qu'il a massacrés tout au long de sa vie. Prisonnier de son corps immobile, l'homme a beau crier, hurler, supplier, la mouche ne bouge pas et le fait de plus en plus souffrir. Pas une grande souffrance, juste une gêne, toute petite, qui, à force, excite ses nerfs — ce qui, dans l'état où il se trouve, n'est pas du tout conseillé.

Et puis, peu à peu, l'homme réussit à se convaincre que la mouche ne le dérange plus, que ses démangeaisons sont imaginaires. Voilà, il commence à triompher d'elle. Non qu'il se sente mieux, mais il a compris qu'il doit accepter la réalité et cesser de pester. Son rapport au temps et aux choses, ces derniers mois, a changé de nature. Son accident est une épreuve. Déjà, il ne pense plus à la mouche.

Tout à coup ses deux aides qui jouaient aux cartes dans la pièce voisine sont venus voir si l'homme allait bien et la mouche immédiatement s'est envolée. Plus aucune trace d'elle maintenant, si ce n'est une colère muette, une colère maîtrisée qui en dit long sur l'état de cet homme — un peintre ne pouvant plus peindre.

CHAPITRE I

Casablanca, 4 février 2000

> « J'ai en moi des capacités d'amour, mais
> c'est comme si elles étaient enfouies dans une
> pièce close. »
>
> *Scènes de la vie conjugale,*
> Ingmar Bergman

Les deux hommes solides qui l'avaient porté
puis déposé dans un fauteuil face à la mer
étaient essoufflés. Le malade éprouvait lui aussi
de la peine à respirer et son regard était plein
d'amertume. Seule sa conscience était vive. Son
corps avait grossi, il était devenu lourd. Quant à
son élocution, elle était lente et la plupart du
temps incompréhensible. On lui faisait souvent
répéter ce qu'il disait et il détestait ça parce que
c'était fatigant et humiliant. Il préférait communiquer avec les yeux. Quand il les levait, cela
voulait dire non. Quand il les baissait, cela voulait dire oui, mais un oui résigné. Un jour, l'un
des Jumeaux — il appelait ainsi ses deux aides,
bien qu'ils ne soient pas frères —, croyant bien

faire, lui apporta une ardoise avec un stylo-feutre attaché au bout d'une ficelle. Il se mit en colère et eut la force de les jeter par terre.

Ce matin-là, les Jumeaux n'avaient pas pu le raser. Une éruption de boutons autour du menton rendait l'opération trop difficile. Il n'était pas content. Négligé. Il se sentait négligé. Il ne supportait pas ça. Son attaque cérébrale l'ayant lourdement frappé physiquement, il refusait le moindre laisser-aller dans son apparence physique et vestimentaire. Quand il découvrit qu'une tache de café sur sa cravate n'avait pas été nettoyée, il se renfrogna un peu plus. Les Jumeaux s'empressèrent de la changer, il était maintenant tout habillé de blanc, mais râlait toujours en douce.

Quand il parlait, les Jumeaux devinaient ce qu'il disait, même s'ils ne comprenaient pas certains mots. Ils lisaient sur son visage, anticipaient ses désirs. Il fallait avoir une ouïe fine et beaucoup de patience. Lorsqu'il se fatiguait, il fermait les yeux à plusieurs reprises, signe qu'on devait le laisser seul. Peut-être pleurait-il alors, lui qui avait été si brillant, si élégant, célébré partout où il allait. La mort l'avait frôlé, mais n'avait pas achevé son travail. Il ressentait cela comme une insulte, un mauvais tour qu'on lui aurait joué, une méchanceté de plus. C'était un sujet de contrariété permanent pour lui qui rêvait de mourir dans son sommeil comme son vieil oncle polygame et bon vivant. Mais il avait fini par lui arriver la même chose qu'à tant d'amis et connaissances de sa génération. Il était parvenu, comme disait le médecin, à un âge critique. La force de l'âge devait affronter quelques tempêtes.

Quand la colère des premiers mois fut un peu apaisée, il décida de sourire à ceux qui lui rendaient visite, une façon pour lui de ne pas céder à la déchéance physique qui entraînait parfois celle de l'esprit. Alors il souriait tout le temps. Il y avait le sourire du matin, léger et parfumé, puis le sourire de midi, impatient et sec, et celui du soir, devenu à la longue une légère grimace. Et puis, d'un coup, il cessa de sourire. Il ne voulait plus faire semblant. Pourquoi sourire? À qui et dans quel but? La maladie avait brouillé ses habitudes. La maladie ou la mort?

Il n'était plus le même homme, d'ailleurs il le remarquait dans les yeux des autres. Il avait perdu toute sa prestance de grand artiste. Mais il refusait de se cacher; il voulait bientôt pouvoir sortir et se montrer dans son nouvel état. Ce serait un exercice pénible, mais il y tenait.

Malgré sa paralysie presque totale, jamais, curieusement, il n'avait songé à renoncer à la peinture. Il était persuadé que le mal dont il était affligé n'était qu'une sorte de crise et qu'elle était passagère. Chaque jour, il essayait de bouger les doigts de la main droite. Et chaque jour il demandait un pinceau, qu'on lui plaçait entre l'index et le pouce, mais il ne réussissait pas pour le moment à le tenir assez longtemps. Alors il refaisait l'exercice plusieurs fois par jour.

Quand il arriverait enfin à tenir un pinceau, l'état du reste de son corps lui importerait moins.

Des idées de nouvelles toiles se bousculaient dans sa tête. L'impossibilité de peindre le mettait dans une situation d'excitation. Il était encore plus impatient qu'à son habitude. Puis ces moments de trouble et d'intensité se terminaient par de longs silences accompagnés de sentiment de défaite. Son humeur changeait, chutait dans un épais brouillard, présage de quelque événement lugubre. De sa bouche entrouverte, un fil de salive pendait. De temps en temps, un des Jumeaux l'essuyait délicatement. Il se réveillait et avait honte d'avoir laissé échapper un peu de bave, honte de s'être assoupi. Ces petits détails le dérangeaient plus que sa paralysie.

La télévision était allumée et retransmettait une compétition d'athlétisme. Il avait toujours été fasciné par ces corps souples, magnifiques, parfaits, trop parfaits pour être humains. Il les regardait et se demandait combien d'années, de mois, de jours de travail derrière chacun des gestes du jeune athlète. Il refusa qu'on change de programme. Non, il aimait voir ce spectacle même et surtout parce qu'il était bloqué dans son état. Il rêvait, éprouvait un étrange plaisir à suivre les mouvements de ces jeunes sportifs. Il se surprit à les observer et les encourager comme s'il les connaisait personnellement, comme s'il était leur entraîneur, leur professeur, leur conseiller ou simplement un parent.

Il pensait à un texte de Jean Genet qu'un ami

lui avait offert pour son anniversaire, *Le funambule*. Il l'avait lu avec passion et avait imaginé la tension que l'acrobate devait contenir dans chacun de ses gestes. Il avait pensé un jour illustrer ce texte, mais on lui avait dit que Genet n'était pas un homme facile et qu'il ne donnerait pas son autorisation. De temps en temps, il le relisait et se focalisait sur un fil tendu entre deux lieux, il s'y voyait, le corps en sueur, les bras tremblants tenant la barre, puis le faux pas, la chute, et les membres cassés. Il lui arrivait même de s'inventer une histoire de funambule accidenté ; il serait là dans cet état parce qu'il serait tombé dans un cirque. Son accident était physique, pas psychique. Il n'était pas le peintre stressé et contrarié, mais un acrobate qui s'était brisé le corps dix mètres au-dessous du fil.

Il était satisfait de sa trouvaille. Aucune larme n'avait coulé sur sa joue. Son moral ne flanchait pas. De sa main lourde, il palpait sa jambe et ne sentait pas grand-chose. Il se disait : « Ça va venir, tiens bon, mon gars ! »

Depuis leur dernière dispute et l'accident vasculaire cérébral qui l'avait suivie immédiatement, il ne voyait plus sa femme. Il logeait dans son atelier où il avait demandé qu'on installe tout ce qu'il fallait pour vivre et surmonter l'épreuve de la maladie. Elle vivait dans l'autre aile de leur maison de Casablanca, qui était très vaste. Les Jumeaux avaient reçu la consigne de ne jamais la laisser s'approcher de lui. Mais c'était inutile.

L'éloignement semblait plutôt l'arranger et elle n'avait pas manifesté la moindre envie de s'occuper d'un grand malade. Lui voulait faire le point sur leurs presque vingt années de vie commune. Le coup d'arrêt imposé à leur couple par l'accident était, de ce point de vue, providentiel. Parfois, par une des fenêtres de l'atelier qui donnait sur la cour intérieure de leur villa, il la voyait qui se faisait belle pour sortir. Personne ne savait où elle allait et c'était mieux comme ça. De toute façon, il avait pris la décision de ne pas la surveiller ni la soupçonner.

Avant, quand il était en bonne santé, il fuyait, partait en voyage et ne donnait plus signe de vie. C'était ainsi qu'il répondait au malaise et aux conflits du couple. Il tenait un journal où il n'était question que de ses problèmes conjugaux. Rien d'autre n'était noté dans ce cahier. Sur vingt ans, la retranscription de ses disputes, de ses contrariétés et de ses colères ne variait pas beaucoup. C'était l'histoire d'un homme qui avait cru que les êtres humains changeaient, soignaient leurs défauts, consolidaient leurs qualités, devenaient meilleurs en se remettant en question. Il gardait enfoui en lui l'espoir de voir un jour sa femme non pas docile et soumise, pas du tout, mais au moins conciliante et aimante, calme et rationnelle, bref, une épouse qui partage et qui construise avec lui une vie de famille. C'était un rêve. Il faisait fausse route et accablait sa femme, oubliant de constater sa part dans cette faillite.

CHAPITRE II

Casablanca, 8 février 2000

> « Dans un couple tous les sacrifices sont
> possibles et acceptables jusqu'au jour où l'un
> des deux s'aperçoit qu'il y a un sacrifice ».
>
> *Donne-moi tes yeux*, Sacha Guitry

Juste après son réveil, le peintre demanda aux Jumeaux qu'ils lui apportent un miroir. Trois mois après l'accident, c'était la première fois qu'il se sentait assez de force pour oser affronter son image. Quand il se vit, il partit dans un énorme éclat de rire car il ne se reconnaissait pas et il trouvait son reflet pathétique. Il s'adressa à lui-même : « Qu'aurais-je fait à ta place ? Me donner la mort ? Pas assez courageux pour ça. J'aurais refusé qu'on me tende un miroir ? Oui, voilà, c'est ça que j'aurais fait : ne pas me voir, ne pas me rendre compte de ce que je suis devenu. J'aurais évité à tout prix d'ouvrir d'autres brèches dans la souffrance. »

Après l'accident, jamais il n'avait songé à se

suicider. L'envie de vivre était devenue plus forte, abdiquer aurait été trop facile. Même si son état général n'était pas très bon, il avait peu à peu repris goût aux choses quotidiennes. Les idées noires l'avaient quitté, pas toutes, mais il était davantage armé pour les chasser et ne plus s'y complaire. Il n'était pas optimiste, il laissait ça aux gens naïfs. Mais il détestait tout autant se plaindre. À quoi bon geindre ? Probablement pour paralyser la réflexion. Il avait appris de sa mère qu'il ne fallait jamais se plaindre, d'abord parce que cela ne servait à rien et ensuite ça ennuyait les autres. La souffrance, il fallait l'endurer, quitte à pleurer seul dans la nuit. Sa mère lui disait sur un ton ironique : « J'aurai tant de choses à raconter à mes fossoyeurs. Quant aux anges qui nous accompagnent le jour de notre enterrement, ils soulèveront mon âme très haut dans le ciel. Ce sera mon plus beau voyage. » Comment ne pas avoir à l'esprit les deux anges noirs venus prendre l'âme de Liliom, personnage joué par Charles Boyer dans le film de Fritz Lang au titre éponyme ? Mais il pensait que les anges qui viendraient soulever sa mère seraient blancs, souriants et bienveillants. Il les imaginait et était convaincu que sa mère méritait de faire cet ultime voyage dans les bras de ces anges dont parle le Coran.

Dans le miroir, sa déchéance physique était spectaculaire. N'être plus le même, ne plus correspondre à l'image que les gens ont de vous,

accepter et s'habituer à son nouveau visage —
voilà ce qu'il allait devoir affronter s'il voulait
revenir parmi les vivants. Il avait l'impression
d'avoir pris l'apparence d'un chiffon froissé,
d'une caricature. Il ressemblait, se disait-il avec
ironie, à un portrait de Francis Bacon. Il l'avait
remarqué dans le regard de certains amis et
proches qui venaient le voir. Il pouvait lire le
choc qu'il produisait au simple regard posé sur
son corps, déformé, mal en point et difficile à
mouvoir. Il avait été visité par l'ombre de la
mort qui avait laissé des traces sur une jambe et
un bras. C'était juste le souffle de la mort.

Peut-être que ses visiteurs se voyaient à sa
place, s'observant durant quelques secondes
dans un miroir qui leur était tendu, disant : « Et
si ça m'arrivait un jour, je serais ainsi, assis dans
un fauteuil roulant poussé par un homme en
bonne santé ? J'aurais la moitié du corps paralysé et la parole difficile ? Je serais peut-être
abandonné par les miens... Je serais réduit à une
charge pénible pour mes proches, pour mes
amis, je serais inutile, sans intérêt, les gens n'aiment pas voir la souffrance sur le corps des
autres. » Ils se précipitaient chez leur médecin et
faisaient des bilans de santé. D'ailleurs, tous
étaient curieux de savoir comment c'était arrivé.
Ils auraient tant aimé savoir pour prévenir l'accident, pour éviter d'être victime des aberrations
de la machine qui irrigue le cerveau. Quand on
leur apprenait que le cerveau est un ensemble
complexe de plus de cent milliards de cellules

nerveuses travaillant au bon fonctionnement de notre vie quotidienne, ils prenaient peur. Ils n'osaient pas lui demander comment la chose s'était produite. Ils en parlaient entre eux, allaient sur Internet et lisaient tout ce qu'ils trouvaient sur l'AVC. Le pire, c'était lorsque le médecin ou Internet leur apprenait que cela pouvait arriver à n'importe qui et à n'importe quel âge, mais il y avait quand même des facteurs favorisants. Un de ses amis d'enfance, Hamid, choqué et bouleversé, arrêta immédiatement de fumer et de boire. Il arriva un jour, tout en blanc, un chapelet entre les doigts, se pencha sur lui et baisa son front : « Grâce à toi ma vie a changé ; je suis le seul à avoir profité de ton accident ; j'ai eu tellement peur qu'il m'a servi ! » Lui, savait depuis longtemps que l'excès de cigarette et d'alcool pouvait provoquer ce genre d'accident ; il soignait son hypertension artérielle, évitait le sucre parce qu'il avait des antécédents familiaux, mais il ne pouvait rien contre le stress, cette maladie silencieuse et parfois fatale.

Le stress, c'était une sorte de contrariété qui faisait des trous dans les organes vitaux. Il l'imaginait telle une machine perturbant tout ce qu'elle rencontre. Le tout se produisant à son insu. Le stress, c'était son double malveillant, celui qui exigeait de lui de plus en plus de travail, sous-estimait ses capacités réelles et lui faisait croire qu'il pouvait aller au-delà du possible. Le stress empoignait le cœur, le serrait et brutalisait ainsi ses fonctions. Tout cela, il le savait et l'avait maintes fois analysé.

Du temps où il était valide, quand il s'ennuyait, ce qui lui arrivait rarement, il arrêtait le travail et scrutait cet état où le temps devenait immobile, faisant une halte pendant que lui rabâchait des idées fixes. L'ennui, c'était un produit de l'insomnie, un refus de se laisser choir dans le trou noir de l'inconnu. Il tournait en rond puis finissait par abandonner et attendait que cela passe. Ainsi il rangeait le stress dans cette case entre l'absence de sommeil et l'immobilité des heures.

Dans son atelier où il passait maintenant toutes ses journées, loin des bruits de la ville, il se demandait comment l'accident avait pu le détruire physiquement à ce point. Il supportait difficilement son corps meurtri qui l'empêchait d'agir et d'être libre. Adolescent, il jouait au football sur la plage de Casablanca. Il était un excellent buteur et, à la fin des matchs, les copains le portaient dans leurs bras et le célébraient parce qu'il marquait tous les buts. Il aurait pu devenir joueur professionnel, mais à l'époque il fallait aller vivre en Espagne et rejoindre une des grandes équipes. Ses parents préféraient qu'il fasse de la peinture, même si ça ne rapportait pas un centime. Tout plutôt que l'exil chez les Spagnoulis qui détestent los Moros!

De nouveau il observa son image dans le miroir. Il était moche ou plutôt amoché. Il repensait à la chanson de Léo Ferré *Vingt ans* : « Pour tout bagage on a sa gueule, quand elle est bath ça va tout seul, quand elle est moche on s'habitue, on se dit qu'on n'est pas mal foutu ; pour tout bagage on a sa gueule qui cause des fois quand on est seul... quand on pleure on dit qu'on rit... alors on maquille le problème... » Il se souvint des moments passés avec Ferré quand il était venu chanter à Casablanca. Ils avaient pris un thé dans le patio du Minzah et il avait remarqué ses petits yeux, ses tics, sa mauvaise humeur quasi permanente et surtout une grande fatigue qui habitait son visage. Il avait toujours considéré que Ferré était un poète, un rebelle dont les chansons faisaient du bien à ceux qui prenaient la peine de les écouter attentivement.

Pendant les premiers mois de la maladie, il ne s'était pas trop montré et restait à l'abri dans son atelier. Entouré de ses toiles inachevées, il se penchait sur lui-même, éprouvant un sentiment de solitude suprême, car la souffrance ne se partage pas. Certes, il avait reçu de nombreux témoignages de sympathie. Cela lui faisait plaisir et il s'étonnait parfois que certaines personnes qu'il connaissait à peine aient trouvé des mots justes qui le touchaient beaucoup. Serge, en particulier, quelqu'un qu'il n'avait fait que croiser de temps à autre car il habitait son quartier ; quinze jours après sa sortie de l'hôpital, Serge l'avait appelé et lui avait parlé avec sincérité. Puis il avait pris l'habitude de lui rendre visite chaque semaine, lui demandant de ses nouvelles, lui soutenant le moral. Jusqu'à ce qu'un jour le peintre apprenne qu'il était mort brusquement. Serge souffrait d'un cancer et n'en parlait pas. Ce ne fut qu'après son décès que le peintre sut ce qui le rongeait. Il eut envie de pleurer. Tant d'humilité et d'amitié venant d'une personne qui n'était même pas du cercle de ses intimes l'avait marqué. Rien à voir avec certains de ses amis qui étaient soudain devenus silencieux. Ils avaient tout simplement disparu. La peur. La grande trouille. Pourtant l'AVC n'est pas une maladie contagieuse! On lui avait rapporté qu'un de ses amis prétendait qu'il n'allait pas le voir parce qu'il avait honte d'être en bonne santé. Il était sûrement sincère. Mais quand un malade a le sentiment d'être abandonné, la souffrance se fait plus insidieuse, plus cruelle.

Quand il était enfant, son père lui recommandait de rendre visite aux malades et aux mourants. « C'est un conseil de notre Prophète, lui disait-il; il faut aller voir ceux qui souffrent de la maladie et qui attendent leur heure qui tarde à arriver. Voir un mourant est une façon d'être à la fois généreux et égoïste. Donner de son temps à celui qui est cloué au lit est une façon d'apprendre l'humilité, savoir que la vie tient à si peu de chose, que nous sommes des grains de sable, que nous appartenons à Dieu et à lui nous revenons! Ceux qui ont peur de la maladie des autres devraient la braver et se familiariser avec ce qui nous attend. Voilà, mon fils, ce sont là des banalités, mais elles disent la vérité. »

À la clinique où il avait été hospitalisé après son attaque, il partageait sa chambre avec un pianiste italien de vingt-sept ans, nommé Ricardo. Il avait été lui aussi victime d'un accident vasculaire cérébral durant ses vacances au Maroc. Les médecins et sa famille attendaient une petite amélioration de son état pour le rapatrier à Milan. Depuis qu'il avait repris conscience, Ricardo fixait ses mains. Il ne pouvait plus bouger les doigts et pleurait en silence. Ses larmes coulaient sans cesse. Comme rien ne pouvait les arrêter, il fermait les yeux, et tournait la tête du côté du mur. Sa vie était brisée, sa carrière brutalement interrompue. Une femme, peut-être son épouse ou une amie, était chaque jour à son chevet, elle le consolait. Elle lui massait les doigts, lui caressait le visage, essuyait ses larmes, puis quittait la chambre, effondrée. Elle sortait de la clinique pour fumer puis revenait, le visage triste. Une fois, elle vint s'asseoir sur le lit du peintre et se mit à lui parler. Il l'écoutait en hochant la tête : elle vit que sa main gauche bougeait un tout petit peu. Elle se confia à lui : « Ricardo est l'homme de ma vie, il était promis à un avenir exceptionnel, mais ses ennemis ont gagné la partie. Je suis sicilienne et je crois au mauvais œil, ce n'est pas un hasard si les génies sont presque toujours cruellement frappés. La jalousie, l'envie, la méchanceté. On m'a dit qu'au

Maroc on y croit beaucoup. Le mauvais œil existe, j'en ai la preuve. Ricardo et moi devions nous marier un mois après ce voyage au Maroc. Nos parents n'étaient pas d'accord — vous comprenez, des Milanais de la haute bourgeoisie ne marient pas leur fils unique avec une fille de pêcheur de Mazara del Vallo ! Mais nous avions un plan, nous avions prévu de déménager aussitôt après le mariage et nous installer aux États-Unis, où son agent le sollicitait tout le temps. Et puis le lendemain de notre arrivée à Casablanca, il s'est effondré dans la chambre de l'hôtel. J'ignore ce qui s'est passé. Je sais, il parlait souvent de stress, de la perfection qu'il voulait atteindre et qui le dévorait, il ne tolérait pas la moindre petite faute ou négligence. Avant un concert, il était malade, il ne mangeait pas, né parlait à personne, je le sentais noué, angoissé comme un toréador avant d'entrer dans l'arène. Qu'allons-nous devenir ? Excusez-moi, je vous parle et ne vous connais pas... Je ne vous ai même pas demandé votre nom, ce que vous faisiez avant votre accident... Je suis si bouleversée. »

Il essaya d'émettre quelques mots. Elle comprit qu'il était dans la même situation que Ricardo. Un artiste frappé par le malheur, par l'incapacité d'exercer son art, elle baissa les yeux et des larmes coulèrent sur ses joues.

Il l'observa à son insu et remarqua sa beauté sauvage, une fille du Sud, brune, grande, élégante et sans manières. Quel gâchis ! se dit-il. La vie était injuste !

Quelques jours plus tard, Ricardo quitta la clinique, il fut rapatrié en Italie. En partant, la jeune femme griffonna quelques mots au verso d'une ordonnance qu'elle glissa sur la table de nuit du peintre et lui déposa un léger baiser sur le front. Elle avait inscrit leur adresse et numéro de téléphone et rédigé un petit message d'espoir où elle souhaitait qu'un jour ils se retrouvent tous ensemble autour d'une table en Sicile ou en Toscane. C'était signé « Chiara ».

Sa nouvelle condition de malade lui rappela ses visites à Naima, une cousine qu'il aimait comme une sœur, frappée à trente-deux ans par la terrible maladie de Charcot, la sclérose en plaque amyotrophique. Il avait suivi son évolution et avait assisté à la lente mais inexorable dégradation de son corps qui perdait petit à petit ses muscles. Il avait de l'admiration pour cette belle femme clouée si jeune dans un fauteuil, si courageuse, si optimiste. Elle parlait difficilement, était totalement dépendante de son aide – une brave femme tellement dévouée qu'elle ne la quittait jamais et se considérait non seulement comme un membre de la famille, mais comme un prolongement de ses mains, de ses bras, de ses jambes.

Il savait que la sclérose amyotrophique était une maladie incurable. Elle le savait aussi parfaitement et réclamait à Dieu chaque jour un peu plus de temps pour voir ses enfants aller jusqu'au bout de leurs études, voir peut-être ses deux filles mariées, elle était la mendiante du temps quotidien. Elle priait et mettait sa vie entre les mains de Dieu.

Le peintre aurait voulu suivre son exemple. Mais il n'était pas assez croyant pour prier de manière constante. Il croyait en la spiritualité, il lui arrivait d'invoquer la miséricorde de la force supérieure qui gouvernait l'univers. Il avait des doutes et penchait vers l'exploration des voies de l'esprit. Un artiste ne peut avoir de certitudes. Tout son être, tout son travail sont habités par le doute.

Une des premières nuits qu'il avait passées dans son atelier, il avait eu soudain une crampe et le besoin urgent de changer de position dans le lit. Mais la sonnette était en panne. Il eut beau appeler de son filet de voix, taper comme il pouvait sur les montants de son lit, les Jumeaux, qui dormaient dans une chambre à côté, ne l'entendirent pas. Il avait mal, mal tout le long du côté gauche, qui se raidissait. Un ultime effort le fit tomber brusquement du lit. Le fracas de sa chute fut cette fois si grand qu'il réveilla les deux hommes, qui accoururent. Par chance, il n'avait rien de cassé, seulement des bleus sur la hanche. Il pensa une nouvelle fois à Naima et aux nuits terribles qu'elle avait dû passer.

La maladie de Naima avait radicalement changé son regard sur le monde du handicap. Il en savait bien plus que la majorité de ses amis. Chaque fois qu'il croisait une personne handicapée, il imaginait et visualisait sa vie quotidienne ; il lui prêtait une véritable attention et s'intéressait à son cas. La bonne santé, physique et morale, ne cesse de voiler la réalité ; nous ne voyons jamais les failles, les blessures parfois béantes de ceux et celles que le sort a frappés. Nous passons à côté d'eux et dans le meilleur des cas nous éprouvons un sentiment de pitié, puis nous continuons notre chemin.

C'est ainsi qu'un jour il avait proposé d'accompagner son ami Hamid à une réunion de parents d'handicapés. Nabile, son fils, était né avec une trisomie 21. Le peintre assista aux témoignages désespérés de mères qui luttaient parce qu'il n'existait rien au Maroc pour s'occuper de ces enfants « porteurs d'un malheur indifférent », comme disait un psychologue présent dans la salle. Après la réunion, il eut l'idée d'inviter Nabile dans son atelier. Il lui donna une toile et des couleurs pour peindre. Lui montra comment faire. Nabile était heureux, il resta la journée entière à peindre. Le soir, il repartit avec ses peintures, que ses parents firent encadrer et accrochèrent dans le salon de leur maison.

Cet accident était pour lui, il en avait la certitude profonde, l'occasion de tout reconsidérer. Pas uniquement sa vie conjugale, mais aussi sa relation au travail et à la création. « J'aimerais, se disait-il, savoir peindre un cri comme Bacon, ou bien la peur, ce quelque chose qui me fige et me rend si vulnérable. Peindre la peur si précisément que je puisse la toucher, et ainsi la rendre inopérante, l'effacer, l'annuler de ma vie. Je crois à cette magie née de la peinture et qui agit sur la réalité. Oui, dès que je pourrai bouger les mains et les doigts, je m'attaquerai à la peur, une peur horizontale comme les rails d'un train, une peur mouvante, changeant d'apparence et de couleur, elle éteindra toutes les lumières. Voilà, je la capterai et l'étalerai face à la mer dont le bleu envahira toute la toile. La peur sera noyée, inondée sous les flots de bleu. Je la contemplerai comme je contemple la mort. La mort maintenant ne me fait plus peur. Mais je ne devrai surtout pas me prendre à mon jeu. Il faudra que je crée un rythme, une musique qui repoussera la peur. »

Il contempla sa jambe immobile et rit douce-ment. Un soir, alors qu'il méditait sur son sort, il s'était persuadé que la jambe paralysée était devenue le refuge de son âme et que sa libéra-tion commencerait là. L'âme est vive et ne sup-porte pas ce qui est rigide et immobile. Il était content de penser que son âme s'était logée dans sa jambe et travaillait à lui rendre ses mou-vements. C'était une idée un peu folle bien sûr, mais il y croyait dur comme fer. Depuis qu'il ne pouvait plus peindre, il passait son temps à rêver et réinventer la vie. Il aimait se dire qu'il vivait dans une petite cabane d'où il pouvait regarder le monde sans être vu. Mais la douleur, encore

35

vive, et la rééducation difficile eurent tôt fait de le sortir de cet univers d'enfant malade.

Un jour, alors qu'il était retourné à la clinique pour des examens de contrôle, il reçut un appel téléphonique. L'un des Jumeaux lui passa le combiné en lui disant « C'est madame Kiara! » assorti d'un geste d'incompréhension. Il la reconnut immédiatement, étonné qu'elle ne l'ait pas oublié. Elle lui demanda tout d'abord de ses nouvelles, mais comprit qu'il s'exprimait encore très mal. Elle lui apprit que Ricardo allait spectaculairement mieux. Ils étaient restés peu de temps en Italie et avaient pu partir s'installer aux États-Unis, où la rééducation l'avait transformé. Son agent artistique avait tout pris en charge. Ricardo bougeait maintenant les doigts et, quand on l'installait au piano, il jouait de manière étrange, décalée, un peu comme Glenn Gould, réinterprétant Bach à sa façon. Son agent avait immédiatement décidé d'exploiter cet aspect de son jeu. « Les producteurs ne perdent jamais le nord, ajouta-t-elle, mais nous, ce qui nous intéresse, c'est que Ricardo puisse retrouver ses mouvements ! »

Le peintre était content d'avoir des nouvelles de son ancien compagnon de chambre. Il se dit que l'espoir était au bout de la douleur.

De retour chez lui, une fois ses examens terminés, il se plut à imaginer la rumeur de son accident qui se propageait et ce que l'on devait dire dans son dos : « Tu ne savais pas qu'il a eu

une attaque ? Le pauvre, il ne peut plus peindre... C'est le moment d'acheter. » Ou bien :
« Lui, si arrogant, si égocentrique, Dieu lui a
envoyé un signal ; il l'a prévenu, la prochaine
fois ce sera la dernière. » Ou encore, plus crû-
ment : « Il est foutu, il ne doit même plus pouvoir bander, lui qui aimait tant les femmes...
Quant à la sienne, la pauvre, qui en a vu de
toutes les couleurs, elle peut être rassurée, maintenant sa quéquette ne lui sert plus qu'à pisser,
comme quoi, il y a une justice ! » « Le grand séducteur va enfin connaître notre solitude !
J'avoue que nous étions jaloux de ses succès, et
avec tout ça, ses toiles se vendaient bien ! »
Comme s'il y était, il se représenta son galeriste
en train de téléphoner à des collectionneurs :
« Surtout, surtout ne vendez pas, attendez
quelques mois ! » Et sa femme, que faisait-elle
depuis qu'elle avait appris la nouvelle, ne cher-
cherait-elle pas à prendre sa revanche ? Non,
non, il s'était promis de ne pas se poser ce genre
de questions. Il ne voulait plus de conflit avec
elle, il voulait la paix, pour pouvoir guérir.

Lorsque par malheur la maladie ou un accident vous frappe, votre entourage change brusquement de visage. Il y a ceux qui comme les
rats quittent le navire, ceux qui attendent la
suite des événements pour aviser, et puis ceux
qui restent fidèles à leurs sentiments et à leur
comportement. Ceux-là sont rares et précieux.
Autour de lui, il y avait des représentants des

trois catégories. Il ne s'était d'ailleurs jamais fait d'illusion sur la question. Avant de peindre, il avait étudié longuement la philosophie. Il aimait tout particulièrement Schopenhauer et ses aphorismes ; ces remarques incisives le faisaient rire et lui avaient appris à se méfier des apparences et de leurs pièges. Il avait même hésité un temps à s'engager dans des études de philosophie. Il croyait que peindre et lire Nietzsche et Spinoza n'étaient pas inconciliables. Mais il savait manier crayons et pinceaux mieux que personne et son professeur de dessin lui avait fermement enjoint de partir faire l'École des beaux-arts à Paris. Ces encouragements l'avaient aidé à remiser ses rêves de philosophie.

Et c'est ainsi qu'un beau jour il avait quitté le Maroc pour Paris. Il n'avait pas encore vingt ans. Dans son esprit, Paris c'était la liberté, l'audace, l'aventure intellectuelle et artistique. C'était là que Picasso avait connu la gloire, et sa vocation était née en découvrant les premières toiles du maître, celle notamment où le jeune homme de quinze ans avait peint sa mère sur son lit de mort. Picasso l'impressionnait profondément, il voulait suivre ses traces. Aux Beaux-Arts, il perfectionna sa technique, et trouva sa propre voie. Il s'éloigna de ses grandes références pour se forger un style propre, hyperréaliste, qui deviendrait plus tard sa marque de fabrique. Ses toiles, d'une rigueur absolue, étaient toujours le fruit d'un travail long et minutieux. Il ne pouvait concevoir l'art autrement. Il n'avait jamais compris comment ses contemporains se permettaient de jeter des seaux de peinture sur une toile ou de griffonner quelques traits. Il voyait leur main guidée par la facilité, et c'était justement tout ce qu'il détestait. Il avait en horreur les choses qu'on obtenait facilement, sans effort, sans imagination. Il voulait que sa peinture soit comme la philosophie, à laquelle il avait renoncé : un échafaudage précis, cohérent, profond où il n'y a pas de place pour le flou, les idées générales, les clichés, l'à-peu-près. Toute sa vie s'était peu à peu construite sur ces bases. Pour lui, tout était une question d'exigence. Il faisait attention aussi bien à ce qu'il entreprenait qu'à ce qu'il était. Même sa santé était devenue un sujet permanent de préoccupation, non qu'il fût hypocondriaque, mais il avait vu des gens proches mourir par négligence, parce qu'ils ne prenaient pas au sérieux les recommandations des médecins.

Dans son état actuel, cette morale de l'exigence en toute chose perdait quelque peu de son sens. À quoi bon viser la perfection quand on ne peut plus saisir un pinceau entre deux doigts ? Certains jours, lorsqu'il reprenait le dessus, il ne désespérait pas de créer de nouveau. Il se remémorait Renoir et Matisse, très âgés, continuant à peindre malgré les difficultés physiques. Après tout, il avait évité le pire. Son ami Gharbaoui, n'était-il pas mort de froid et de solitude sur un banc à Paris, âgé de quarante ans à peine ? Cherkaoui, autre peintre qu'il admirait, n'était-il pas mort d'une péritonite à l'âge de trente-six ans juste après avoir fui la France au lendemain de la guerre des Six Jours ?

Quand il était revenu à lui, à la clinique, quelques jours après l'AVC, et qu'on lui avait appris l'évolution de son état, il s'était souvenu de ce que sa mère redoutait le plus : devenir une chose, un tas de pierres ou de sable, posé là dans un coin de la vie, totalement dépendant des autres. Heureusement, une fois rentré chez lui, il avait pu engager les Jumeaux pour affronter le poids de cet état nouveau et imprévisible. Réussir à se laver, se raser, se torcher, s'habiller, garder un peu de son élégance naturelle, rester digne et avenant, ne pas laisser ouvertes ses blessures dont certaines étaient profondes, voilà ce qu'était son horizon. Fini le temps des fantaisies. Finies les envies soudaines d'aller manger dans un restaurant un steak tartare. Finie la marche le matin pour rester en forme. Finies ses visites au Louvre, au Prado ou dans les belles galeries du sixième arrondissement. Finis les caprices, les rencontres avec de belles inconnues, les dîners en tête à tête à Rome ou ailleurs, finies les visites impromptues à son ami antiquaire avec qui il adorait faire les marchés de Paris, Londres et ailleurs. Tout cela et tant d'autres choses n'étaient plus possibles. Il avait perdu toute la légèreté qui l'habitait. À présent il n'était plus seul maître de sa vie, de ses mouvements, de ses désirs, de son humeur. Il était dépendant. Dépendant pour tout. Aussi bien pour boire un verre d'eau que pour s'asseoir sur la lunette des toilettes et faire ses besoins. Sa réaction fut immédiate, il devint constipé. Il se retenait, retardait le moment où il devait se vider. Le manque de mouvements favorisait cet état. Il se disait la merde est ce qui nous trahit. Sa mère était devenue incontinente; elle refusait les couches et faisait sous elle, comme un bébé. Sa mère puait la merde et pourtant il se penchait sur elle et l'embrassait. Puis il appelait les infirmières pour qu'elles lui fassent sa toilette et sortait dans le couloir où il pleurait en silence. Une vie entre les mains des autres, est-ce encore une vie?

« L'illusion voyage en tramway. » Une voix intérieure lui murmurait parfois cette phrase. Elle lui rappelait quelque chose, mais qu'il n'arrivait pas vraiment à identifier. Soudain, comme un éclair, il vit une belle femme, brune, coiffée à la mode des années cinquante, assise, la main droite sur la joue, l'autre posée sur l'épaule d'un homme à l'air désolé, les bras croisés, le col de la chemise ouvert malgré la cravate. C'était une image en noir et blanc. Et puis, comme dans un rêve, le nom de la femme surgit : Lilia Prado. Il brillait dans le noir de sa mémoire. Lilia Prado! Mais qui était-elle? D'où sortait-elle? Il se souvint d'une amie algérienne qui portait ce prénom mais elle ne ressemblait pas à cette Lilia.

Et d'abord, pourquoi l'illusion voyagerait en tramway? Il se répéta la question plusieurs fois et enfin le nom de Luis Buñuel remonta des tréfonds de lui-même. La phrase qui lui était apparue était le titre original d'un film tourné en 1953 par le cinéaste espagnol quand il vivait au Mexique après avoir fui le franquisme. *On a volé un tram.* Le titre choisi par le distributeur français était ridicule. Toute la poésie et le mystère en étaient gommés.

Il était content d'avoir réussi à décrypter cela, c'était un signe que sa mémoire bloquée se remettait en marche.

CHAPITRE III

Paris, 1986

« Le miel de la nuit se consume lentement »,
écrit le poète.

Ils avaient tort de médire, pendant deux longues et douces années, le peintre et sa femme furent le couple le plus heureux du monde. Elle savait le rendre bon, avait appris très vite comment s'adapter à ses manies, ses habitudes et ses lubies. Elle les acceptait avec le sourire et parfois en se moquant gentiment. Jamais l'ombre d'une contrariété. Météo parfaite ! disait-elle en souriant.

Pour elle, il loua une petite maison rue de la Butte-aux-Cailles. C'était charmant, on se serait cru en pleine campagne alors qu'ils étaient dans Paris. Les voisins étaient sympathiques et ils menaient une vie sans heurt, sans conflit. Il gardait encore aujourd'hui une profonde et sincère nostalgie de cette époque. Sa femme était amoureuse et décidée à vivre intensément cette relation. Ils n'avaient pas fait de voyage de noces, mais il avait été convenu entre eux qu'elle l'accompagnerait désormais partout où il serait invité : expositions, colloques ou foires d'art contemporain. Ils prenaient à chaque fois quelques jours de plus pour visiter le pays, guide à la main. Le peintre, qui avait beaucoup voyagé, était touché de lui faire découvrir les grandes villes du monde : Venise, Rome, Madrid, Prague, Istanbul, New York, plus tard San Francisco, Rio de Janeiro, Bahia... Elle s'achetait tout ce qui lui plaisait et n'oubliait jamais de rapporter des cadeaux pour sa famille. Il ne regardait pas à la dépense. De retour à Paris, elle appelait ses parents et ses amis et leur racontait dans les moindres détails ces voyages merveilleux. Elle leur disait avec humilité qu'elle mesurait la chance qu'elle avait. Quand elle raccrochait, il lui glissait avec tendresse : « Tu sais, c'est moi qui ai de la chance de t'avoir rencontrée ! » Il considérait qu'à trente-huit ans, épouser une jeune fille de vingt-quatre ans était quelque chose d'exceptionnel, un privilège réservé à peu d'élus. Ne pas faire comme les autres était dans son esprit une sorte de garantie d'un bonheur éternel. Et puis, croyait-il, le temps était venu pour lui de se ranger, de fonder une famille et de changer de rythme. Pour cette nouvelle vie, elle était la femme idéale.

Ils faisaient l'amour très souvent, c'était tendre, naturel. Il aurait voulu parfois qu'elle participe un peu plus ; elle riait et lui faisait comprendre qu'elle était pudique. Un jour, en changeant de chaîne tard dans la nuit, ils tombèrent sur un film pornographique. Elle cria, horrifiée par le spectacle de ces femmes déchaînées et ces hommes aux sexes énormes. Choquée, elle se blottit contre lui comme pour qu'il la protège d'un danger imminent. Jamais de sa vie elle n'avait vu d'images pornographiques. Il la rassura en lui disant que ces films étaient outranciers, la sexualité de la plupart des gens était plus simple. Elle retrouva son calme. Il éteignit le poste et ils s'endormirent enlacés sur le canapé du salon.

Un jour, elle prit le train pour aller rendre visite à ses parents qui habitaient dans les environs de Clermont-Ferrand. Elle lui demanda s'il pouvait l'aider à acheter le billet, elle voulait aussi leur apporter de petits présents. Il lui donna ce qu'elle voulait et lui déclara qu'ils iraient l'après-midi même ouvrir un compte joint pour qu'ils n'aient plus besoin de faire des comptes ensemble. Elle était contente et lui dit de toute façon ce qui est à toi est à moi et ce qui est à moi est à toi. Il rit, heureux de cette entente parfaite.

Elle resta chez ses parents pendant une semaine. Le peintre vécut ces sept jours et sept nuits avec l'impression d'avoir été abandonné. C'était la première fois qu'ils se séparaient aussi longtemps. Elle lui manquait terriblement. Il lui téléphonait chaque jour, mais souvent on ne pouvait pas la lui passer, elle venait de sortir, faisait une course... Il découvrit combien il était amoureux, mordu, comme il disait dans sa jeunesse. Elle habitait ses pensées, ne le quittait pas. À sa table de travail, il ne réussissait plus à avancer sur le moindre de ses projets. Il l'imaginait serrée entre ses bras, fredonnait les chansons de son village, des airs qu'il n'affectionnait pourtant pas spécialement, mais dont soudain il ne savait plus se passer, alors même qu'il ne comprenait pas le sens des paroles. C'était ça l'amour, aimer ce qui vous rappelle l'être aimé. Las de ne pas la rencontrer dans les pièces de leur maison, il s'était rendu au beau milieu de la journée dans la salle de bains pour sentir son pyjama, son parfum ; le lendemain, il s'était même brossé les dents avec sa brosse. Installé au salon, il s'était surpris à lui parler comme si elle était en face de lui. Incapable de se concentrer sur ses œuvres, il regardait de vieux films à la télé, jusque tard. Il finissait toujours par s'assoupir sur le canapé, et c'est ainsi que vers deux heures du matin il vit le visage de sa femme se confondre avec celui de Natalie Wood, dans *La fièvre dans le sang* d'Elia Kazan. Elle lui ressemblait un peu, mais sa femme devait être plus grande de taille et avait les cheveux châtains.

Quand elle rentra enfin de Clermont-Ferrand, ce fut la fête. Il était allé en taxi la chercher à la gare, et était arrivé bien trop en avance. À la maison, de petits cadeaux l'attendaient et il mit un peu de musique pour l'accueillir. Elle lui demanda, inquiète, si elle lui avait manqué. Plus que ça, lui répondit-il, il n'arrivait pas à dormir sans elle, ni à manger, ni à boire. « J'étais comme un enfant de l'assistance... »

Deux mois après, elle lui annonça qu'elle était enceinte. Il sauta de joie, chanta jusqu'à déranger leurs gentils voisins qui vinrent demander si tout allait bien. Un dîner fut aussitôt improvisé avec eux, et l'on sabra une fois encore le champagne. Il n'avait jamais été aussi attentif avec une femme. Ils pouvaient passer des heures entières ensemble à ne rien faire, il se mettait en quatre pour la gâter. Au beau milieu d'une nuit, elle lui réclama des oursins. Pourquoi des oursins ? Ils n'en avaient jamais mangé ni l'un ni l'autre. Elle avait lu le jour même un article dans un magazine sur ce fruit de mer et avait tout simplement envie de le goûter. Comment faire ? Ils prirent la voiture et partirent à la recherche d'une brasserie ouverte qui pourrait leur en servir. Ils traversèrent Paris du nord au sud, d'est en ouest, leur quête resta vaine. Il était trois heures du matin et tout était fermé depuis longtemps. Comme il lui parlait, il s'aperçut qu'elle s'était endormie, son envie lui était subitement passée. Pendant ces neuf mois, ils s'inventèrent aussi des jeux. Ils improvisaient des scènes comme si la caméra de John Cassavetes les filmait. C'était fou, délicieux, très libre. Les vrais films de Cassavetes qu'il l'entraîna voir rue des Écoles lui plurent moins. Trop désespérés, trop désenchantés. Elle lui avoua qu'elle préférait les comédies et les films très romantiques, elle avait aussi un faible pour Delon. Un de leurs amis, photographe de plateau, lorsqu'il l'apprit, les invita à assister dans les studios de Boulogne au tournage d'un film où Delon faisait une brève apparition. Elle se maquilla et prit soin d'emporter son appareil photo. Entre deux prises, l'ami les présenta à l'acteur. Il était très aimable, s'intéressa surtout à elle. Elle se fit prendre en photo à ses côtés. Lorsqu'ils s'apprêtaient à repartir, Delon les apostropha : « Mais cette belle jeune femme ne voudrait-elle pas faire du cinéma ? Elle est très jolie, un peu typée. On voit tout de suite qu'elle a du caractère. Alors, ça vous dirait ? » Tandis que le peintre interloqué restait muet, elle baissa les yeux et murmura : « J'ai toujours rêvé de faire du cinéma... », puis reprit tout d'un coup son assurance : « J'ai été mannequin quand j'avais dix-sept ans, à l'agence Sublime, vous devez connaître, Jérôme... Jérôme Lonchamp ? » Delon fit non de la tête. Un membre de l'équipe vint le chercher, le tournage reprenait. L'acteur lui fit une bise et disparut.

Elle était tout émue, contente, comme une petite fille recevant sa première poupée. « Ma femme amoureuse d'Alain Delon, au beau milieu de sa grossesse, mais je rêve ! » s'était dit le peintre dans le taxi qui les ramenait chez eux. Non, c'était impossible, ridicule. C'était la jalousie qui devait lui faire penser ça. Il imagina pourtant Delon lui donner rendez-vous dans un palace pour un après-midi d'amour... la voyait dans ses bras, blottie contre lui, et même dans une piscine un verre de jus d'orange mélangé avec quelque alcool à la main. Il était fou, stupide, malade, bref, malheureux. Elle ne remarqua rien.

Les jours suivants, elle téléphona à ses amies pour leur raconter sa rencontre. Elle en rajoutait un peu sur la beauté, le charisme et la gentillesse du grand acteur. Lui s'efforçait de garder son calme. C'était comme si soudain Delon était partout, dans le salon, dans la salle de bains, dans leur chambre à coucher, dans sa tête à lui, dans sa tête à elle ; il prenait toute la place, dévorait leur vie sans laisser une miette.

Et puis, au bout de deux semaines, la fièvre Delon retomba d'un coup. Et la jalousie du peintre avec. Il ne fut plus jamais question de l'acteur. De nouveau heureuse, satisfaite, l'attention de sa femme était tout entière tournée vers le bébé qu'elle portait. La maison baignait dans le bonheur et la douceur. Le bonheur conjugal, le vrai, le simple, le plus beau. Le peintre caressait le ventre de sa femme, lui faisait des déclarations enflammées. Elle aimait l'entendre dire combien il l'aimait. C'était l'accord parfait.

Un matin très tôt ses contractions commencèrent, il l'accompagna à la clinique et assista à l'accouchement. Quand l'infirmière lui tendit les ciseaux pour couper le cordon ombilical, il fut tellement ému qu'il faillit s'évanouir. Une fois remis, il se précipita vers la cabine téléphonique du hall pour appeler et annoncer la nouvelle jusqu'à ce que la machine ait avalé toutes ses pièces. Sa mère poussa des youyous qui lui tirèrent des larmes. Ses amis et les gens avec lesquels il travaillait le félicitèrent. La galerie qui s'occupait de ses peintures fit livrer un grand bouquet de fleurs. En sortant de la clinique, le soir, il dansait et chantait.

Le retour à la maison fut plus difficile. Leur femme de ménage avait démissionné et il n'avait pas eu le temps d'en trouver une autre. Heureusement, la mère de son épouse vint leur prêter main-forte. Ils firent une belle fête pour la nouvelle naissance. La mère du peintre, qui vivait au Maroc, ne put se déplacer, elle se sentit mise à l'écart. « Quand vous viendrez, lui dit-elle péremptoire, j'organiserai la "vraie fête". » Le peintre ne fit pas de commentaire.

Et puis leur vie changea brusquement. Le bébé prit toute la place. Leur couple était relégué au second plan, mais il était toujours amoureux d'elle. Au bout d'un mois, la galerie l'appela et lui demanda de se remettre au travail. Il s'enferma dans l'atelier et mit du temps avant de retrouver l'inspiration. Le type de dessins hyperréalistes très froids qu'il faisait avant leur mariage ne le satisfaisait plus. Quand il rentrait, le soir, il remarquait combien sa femme était épuisée. Il s'occupait d'elle, lui préparait à manger, la consolait; ensuite il prenait le relais auprès du bébé, le changeait et lui donnait le biberon. Il se souvenait encore du rot qu'il fallait attendre une éternité avant de pouvoir l'allonger dans son berceau... C'était un père attentionné; il apprenait le métier et essayait de mettre un peu de joie dans la maison. Mais sa femme déprimait. C'était classique, on l'avait prévenu. Il redoubla d'attention et de tendresse. Elle lui en fut reconnaissante, retrouva confiance en elle et reprit le dessus. Leur enfant faisait des progrès jour après jour, ce qui rendit le couple apparemment plus solide. La vie leur souriait et lui sentait que son œuvre entrait dans une nouvelle phase.

CHAPITRE IV

Paris, 1990

> « Je te laisserai tomber avec un bruit sec
> quand ça me plaira », dit la patronne de la foire
> à Liliom.
>
> *Liliom*, Fritz Lang

C'était une très belle nappe de Fès brodée à la main datant de la fin du dix-neuvième siècle. Elle était un peu usée, le tissu n'avait pas résisté au temps. Un ami marocain du peintre, le sachant amateur de belles broderies, la leur avait offerte comme cadeau de mariage. Elle était si belle, si précieuse qu'il avait songé à l'encadrer et l'accrocher comme une toile de peinture. En attendant, il l'avait étendue, le plus délicatement possible, sur une table basse dont il n'aimait ni le bois ni les formes, une table quelconque comme on en trouve dans la plupart des maisons. Cette nappe au milieu du salon faisait un bel effet, non seulement elle cachait la médiocrité de ce meuble, mais elle embellissait la pièce. Il chercha des renseignements sur l'art de la broderie à Fès au siècle précédent et fut surpris d'apprendre que cette nappe appartenait à la famille de son grand-père maternel. Elle faisait partie du trousseau de la mariée, Lalla Zineb, fille de Moulay Ali, professeur à l'université de la Qaraouiyine. Cette pièce avait maintenant à ses yeux une valeur inestimable : non seulement elle était belle et unique, mais elle faisait partie du patrimoine familial. C'était, à vrai dire, le seul des cadeaux qu'ils reçurent qu'il apprécia vraiment. Les autres étaient si convenus qu'il les oublia très vite. Ce n'était pas le cas de sa femme, qui les mit en évidence dans leur chambre à coucher et un peu partout ailleurs. Vases, plateaux en faux or, draps brodés par des petites mains, couvertures en laine synthétique, service à café imitant la porcelaine anglaise mais made in China bien sûr, bouquets de fleurs en plastique faits pour durer éternellement et autres bricoles qui ne servaient à rien sinon à être posées sur une étagère pour rappeler que le mariage fut une belle fête en attendant sagement que la poussière les recouvre entre deux coups de chiffon.

En rentrant, un soir, il s'aperçut que la nappe avait disparu. Sa femme l'avait jetée dans le panier à linge. Sans rien dire, il la récupéra, la plia soigneusement et la rangea dans un tiroir de son armoire. Il pensait aux mains fines qui avaient passé des semaines à broder ce morceau de tissu, à celui ou celle qui avait dessiné ces fleurs et en avait choisi les couleurs. Il était bouleversé. Dire que cette broderie avait traversé deux guerres mondiales, le protectorat français au Maroc, l'indépendance du pays, puis les différents déménagements de trois, peut-être quatre familles pour finir dans la boutique d'un antiquaire cultivé qui l'avait exposée en vitrine et pour qu'enfin un de ses amis l'achète et la leur offre en cadeau de mariage! Tout cela, le geste de sa femme semblait le balayer au mieux par indifférence, au pire par ignorance. Il voulut aller la trouver pour lui parler de l'importance qu'il accordait à ces objets du passé. Mais il avait remarqué que sa femme ne supportait pas les leçons. Elle risquait de lui répondre avec mauvaise foi : « C'est quoi cette vieillerie, ma maison n'est pas un bazar! » Dans un premier temps il pensa lui pardonner, lui parler tendrement, lui expliquer les choses, lui apprendre à regarder une œuvre d'art, lui dire qu'on peut lire une broderie comme on lit un beau poème, décrypter un tapis ancien comme on repère les traces d'une civilisation, etc.

Il se retira dans son bureau et se demanda pourquoi cette histoire de nappe l'avait aussi profondément heurté. Jusque-là, leur amour avait toujours été plus fort. Certains comportements de sa femme le choquaient, mais il aimait qu'elle soit différente de lui. Leurs divergences comme leurs différences, ils les surmontaient toujours. Mais là, ça ne passait pas. Impossible de lui pardonner son geste. Elle avait commis quelque chose d'irréparable qui lui fit sentir pour la première fois qu'un jour ils pourraient se séparer. La soirée s'écoula. Le peintre n'aborda pas le sujet avec sa femme pendant le dîner. Tard dans la nuit, il riait de sa propre colère.

Après la naissance de leur fils, elle prit beaucoup d'assurance et changea d'attitude et de comportement. L'incident de la nappe, fut suivi de disputes quotidiennes. À chaque fois, il finissait par sortir de la maison pour marcher dans la ville. Il n'aimait pas fréquenter les bars. Il se promenait les poings serrés dans les poches et se parlait à lui-même.

Un soir très tard, il s'arrêta devant la vitrine d'un magasin de télévisions dont tous les écrans retransmettaient curieusement un reportage sur la musique du Haut Atlas. Le son était coupé mais, en regardant ces femmes habillées de robes de plusieurs couleurs et ces hommes en djellaba blanche tapant sur des bendirs et d'autres jouant de la flûte, il ne put s'empêcher de réentendre cette musique pleine de stridence et de dysharmonie que l'on avait jouée lors de leur mariage. C'était un souvenir qu'il avait tenté d'oublier mais qui, là, refaisait surface.

Il n'avait jamais aimé les musiques folkloriques, qu'elles soient de son pays ou d'ailleurs. Mais lors de l'organisation du mariage, son avis n'avait pu être pris en compte. Pas de fête sans musique et pas de grand dîner sans beaucoup de

bruit. Lui qui rêvait d'un mariage en petit co-
mité, entre amis et à la rigueur avec quelques
membres des familles, il s'était retrouvé dans un
tourbillon de vacarme et de chahut malgré lui.

Pendant toute la soirée, en dépit du bonheur
qu'il éprouvait d'épouser sa femme, il avait
gardé un air hébété qui ne lui ressemblait pas.
Son regard se faisait même inquiet quand il rencontrait celui de son père, farouchement opposé
à cette alliance, dont il ne voyait ni la nécessité
ni le bien-fondé. Sa mère avait mis son plus
beau caftan, sa ceinture en or et ses plus beaux
bijoux. Mais son esprit était contrarié, froissé
par ce choc des classes que leur fils leur avait
imposé. Les autres membres de sa famille parta-
geaient la même position, il pouvait le lire sur
les visages crispés des uns et des autres. On avait
même demandé à sa tante, connue pour son
franc-parler, de se tenir tranquille. On n'était
pas là pour se fâcher et provoquer un scandale.
Du côté de sa belle famille, les femmes faisaient
de leur mieux pour être dans le ton. Mais les
regards étaient lourds de sous-entendus. De
part et d'autre, les habits n'étaient pas les
mêmes, les gestes non plus. Seule cette musique
avec la sono à fond, en assourdissant tout le
monde empêchait que la situation ne devienne
explosive et ne tourne au désastre. Personne, à
part lui et elle, n'était heureux. Personne ne
voulait de cette union. Il fallait être fou, pensaient les invités, pour vouloir réunir deux
mondes aussi différents.

Un autre souvenir de leur mariage l'assaillait. Celui du parfum à base de clou de girofle que portaient toutes les femmes de la tribu de sa femme. L'odeur lui donnait littéralement la nausée depuis le jour où, enfant, il l'avait sentie pour la première fois quand il voyageait avec ses parents en autocar. Il y était même presque allergique, éprouvant après l'avoir respirée des maux de tête qui le torturaient des heures durant.

Dans ce mariage, tout était réuni pour le mettre à terre et pourtant il fit face. Il ressentait une tendresse infinie pour cette fille qu'il pensait détachée de sa famille et hors de portée de sa tribu. Il la regardait et la couvrait de baisers, la serrait dans ses bras en caressant sa superbe chevelure presque blonde. Il était amoureux. Aveuglément amoureux. Aucune autre femme ne trouvait plus grâce à ses yeux, lui le séducteur qui avait accumulé tant d'expériences à travers ses voyages et ses rencontres.

Jamais il n'aurait imaginé que cette fête de mariage — qu'il appelait maintenant sa défaite — laisserait des traces indélébiles dans leur vie, dans sa vie. La rencontre des deux familles avait été un choc des classes, deux blocs que rien n'avait pu rapprocher. Sur le moment, pourtant, il n'avait pas voulu y prêter garde. Il pensait que l'amour serait plus fort que tout, comme dans ces mélodrames de Douglas Sirk qu'il adorait. Les films bien plus que les livres influençaient son imaginaire. Dans l'adversité, il avait repensé à *La fièvre dans le sang* d'Elia Kazan et *Une place au soleil* de George Stevens, et s'était identifié au jeune héros en butte aux affrontement des deux familles. Il savait pourtant que le cinéma était le rêve de la réalité.

En début de soirée, malgré toutes les recommandations qui lui avaient été faites, sa tante ne put s'empêcher de livrer haut et fort son point de vue aux invités qui l'entouraient, avec une arrogance inouïe. À mots non couverts, elle déclara que pour elle tout mélange était une trahison du destin. Elle employait des mots crus, violents, qu'elle accompagnait de gestes, moues et grimaces qui en rajoutaient. Son mépris était évident. Comment une dame de la haute bourgeoisie de Fès comme elle pouvait-elle accepter de se retrouver en compagnie de campagnards qui ne parlaient même pas bien l'arabe ? Comment son neveu avait-il pu se fourvoyer à ce point ? Une seule explication : il n'agissait pas, il était agi ; il ne décidait pas, quelque chose en lui parlait à sa place. C'était un complot, évidemment. Le pauvre marié était devenu un agneau livré aux mains d'ignorants qui avaient trouvé là une occasion unique de s'emparer de l'élégance, de la grâce et de la plus haute des traditions. Sa tante voulait blesser, marquer le coup et avertir ces gens du bled que, si les deux tourtereaux s'aimaient, il n'y aurait en revanche jamais de mariage entre les deux familles.

Sa mère, elle, resta muette pendant toute la fête. Sa sensibilité et sa mémoire étaient heurtées par cette union mais elle ravalait sa colère. Elle pleurait en silence derrière ses lunettes de myope et posait de temps en temps un regard apitoyé sur son fils qui commettait, croyait-elle, une erreur fatale. C'était une femme connue pour sa bonté et sa sagesse ; elle était incapable de médire ou de se disputer. Mais elle avait des certitudes simples, évidentes.

Le ton était donné. Pas de main tendue, pas de bras ouverts, pas d'hypocrisie. Sa tante avait pris la tête du front du refus ; elle ne mâchait pas ses mots, même si elle feignait de s'adresser à sa sœur, à ses filles et nièces : « Regardez ces gens, il ne sont pas dignes de se mélanger avec nous ! Regardez ce père qui ne sourit jamais et qui n'a même pas la décence de porter un costume propre, il a gardé sa gandoura froissée et voudrait parler d'égal à égal avec les nôtres ! Quant à la nourriture, je préfère ne pas en parler. Décidément, nous n'avons rien en commun, pas les mêmes goûts, pas les mêmes exigences, nous sommes des étrangers. À la limite, il eût été préférable qu'il épouse une chrétienne, une fille d'Europe. Ils ne partagent pas notre foi mais ont au moins un grand savoir-vivre. Un autre de mes neveux a épousé une Française et nous n'avons jamais eu à nous plaindre de sa famille. Je regrette d'être aussi franche, mais je dis ce que je pense, je traduis le silence des autres membres de la famille. Cette histoire commence mal, et se terminera mal. Pourvu qu'il se reprenne à temps, que les écailles lui tombent des yeux. Sinon, elle lui fera plusieurs enfants et il sera trop tard. C'est une méthode connue : s'arranger pour que chaque enfant pèse une tonne afin d'empêcher le mari de partir ! »

Vers minuit, après avoir fait tous les efforts possibles pour dissimuler à sa femme cette hostilité, il la retrouva cachée dans un coin qui pleurait. Il sécha ses larmes et la consola. Avait-elle entendu les médisances de sa tante, ou était-ce le fait de quitter ses parents pour partir fonder une famille avec lui qui la bouleversait soudain ? Le peintre songea au mariage de sa sœur où tout le monde pleurait parce que son mari était venu l'enlever définitivement. C'était il y avait longtemps à Fès, un mariage dans le pur respect de ces traditions que vénérait sa tante. Les familles s'unissaient entre elles pour ne pas avoir de surprise. Tout se réglait à demi-mot ; chacun connaissait par cœur son rôle et la pièce ne pouvait pas être ratée puisque tout était prévu, le rituel se déroulait sans embûches, les familles étaient entre elles, pas de surprise, pas de discours déplacé ou de faute de goût. Au moindre faux pas, il y avait toujours quelqu'un pour intervenir et rétablir l'équilibre de la fête.

Aujourd'hui, il savait très bien pourquoi ce soir-là sa femme s'était mise à pleurer et n'avait pu lui répondre. L'attitude des deux familles avait ravivé un sentiment de rejet qu'elle croyait avoir dépassé depuis qu'elle vivait avec le peintre. Les souvenirs des insupportables humiliations dont elle avait été victime dans son enfance parce qu'elle était de condition modeste lui revenaient, comme une blessure secrète qui se rouvrait d'un coup.

Il se dit qu'il aurait dû mieux la défendre. Préparer le terrain avant le mariage. Lui dire qu'il l'aimait quelle que soit l'opinion de leurs familles, dont il se contrefichait. Il aurait pu facilement lui prouver que leur amour était plus fort que n'importe quel incident de parcours. Mais il n'avait pas pris cette précaution, pensant que son amour était si évident, visible, et qu'il ferait taire les mauvaises langues. Ce mariage, c'était comme crier son amour sur les toits, hurler à qui voulait l'entendre son attachement à cette fille du bled, et dire publiquement sa fierté d'avoir défié toute une classe sociale.

Seul dans les rues, les poings dans les poches, il remâchait leurs histoires et cherchait en vain le moyen de faire cesser leurs disputes, et retrouver l'essence même de l'amour qu'ils se portaient.

CHAPITRE V

Marrakech, janvier 1991

« Ce serait terrible de devoir dépendre de
toi de quelque manière que ce soit », dit à Isak
Borg, 78 ans, l'épouse de son fils.

Les fraises sauvages,
Ingmar Bergman

Un jour qu'ils étaient en voyage tous les deux
dans le sud du Maroc, ils passèrent par le village
où elle avait grandi avant de venir en France.
Il découvrit sa femme heureuse, comme il ne
l'avait plus vue depuis longtemps, à l'aise dans
ses mouvements, douce et généreuse. Elle se
montrait complice, lui parlait de la beauté de la
lumière, des paysages, et de la gentillesse des
habitants de ces régions reculées. Elle lui rappelait brusquement la jeune fille qu'il avait connue
avant leur mariage et dont il était tombé amoureux. Troublé, il songea même à s'installer là,
cette région agissait si merveilleusement sur son
tempérament ! Il n'avait pas tort, car, en retrou-
vant ses racines, elle se sentait rassurée, ce qui

lui permettait d'aller au-devant des autres de façon positive et non plus agressive ou déprimée. Elle passait des heures à parler avec les femmes du village qui lui exposaient leurs problèmes. Elle prenait des notes, procédait avec la précision d'un sociologue et promettait de revenir pour trouver avec elles des solutions. Elle avait apporté des vêtements aux femmes qu'elle connaissait et les avait choisis soigneusement, elle avait aussi des jouets pour les enfants, et un lot de médicaments qu'elle confia à l'unique jeune femme qui savait lire.

Le peintre regardait sa femme faire le bien et il était heureux. Le ciel était d'un bleu limpide et le soir le froid était paralysant. Elle se blottissait contre lui pour se réchauffer mais aussi parce qu'elle sentait que son homme lui appartenait. Elle le tenait, l'attirait de toutes ses forces vers elle comme si elle voulait lui signifier qu'elle le garderait pour toujours. Il pensa un instant qu'elle l'avait entraîné là afin de l'accaparer de manière magique. Ne croyait-elle pas à la sorcellerie comme les femmes de son village ? Il chassa cette idée rétrograde de ses pensées.

Il aurait voulu lui faire l'amour cette nuit-là pour sceller ces retrouvailles, mais ils n'étaient pas seuls dans la chambre. Des enfants dormaient à côté d'eux. Elle l'embrassait doucement et lui murmurait dans l'oreille : « Mon homme, tu es mon homme... » Il lui répondit en lui caressant longuement la poitrine.

Le matin, ils se réveillèrent tôt et prirent un

petit déjeuner traditionnel. Le café était imbuvable, le mélange de pois chiches grillés avec quelques grains de café lui donnait un drôle de goût. Il demanda du thé, hélas bien trop sucré. Ils partirent ensuite faire une marche sur la route menant vers la montagne. Ils se tenaient par la main. Il la sentait légère, insouciante. Il lui dit qu'il faudrait un jour qu'ils fassent le même voyage à Fès, sa ville natale. Elle dit que cela lui ferait plaisir mais à condition qu'ils ne rendent pas visite à sa famille et en particulier à la tante dont elle avait gardé un souvenir traumatisant. Il s'abstint de tout commentaire, il craignait que le moindre faux pas ne gâche ce moment de grâce qu'il comptait faire durer aussi longtemps qu'il le pourrait. Il ne l'avait pas vue, ainsi apaisée, depuis des mois.

Ils marchèrent longtemps et oublièrent l'heure. Arrivés en haut de la montagne, ils rencontrèrent un berger qui jouait de la flûte. On aurait dit une page d'un livre d'images. Ils se reposèrent à ses côtés. Quand il s'en alla avec son troupeau de chèvres, ils se retrouvèrent seuls à nouveau. Elle l'embrassa tendrement sur la bouche. Il eut envie d'elle, jeta un regard aux alentours. Ce fut elle qui remarqua une petite cabane. Là, ils se jetèrent sur la paille et se déshabillèrent. Ils firent l'amour lentement. Il faudrait revenir souvent, se dit-il, puisque sa femme s'en trouvait transformée.

Ils restèrent dans la cabane un long moment; ils s'étaient assoupis. Le berger, comme le voulait la tradition, leur apporta du petit lait frais et quelques dattes. C'était une manière de souhaiter la bienvenue. Le soleil déclinait. Il commençait à faire froid. Le berger leur posa des questions sur leur vie et il leur apprit qu'il n'avait jamais quitté sa montagne et se demandait ce qui se passait dans les villes. Il avait cependant un petit poste de télévision en noir et blanc qu'il faisait fonctionner avec une bonbonne de gaz. Cette lucarne le rendait heureux. Elle le faisait voyager parfois jusqu'à França, le pays où son père et son oncle travaillaient.

Ils se levèrent pour rentrer, craignant d'être surpris par la nuit. En janvier les nuits sont longues et épaisses. Le berger était heureux de cette visite improbable. Le peintre pour le remercier lui offrit ses lunettes de soleil : « Tu en as plus besoin que moi; tu es tous les jours face au soleil, il faut protéger tes yeux. » L'idée de porter des lunettes à la mode semblait le rendre fou de joie. Il les chaussa aussitôt et déclara qu'il voyait autrement la montagne et la plaine, prétendant que ses brebis changeaient de couleur. Il riait tout en leur adressant mille vœux de prospérité. La femme du peintre lui glissa encore un billet de cent dirhams dans la poche. Il lui baisa la main, ce qui était gênant.

Pendant la descente, la fatigue se fit sentir, mais une bonne fatigue, celle qui mène directement au lit et vous fait dormir d'une traite. Ils avaient faim et rêvaient d'une tartine beurrée comme à Paris. Mais la dame chez qui ils habitaient leur avait préparé un couscous aux sept légumes. Ils se goinfrèrent comme des touristes étrangers. Lui avait du mal avec le beurre rance. Elle lui fit les gros yeux et lui dit : « C'est bon, chéri, très bon pour ta santé, c'est bon pour la vue, pour la mémoire, pour l'imagination et la création. » Il n'avait eu le temps de dessiner aucune esquisse, mais tout s'était imprimé dans sa mémoire. La couleur du ciel très particulière revenait souvent dans ses pensées ; il se demandait comment il la rendrait plus tard sur la toile. Elle n'avait rien à voir avec celle de Casablanca qui était plutôt blanche, encore moins avec celle de Paris qui virait vers le gris. Ici, au fin fond du Maroc, préservée de la pollution, elle était d'un bleu doux et subtil. Delacroix, contrairement à ce que l'on pouvait penser, n'avait jamais peint de toile au Maroc. Il avait pris des notes et dessiné dans ses cahiers. C'était seulement une fois revenu en France qu'il avait trouvé les couleurs de ce pays et avait su les composer dans ses tableaux.

Le lendemain, ils prirent quelques photos du village. Les enfants se précipitaient pour poser devant l'objectif. Les femmes refusaient de se faire photographier : elles disaient avoir peur de perdre leur âme. L'une d'entre elles posa de dos. Elle riait et disait : « Je tiens bien mon âme. » Elle portait une robe à fleurs. On aurait dit un tableau de Majorelle, le peintre de Marrakech.

L'heure de repartir était venue. Ils saluèrent

tout le monde, montèrent dans leur voiture et prirent la route d'Agadir. Ils passèrent la nuit dans un joli hôtel donnant sur la plage. Le peintre imaginait cette ville avant. Avant le tremblement de terre de 1960. Il avait vu un de ses instituteurs pleurer, à l'époque. Il avait perdu toute sa famille.

Depuis, Agadir avait été entièrement reconstruite. Les hôtels s'étendaient à perte de vue. La ville ne se consacrait plus qu'au tourisme. Son âme avait été ensevelie. En 1960, sa femme n'était pas encore née, lui avait onze ans. Il gardait vif dans sa mémoire le souvenir de cet instituteur frappé par un si grand malheur. Son père révolté avait même douté devant lui de la bonté de Dieu. Des gens faisaient courir le bruit que c'était une punition divine. À onze ans, tout cela s'inscrit de façon floue dans la mémoire. Mais le souvenir de cette catastrophe l'avait l'accompagné toute sa vie.

Ils se promenèrent dans les différents marchés de la ville. Les habitants étaient très différents des gens de Marrakech. Leur dignité naturelle forçait le respect. Mais aurait-il été capable de vivre dans cette ville refaite comme si elle avait subi plusieurs opérations de chirurgie esthétique? Rien ne lui parlait. Il remarqua que sa femme avait l'air triste. Ils reprirent la route tôt le lendemain avant que son humeur ne s'assombrisse de nouveau. Elle s'installa au volant et se mit à conduire vite. Il observa sa façon adroite de maîtriser cette grosse cylindrée. C'était soudain une femme qu'il n'avait jamais connue qui se tenait à côté de lui, quelqu'un de décidé, déterminé, et qui n'avait peur de rien.

Des gendarmes l'arrêtèrent pour excès de vitesse. Le peintre fut presque soulagé. Elle essaya de les soudoyer. L'un des deux gendarmes lui fit la morale. Elle s'adressa à lui en tamazight. Il lui répondit dans la même langue, lui rendit les papiers du véhicule et lui dit de faire attention.

Le peintre resta interloqué, la solidarité tribale était donc plus forte que tous les codes de la route.

CHAPITRE VI

Casablanca, 24 mars 2000

> « Je viens de la part de quelqu'un qui
> n'existe plus. Il m'a donné rendez-vous dans
> ces lieux émouvants, mais il ne viendra pas »,
> s'annonce Louis Jouvet à la domestique qui lui
> ouvre la porte.
>
> *Un revenant,* Christian-Jaque

Le peintre sommeillait, la tête penchée, la jambe lourde, les deux mains serrées l'une contre l'autre.

Il ouvrit lentement les yeux. Les Jumeaux jouaient aux cartes, assis sur le gazon du jardin. Son fauteuil était muni d'un bouton d'appel, une sonnerie, mais il ne voulait pas les déranger. Il les entendait rire et se raconter des blagues. Lui n'avait jamais su jouer à quoi que ce fût, ni aux cartes, ni au bridge, ni aux échecs. À part le foot, il ne brillait dans aucun sport. Il lui était arrivé une fois de faire une partie de tennis, mais ses amis Roland et François s'étaient moqués de lui. L'un lui avait dit : « Tu joues comme dans

Blow-Up, le film d'Antonioni »; l'autre avait ajouté : « Tu as un jeu si aérien que tu n'as pas besoin de toucher la balle! » Il n'était pas capable de se concentrer sur le jeu. Il pensait sans cesse à ses toiles. Le peintre avait consacré toute sa vie d'homme à son travail. Il avait enseigné un temps, puis n'avait plus fait que peindre et dessiner. En revanche, il aimait beaucoup suivre les compétitions sportives à la télé. Il aimait la part de défi qui entre dans le sport, cette ambition qu'ont les athlètes d'être les meilleurs, juste par la volonté, le travail acharné et la passion de la rigueur. Il aimait rappeler à ses enfants qu'il était arrivé au succès par étapes. Il avait gravi tous les échelons un à un, n'était jamais tombé dans les pièges de la facilité, ni n'avait non plus succombé aux effets de mode, ou aux mondanités qui finissent par aveugler même les meilleurs.

Sa première exposition, il l'avait faite dans le lycée de Casablanca où il était enseignant. Il avait eu du mal à convaincre le proviseur, mais il savait comment lui parler. C'était un ancien copain de la faculté, un homme en règle avec la société. Il s'était marié selon les désirs de ses parents, avait deux enfants inscrits à la Mission française, passait ses vacances dans le sud de l'Espagne et avait pour plus grande ambition de se construire une villa à crédit. Il s'appelait Chaâbi, et les gens l'avaient surnommé « Pop » pour « populaire ». Une semaine après que le peintre lui avait suggéré de l'exposer, Chaâbi vint le trouver et lui dit, comme si c'était lui qui avait eu l'idée : « Le ministère sera content de cette initiative, surtout en ces moments de grèves et d'agitation; tu réponds à la rébellion des élèves par l'art! C'est surprenant, il n'y a pas de danger et je prévois même une promotion pour toi! » Ce serait en effet la première fois que des adolescents des quartiers populaires verraient de la peinture, et qui plus est contemporaine. Avant l'ouverture de l'exposition, le peintre organisa plusieurs rencontres après les cours, où il leur parla longuement de son travail dans l'espoir de les sensibiliser à l'art et surtout pour qu'ils apprennent à regarder une œuvre. Il leur fit projeter un court-métrage d'Alain Resnais sur Vincent Van Gogh et un autre de H.G. Clouzot sur Picasso en train de travailler. Ils étaient intéressés, et même impressionnés.

Les années suivantes d'autres peintres prirent sa suite. L'expérience s'était révélée probante. La peinture grâce à lui entrait dans les lycées. Et des peintres rarement exposés sortaient de leurs ateliers. Il en était assez fier.

Il avait ainsi travaillé pendant trente années quotidiennement, toujours avec la même exigence, revenant sur chaque toile autant de fois qu'il le fallait, et refusant maintes offres alléchantes de galeristes quand il pressentait qu'elles n'étaient pas assez sérieuses. La reconnaissance vint lentement mais sûrement. On ne lui fit pas de cadeau et certains artistes, surtout les plus médiocres, essayèrent de lui créer des problèmes et n'hésitèrent pas à se liguer pour lui tendre des pièges afin de salir sa réputation. C'étaient des coups bas, qui n'avaient rien à voir avec son œuvre en cours. Ces médiocres échouèrent, mais, comme dit le dicton stupide : « Il n'y a pas de fumée sans feu. » Son père eut peur pour lui : « Tôt ou tard, tu seras la cible des gens frustrés ; n'apparais pas trop ; sois discret ; n'oublie pas ce que disait le Prophète : pas d'extrême, la meilleure des choses c'est le centre ! Regarde, dès que quelqu'un est sous les feux de la rampe, il se trouve toujours des gens pour aller fouiller dans les poubelles. S'ils ne trouvent rien, ils inventent quelque chose d'infâme. La presse adore ça, et quand tu rectifies, personne n'y prête attention, le mal est déjà fait ! »

Grâce à sa prudence et sa sagesse, l'année de ses trente ans, une grande galerie de Londres organisa la première rétrospective de ses œuvres. Un tremplin inestimable vers le monde entier. D'autres capitales ne tardèrent pas à suivre. Son agent était particulièrement content ; il l'appela au téléphone de New York et lui dit en un mauvais français : « Tu vois, il n'y a qu'un Juif pour faire gagner lot money à un Arabe, c'est incrédible mon friend, tout est vendu, ta cote monte monte ! » Lauréat la même année du prix de Rome, il put séjourner un an à la villa Médicis et se familiariser avec l'Italie. Ce succès fulgurant ne changea rien à sa modestie et à son comportement. Ses parents étaient fiers de lui, les femmes l'admiraient et se pressaient autour de lui. Il continua à travailler comme à son habitude. Des rumeurs invraisemblables naissaient puis s'évaporaient on se sait comment. Un journal marocain trouva le moyen de l'accuser de faire de l'argent en exploitant la beauté du pays... Un journal libyen réclama son boycott : « C'est un peintre vendu aux sionistes qui travaille avec un agent juif et expose dans des galeries appartenant à des Américains acquis à la politique criminelle d'Israël ! » Autant de mauvais souvenirs qui défilaient sans l'affecter. Il savait que toute réussite avait un prix. Son père lui répétait souvent : « La défaite est orpheline, la réussite a plusieurs pères ! »

Il était rationnel dans tous les domaines, ce qui tranchait avec la richesse et la profusion qui régnaient dans sa peinture hyperréaliste. Les portraits qu'il faisait de temps en temps, exécutés dans la plus pure tradition classique, étaient certainement ceux de ses tableaux qui ressemblaient le plus à l'homme qu'il était. Mais dans le reste de ses toiles il tenait à varier les sources de son inspiration et à prouver que son art n'était pas basé sur le hasard mais sur une maîtrise parfaite de la technique, qui seule permettait la transposition du réel au support. Il avait horreur des écoles autoproclamées ou inventées de toutes pièces par les critiques. Ce n'était pour lui que des cases où l'on rangeait arbitrairement des artistes différents. Il n'appartenait à aucun courant, aucun groupe. Quand on lui posait trop de questions, il disait simplement qu'il venait de l'école Adoua, une école primaire franco-marocaine fréquentée par les fils de notables de Fès, où il avait été inscrit par son père juste après l'école coranique. C'était là qu'il avait appris à écrire et à dessiner. Leur instituteur avait une passion pour la peinture et leur montrait souvent des livres sur Van Gogh ou Rembrandt. Certains enfants riaient, lui regardait ces reproductions avec une brûlante curiosité, qui l'habitait toujours.

Dans la médina de Fès, la lumière était rare. Quand il faisait beau, il montait sur la terrasse de la maison de ses parents et dessinait ce qu'il voyait. C'était difficile, il déchirait souvent son dessin et recommençait jusqu'à obtenir un portrait de la ville le plus précis possible. Toutes les maisons se ressemblaient, avaient la forme de cubes qui s'interpénétraient. Il fallait aller au-delà de cette apparence et créer une atmosphère. À dix ans, il osa montrer un de ses dessins qu'il trouvait réussi à son instituteur, lequel l'encouragea et lui offrit à la fin de l'année une boîte de crayons de couleur.

Dessiner lui permettait de s'échapper, vivre autrement sa relation au monde. Il avait une voisine sourde-muette, très jolie, qui s'appelait Zina. Ni lui ni elle ne connaissaient le langage des signes, alors il communiquait avec elle par des dessins. Il passait des après-midi entiers à dessiner pour lui dire des choses gentilles et la faire rêver. Pour elle, il fit le portrait de chacun des membres de sa famille. Ce fut un exercice déterminant pour sa technique future. Le désir de communiquer avec elle l'obligeait à être créateur. Rentré chez lui, il continuait à lui dessiner des histoires qu'il lui offrait le lendemain. Le jour où les parents de Zina quittèrent Fès pour Casablanca, il fut très triste. Elle lui promit de lui envoyer son adresse. Il l'attendit longtemps mais ne reçut jamais de ses nouvelles. Ce souvenir le fit sourire, car Zina était sûrement la première fille dont il était tombé amoureux, à dix ans et des poussières... Après quelques mois d'attente vaine, il décida, pour oublier cette histoire, de brûler tous les dessins faits pour Zina. Aujourd'hui il regrettait son geste, mais se rassurait, vite convaincu qu'ils devaient être très mauvais...

Il regarda le réveil posé sur la petite table roulante où entreposait ses pinceaux et ses couleurs quand il pouvait encore peindre. 11 h 45, c'était l'heure de la piqûre et des médicaments. Imane, son infirmière, une brune aux gestes délicats et au regard plein de tendresse, entra dans la pièce et commença sans plus attendre à s'occuper de lui. Elle venait ainsi prendre soin de lui, toujours discrète et affable, trois fois par jour. Il l'appelait « la Foi », traduction de son prénom arabe, ce qui faisait sourire et amusait la jeune femme. Elle lui avait été recommandée par l'un de ses amis médecins, qui lui avait dit : « C'est quelqu'un qui va passer pas mal de temps avec

toi, alors autant qu'elle soit, en plus de son efficacité, agréable et même jolie. C'est important
d'être entouré de personnes qui ne vous font
pas la gueule! Comme je sais que tu aimes les
femmes, celle-là ne te déplaira pas, surtout que
vos rapports seront strictement médicaux. C'est
une fille de bonne famille, probablement encore
vierge. C'est toujours ça de gagné sur les acci-
dents de la vie. »

Il attendait chaque visite d'Imane avec beaucoup d'impatience. C'était un moment privilé-
gié car cette présence le réconfortait. Elle faisait
son travail sérieusement et avec douceur. Un
jour, il lui demanda si elle avait un fiancé. Elle
lui sourit et lui dit : « La prochaine fois, quand je
serai de repos, je viendrai vous raconter mon
histoire, et si vous voulez, je pourrai vous faire la
lecture aussi bien en français qu'en arabe. » Le
peintre trouva l'idée excellente. Ce serait pour
lui l'occasion de se replonger dans les textes de
Baudelaire sur Delacroix, qu'il aimait tant, de
découvrir la nouvelle biographie de Matisse.
Une fois son travail terminé, Imane se retira
aussi discrètement qu'elle était venue.

Quand vint l'heure de déjeuner, les deux
aides le transportèrent à la salle à manger où ils
le nourrirent comme un bébé. C'était pour lui
le moment le plus pénible de la journée. Le médecin lui avait dit qu'il retrouverait l'usage de
sa main droite dans quelques semaines. C'était
une question de temps et de patience. Mais rien

ne venait. Il mangeait peu, moins par manque d'appétit que pour se débarrasser de cette épreuve. Se voir aussi maladroit, amoindri, abîmait tout son être. Il buvait chaque gorgée comme un vieillard déshydraté car il redoutait de faire une fausse route. Un problème hérité de son père qui lui était arrivé très souvent et qui pouvait être mortel dans son état actuel.

Les toilettes n'avaient pas encore été transformées pour qu'il puisse y aller tout seul. C'était l'Aïd Kébir et plus rien ne marchait dans le pays. Le plombier attendait que ses ouvriers reviennent de leur campagne pour reprendre le travail. Le maçon n'était plus joignable. Le peintre avait disparu. La fête du mouton était l'occasion pour des millions de Marocains de manger de la viande, et personne ne voulait manquer ça, c'était au contraire la fête la plus redoutée des PME, toute l'activité économique cessait d'un coup. Pour lui aussi, ça tombait vraiment mal. Après le repas et le passage par les toilettes, il se reposait longuement. Il en avait besoin, ces choses banales de la vie lui demandaient un véritable effort.

Pendant qu'on l'installait pour sa sieste, il se rappela une discussion qu'il avait eue il n'y avait pas si longtemps avec son fils aîné. « Où veux-tu être enterré, papa, au Maroc ou en France ? Tu souhaites être recouvert d'un drap blanc ou mis dans un cercueil où tu seras habillé avec un beau costume noir ? Tu voudrais qu'on vienne voir ta tombe ou bien tu t'en fous? De toute façon, tu n'en sauras rien, qu'on vienne ou pas, ça t'est égal, hein? Je n'aimerais pas qu'on te brûle, j'ai vu ça dans des films, c'est horrible. De toute façon, je crois que l'islam l'interdit, non? Bon, je te pose plein de questions, mais tu sais je veux que tu vives longtemps, très longtemps, je t'aime fort. Mais dis-moi pour le pays et le linceul, s'il te plaît?

Il lui répondit : « Mon fils, c'est tout réfléchi; le pays sera le Maroc; le linceul sera blanc. Pas de costume noir! Ce qui me désole c'est l'état de saleté de nos cimetières; tu as vu quand on va se recueillir sur la tombe de tes grands-parents, on est dégoûtés par le manque d'hygiène. Partout il y a des bouteilles et des sacs en plastique, des chats morts, des crottes de chiens errants, des mendiants, des charlatans, bref... Les morts ne sont pas respectés dans leur sommeil éternel. Tu me diras qu'ils n'en ont rien à faire, tu as raison, mais on leur doit le respect, c'est une question de principe. De toute façon, mon fils, le principal c'est de se souvenir de ceux qui ne sont plus de ce monde; tant qu'on se souvient d'un être, il n'est pas mort, il vit dans nos pensées, notre mémoire, alors que vous veniez sur ma tombe ou pas, peu importe, mais que vous m'oubliiez totalement, ça, ce serait grave. En attendant, vive la vie! »

Au souvenir de ces mots, le peintre s'endormit en paix avec lui-même.

CHAPITRE VII

Paris, août 1992

> « Maintenant je ne suis plus celui qui est
> entré. Comme le temps passe ! Je n'aime plus
> les tulipes. Les fleurs que je vous offrirai à
> présent seront des violettes de Parme. Un jour
> j'aimerai beaucoup les anémones. »
>
> *Un revenant,* Christian Jaque

Un an et demi s'était écoulé depuis ce voyage
au Maroc où leurs disputes avaient cessé brutalement. De retour à Paris, ils avaient continué à
bien s'entendre. Il réussissait à peindre, s'occuper des enfants, passer des moments avec elle.
Cette escapade leur avait fait retrouver l'équilibre et leurs disputes commençaient à ressem-
bler à un mauvais rêve. Grâce aux voyages qu'il
faisait pour présenter son travail, le peintre
s'échappait de temps en temps et cela contribuait certainement à leur bonne entente retrouvée. Elle ne lui en tenait jamais rigueur, prenant
plaisir à rester seule quelque temps de son côté.

Un jour, le peintre reçut une invitation pour

une réunion d'artistes des pays du Sud qui avait lieu en Chine. Il rêvait depuis longtemps de ce pays dont il ne connaissait rien de particulier mais qui le fascinait et l'intriguait. Il était heureux et se préparait avec l'enthousiasme d'un gamin à ce voyage. C'était au mois d'août. Quand il posa le pied sur le sol de l'aéroport de Pékin, il découvrit un ciel blanc comme un tableau monochrome, mais d'une blancheur qui avait quelque chose de pesant, d'inquiétant. Il y chercha en vain des nuages ou un trou bleu. Le ciel de Chine était différent de tous les cieux. Il sentit aussitôt monter la migraine. Il mit ça sur le compte de la climatisation et de l'humidité ambiante, mais le mal de tête ne le quitta pas malgré tous les analgésiques qu'il prenait et qui d'habitude le calmaient. La douleur l'accompagnait jour et nuit et à aucun moment il ne se sentit bien. Tout lui paraissait étrange. Il ne comprenait rien à ce qui se passait. Il y eut une réception à l'ambassade du Maroc où il retrouva quelques visages connus et surtout un copain de lycée devenu attaché commercial. « N'essaie pas de chercher des repères, lui dit-il, ici tout est différent, de toute façon il est très difficile de sortir du cadre des ambassades, tout est surveillé. » Il accepta cependant l'invitation du conseiller culturel français, qui connaissait bien son travail ; il l'emmena dans un restaurant populaire où la nourriture était préparée par une famille. Le peintre put au moins se rendre compte qu'on mangeait mieux chinois à Paris qu'à Pékin. La nuit, il ne se sentit pas bien, sa tête tournait, il voyait flou, il avait mal aux côtes. Il croyait avoir attrapé froid. Il n'avait plus envie de rester dans ce pays où tout était secret, organisé et dirigé. Impossible de rencontrer un vieux peintre chinois à qui un ami espagnol lui avait conseillé de rendre visite. En Chine, une adresse ne suffisait pas, apparemment. Il renonça à faire des recherches pour rencontrer cet homme. On lui dit : « Ah, vous aussi, vous voulez le voir ! Tout le monde veut le voir, mais malheureusement personne ne sait où il vit... Il n'y a pas que lui dans ce pays, on peut vous organiser une visite des meilleurs peintres de Chine, si vous voulez, des gens bien que l'Occident ne considère pas encore, mais dont le talent est reconnu ! »

Il était malade mais pensait qu'il lui suffirait de quitter ce pays pour guérir. Au bout d'une semaine, il réussit à changer son billet de retour et arriva à Paris en mauvais état. Des douleurs sourdes et continues balayaient sa poitrine et ses poumons. Il entra au service pneumologie de l'hôpital Cochin, qui lui administra des antibiotiques forts. Aucune amélioration ne se produisit. Bien au contraire, son état s'aggravait — il fut admis aux urgences car il étouffait. Il vit la mort en face, elle n'avait pas de visage mais une forte odeur où se mêlaient eau de Javel, éther et vapeurs de cuisine. La mort traversait plusieurs couloirs avant d'atteindre sa cible. On le mit sous oxygène et on le garda quelques heures dans la salle d'attente des urgences parce qu'il n'y avait pas de lit dans le service concerné. La nuit venue, on le transporta dans le pavillon des maladies tropicales où il y avait une place. Ce fut sa chance. Par hasard, un jeune médecin chef lui demanda : « Étiez-vous récemment en Asie ? » Il fit oui de la tête. Il lui sembla d'un coup que les odeurs funèbres se retiraient, que le spectre de la mort éloignait son ombre. Le médecin, l'air mystérieux, lui dit : « Avez-vous mangé des crustacés crus ? » Il se souvint d'avoir aperçu une crevette dans la salade du petit restaurant familial. « Vous avez attrapé un parasite qui n'existe qu'en Asie, il n'infecte que les crustacés et attaque les poumons. Je pense que vous avez une distomatose pulmonaire, ou paragonimose, du nom du parasite Paragonimus Miyazaki. Il lui donna tout de suite à avaler deux comprimés. « Si vous n'arrivez pas à dormir, vous aurez des somnifères et des calmants », lui précisa-t-il. Puis le médecin disparut. Le peintre passa l'une des nuits les plus horribles de sa vie. Le matelas était couvert d'un plastique sur lequel on mettait des draps rêches. Il s'en dégageait une chaleur insupportable. Ça le torturait mais il ne pouvait pas changer de lit. Et s'il s'asseyait, il devait le faire avec d'infinies précautions car il risquait de d'arracher les tubes à oxygène par lesquels il respirait. Il avait la sensation d'être traversé par le feu, que sa peau brûlait, que ses cheveux tombaient. Il voyait de nouveau sa fin approcher et comprit pourquoi on disait que la mort c'était la maladie, car la mort ce n'est rien, ce qui la précède est bien pire. Il se souvint de ce que disait sa mère quand elle passait une mauvaise nuit : « Cette nuit fait partie de celles que je raconterai à mon fossoyeur. » Il riait parce que enfant il ne comprenait pas comment un mort pouvait encore parler et en particulier à son fossoyeur. Et puis qu'allait-elle lui dire ? Qu'elle avait mal dormi, qu'elle avait eu des angoisses, des sueurs froides, une impression de mort imminente avec son cortège de souffrances et d'incertitudes ?

Ne pouvant ni dormir vraiment, ni apaiser son mal, il écrivit ses impressions dans le carnet qu'il utilisait d'habitude pour des esquisses. Entre veille et sommeil, une voix sembla lui dicter ces mots :

Nuit du 27 au 28 septembre. Chaleur torride, met le feu à ma peau endolorie, plus insupportable que l'infection. Long calvaire ; cette nuit ressemble à une salle d'attente dans une cave où on torture. Je transpire, je suffoque, j'ouvre la fenêtre, j'ai peur d'attraper froid. J'attends le matin devant un canapé en plastique d'une laideur particulière. Les malades qui passent toute la journée allongés sur un lit devraient être exemptés de sommeil la nuit. On devrait prévoir pour eux des activités, des jeux, faire venir des animateurs, des mimes, des clowns, comme pour les enfants.

Le lit infernal où j'ai essayé toutes les positions dégage des ondes brûlantes qui se transforment en cauchemars dès que mon corps succombe à la grande fatigue : notre maison a été saccagée par des enfants qui ont déversé des seaux de couleurs partout, sur les meubles, sur le lit, dans la bibliothèque. Je vois quelqu'un agenouillé en train de découper de l'éponge jaune, verte, rouge. Pendant ce temps-là les enfants pataugent dans les flaques de couleurs et ignorent ma présence. Sans voir le visage de l'homme agenouillé, je me mets à le frapper si fort que je me réveille tout en sueur, tremblant. Je saute du lit et manque de tomber. Je ne supporte plus le contact avec cette matière maléfique.

Je m'installe sur le canapé que je recouvre de mes habits pour ne pas être en contact avec le plastique. Je m'assoupis. De nouveau je rêve. Je suis à Casablanca, à l'hôtel Riad Salam. Je prends un taxi, le chauffeur conduit vite et se fiche que je me cogne contre la vitre à chaque tournant. Il est particulièrement pressé, ne m'écoute pas, ne se retourne pas, il doit me conduire là où on lui a dit de me déposer. Les portières sont bloquées. On arrive dans la médina de Casablanca et le type me jette dans une cour où des jeunes semblent m'attendre. Le premier qui me regarde est chauve et n'a plus de dents. Il me fixe longuement et j'entends : Ça y est, maintenant tu vas payer ! Il·s'en va et me laisse entre les mains d'autres jeunes très agressifs. Je ne connais personne dans cette foule. Un gars en pull marron me dit : Pourquoi tu n'écris pas en arabe ? Tu vas payer. Je lui dis : Mais je ne suis pas écrivain, je suis peintre, vous faites erreur. Mais personne ne me croit. J'entends : On te connaît, on t'a vu à la télé, tu nous parles en français. J'essaie de négocier, de défendre la cause de ceux qui écrivent en français même si je ne suis pas écrivain, mais je sens de la haine. Ils veulent un procès avec jugement et exécution immédiate. Je sens que je suis perdu. Je leur dis : Je suis venu à Casa pour une exposition de mes peintures. Ils rient ; ils crient : Il veut nous échapper, prétend être peintre pour ne pas être jugé ; c'est facile, car la peinture c'est pas de l'arabe ni du français... Arrive à ce moment-là un homme aux cheveux gris. Il me semble le connaître. Il propose de reporter ce procès après un interrogatoire. J'ai échappé au lynchage... L'homme ne me parle pas, il tourne le dos et me laisse dans un coin où des enfants préparent une table, des chaises et des instruments de torture...

À cinq heures, le peintre se réveilla et maudit le lit infernal où il était endormi.

Le jour se leva, il retira les tubes à oxygène, fit couler l'eau de la douche et la vit ruisseler sur son corps qui prenait des couleurs grises, noires. Il ne rêvait plus mais souffrait à présent d'hallucinations.

Ce séjour à l'hôpital et le sentiment d'avoir côtoyé de près la mort rendirent étrangement le peintre plus serein.

La maladie l'avait beaucoup affaibli, et les effets du parasite tardaient à disparaître complètement. Le peintre pourtant sortait, faisait comme s'il n'était plus malade. Il continuait à se rendre à pied à son atelier qui se situait dans le quatorzième arrondissement, assez loin de son domicile. Il avait une commande de la municipalité de Barcelone pour l'anniversaire de la Déclaration des droits de l'homme, mais n'arrivait pas à s'y mettre. Un matin où il se sentait plus fatigué que les autres jours, sa femme le conduisit à son atelier en voiture. Pendant le trajet, d'une voix douce, il lui demanda, si elle pourrait venir le chercher vers cinq heures. Contre toute attente, elle explosa : « Je ne suis pas ton chauffeur, ni ton taxi. Tu sais, depuis un mois, j'en ai marre de faire la garde-malade. Pour qui tu te prends ? Pour le centre du monde ? Tu profites assez de ton état, alors ne compte plus sur moi. »

Ils étaient rue d'Alésia. Il était hors de lui et rétorqua : « Puisque c'est ainsi, je continue à pied. » Elle freina brutalement et ouvrit la portière. Il descendit et se rendit à son atelier tout seul.

Cet incident fit définitivement chavirer leur vie de couple. Les accrochages se suivaient et ne

se ressemblaient pas. Il avait sa part de responsabilité dans cette débâcle. Sa faiblesse, sa naïveté, ses illusions, et puis cet éternel espoir
qu'un jour elle changerait. Pour éviter les disputes, il commença à la fuir et à nouer clandes-
tinement des liens avec des femmes aimantes,
des femmes qui l'admiraient en tant qu'artiste et
en tant qu'homme. Il trouvait auprès d'elles du
réconfort, une douceur de vivre dont il avait besoin. Ces relations secrètes l'aidaient à se maintenir en équilibre et à ne pas quitter brutalement
la maison. Les enfants étaient heureux, l'aimaient, le cajolaient. Son bonheur était désormais fait de moments multiples mais jamais
dans le même espace, dans la même espérance,
jamais dans une sorte de continuité. Il pensait
recoudre tout cela et vivre plusieurs doubles vies
sans mettre en danger ce fameux équilibre.

Les choses allaient si mal entre eux qu'il la
convainquit d'aller consulter un psychiatre pour
couple. « Je ne suis pas folle, si j'accepte de
t'accompagner, c'est pour démontrer à ton psy
combien tu es fou, pervers et monstrueux », lui
asséna-t-elle juste avant le rendez-vous. Dans la
salle d'attente, elle le regardait avec des yeux
pleins de ressentiment.

Le psychiatre mit les choses au point avant de
commencer et expliqua le déroulement de la
séance. Elle n'en avait que faire. Elle débitait
devant cet étranger des horreurs sur leur vie,
comparant le peintre à un ayatollah qui voudrait
séquestrer son épouse, l'empêcher de vivre, dé-

pensant l'argent de ses enfants pour ses frères et sœurs, voyageant tout le temps, un vrai mari fantôme... « Il n'est tout simplement jamais là ! Auprès des enfants, je suis obligée d'assumer les deux rôles, le père et la mère. Je fais tout pour qu'ils l'aiment encore, bien qu'il les ait littéralement abandonnés, mais lui n'en a rien à faire ; il prétexte qu'il doit travailler à son atelier, qu'il a des expositions, et on ne le voit jamais. Quand par hasard il revient, il est toujours de mauvaise humeur, il crie, hurle et frappe les enfants ! »

Lui dit sa vérité qui était plus simple : « Depuis quelque temps nous n'avons plus la même conception de la vie de couple, ni la même philosophie de l'éducation ; sa famille prend trop de place dans ses choix et je ne peux rien dire. Ce qu'elle vous a dit ne correspond pas à la réalité. Je suis désolé, elle ne joue pas le jeu, elle refuse de se remettre en question, alors que moi je suis venu parce que je doute et que j'aimerais que nous entreprenions une psychothérapie de couple. »

Elle annula la séance suivante et lui reprocha d'avoir profité de l'occasion pour dénigrer sa famille, ce qu'elle ne supportait pas.

Un mois après, il retourna seul voir le psychiatre. C'était un bonhomme grassouillet, le teint mat, portant des lunettes de vue dont la monture était rouge, il avait sur les épaules des pellicules qui tombaient de ses cheveux abondants. Il le regarda d'un air entendu qui semblait dire : « Je savais que vous reviendriez. » Il laissa parler le peintre un moment puis l'interrompit :

— Je vais vous faire une confidence, chose rare et pas professionnelle du tout. Je ne m'appelle pas Jean-Christophe Armand. Je suis aussi marocain que vous et votre épouse. Je m'appelle Abdelhak Lamrani, et je suis né à Casablanca. J'ai fait ma médecine à Rabat et ma spécialité à Paris. J'aurais voulu exercer chez moi, au Maroc, mais il y a trop de malentendus sur ma spécialité. Trop de gens considèrent que ceux qui vont chez le psychiatre sont des fous. Mais revenons-en à vous. Votre femme n'est pas venue pour changer les choses, elle est venue parce qu'elle pense que vous êtes dérangé et qu'elle est en bonne santé mentale. Elle se fourvoie et il m'est impossible d'aider des gens qui ne sont pas prêts. Pour cette raison, une psychothérapie de couple n'est pas envisageable à l'heure actuelle. Alors, que vous conseiller ? Vous séparer ? divorcer ? vous résigner ? vous enfuir ? C'est à vous de prendre une décision. Il n'y a que vous pour la prendre. Le problème sera toujours là. Personne ne change vraiment. Ce n'est pas moi qui le dis, ce sont les anciens. Bonne chance.

CHAPITRE VIII

Marrakech, 3 avril 1993

> Trois bourgeoises se racontent leurs hallu-
> cinations :
> « J'ai soulevé le couvercle, j'ai vu un grand
> précipice et les eaux claires d'un torrent.
> — Avant de m'asseoir un aigle est passé
> sous moi !
> — Le vent m'a lancé des feuilles mortes à
> travers le visage. »
>
> *L'ange exterminateur,* Luis Buñuel

Le peintre s'était toujours promis de refaire le
voyage de Delacroix au Maroc. Le printemps
répandait sa belle lumière dans le pays quand il
décida de prendre son billet d'avion pour Marrakech. Il emporta, comme dans sa jeunesse,
quelques carnets, des crayons et des pinceaux.
Aucun bagage. Il s'installa dans un petit hôtel
non loin de la place Jamaa el Fna et téléphona à
un de ses amis écrivains qui vivait dans la médina. Celui-ci l'invita aussitôt à lui rendre visite.
L'écrivain le présenta à deux femmes cultivées,
elles aussi de passage. L'une avait la cinquan-

taine, était maigre, sèche, fumait beaucoup. L'autre était nettement plus jeune, et de surcroît belle et pulpeuse. Elle parlait peu mais l'autre parlait pour elle. La première s'appelait Maria, la seconde Angèle. Elles avaient au moins trente ans de différence. Maria travaillait dans une multinationale et voyageait tout le temps. Le peintre avait très vite éprouvé beaucoup de plaisir à discuter avec elle, d'autant qu'elle connaissait parfaitement le Maroc. En se quittant, ils se donnèrent rendez-vous le lendemain à l'hôtel où elles étaient descendues. Elles tenaient à lui remettre un livre qu'elles avaient écrit, *Les origines de l'art indien d'Amérique latine* qui certainement le passionnerait. Maria était argentine, Angèle catalane établie au Guatemala.

À l'hôtel, il demanda à parler avec Angèle. Ce fut Maria qui répondit. Il remercia pour le livre et leur proposa de les conduire dans un village du Sud qu'elles ne connaissaient pas et qui leur plairait sûrement, mais elles devaient prendre l'avion le lendemain. Ils s'échangèrent leurs adresses et se promirent de se voir la prochaine fois qu'elles passeraient par Paris.

Le soir, il tenta une nouvelle fois de parler à Angèle, qui, apparemment gênée, répondit laconiquement à son appel téléphonique. Il abrégea la communication et regretta son geste. Dix minutes plus tard, elle appelait à son tour : « Je suis dans la rue, je peux parler librement. On s'écrira dès que je serai arrivée chez moi. D'accord ? Je comprends le français mais je le parle mal. » Il répondit : « J'écris mal l'espagnol mais j'essaie de le parler. »

Son instinct ne l'avait pas trompé. Quelque chose était possible entre eux. Un flirt, une aventure, une simple histoire, qu'en savait-il... Lui se sentait disponible, ouvert à toutes les propositions, même les plus extravagantes. Il cherchait à se dégager de l'emprise de sa femme, avec laquelle il n'avait plus de relations depuis plusieurs mois. Dans sa tête il était parti, mais dans les faits tout continuait comme avant. Il loua une voiture, abandonna son idée de suivre Delacroix et prit la direction du village natal de sa femme. Il avait gardé sa chambre à l'hôtel de Marrakech au cas où il changerait de nouveau d'avis. Il gardait les pires et les meilleurs souvenirs de ce petit bled perdu.

Il se trompa plusieurs fois de route avant de retrouver le panneau qui indiquait « Khamsa ». Le village avait été appelé ainsi parce qu'il n'y avait que cinq arbres et cinq mosquées pour une population de cinq mille âmes.

À l'entrée du village, une horde d'enfants joyeux l'accueillit en criant. « M'ssiou, M'ssiou », disaient-ils en tournoyant autour de lui. Certains n'avaient pas de chaussures, d'autres avaient les yeux abîmés. Il leur répondit en arabe — ils se moquèrent aussitôt de son accent du Nord. Mais il avait pensé à eux. Il sortit de son sac des cahiers, des crayons de couleur et des paquets de feutres phosphorescents. Il fit la distribution et leur demanda de lui montrer leurs dessins le lendemain.

Les oncles et tantes de sa femme le reçurent, très intimidés. Ils ne savaient quoi inventer pour lui faire plaisir. Se rappelant sa dernière visite avec sa femme, il avait fait provision de médicaments à Marrakech et leur en fit présent.

Ils le remercièrent et lui demandèrent des nouvelles de sa femme. Le peintre leur assura que tout allait bien, qu'elle s'occupait des enfants, de la maison, qu'ils étaient heureux... C'était la première fois qu'il venait seul. Il eut l'impression qu'il aurait dû faire ce voyage plus souvent, car les choses lui apparaissaient différemment. Il découvrit des gens humbles, généreux, attentionnés, avec un grand cœur. Il leur expliqua qu'il était de passage, qu'il voulait aller dans la montagne pour prendre des photos et dessiner. Quelqu'un se proposa aussitôt pour l'accompagner, lui porter ses affaires. C'était un jeune homme aux yeux vifs, parlant un peu le français mais pas un mot d'arabe. Il avait moins de vingt ans et s'appelait Brek.

Durant toute l'ascension, il ne cessa de poser des questions sur Clirmafirane. Le peintre mit du temps avant de comprendre qu'il s'agissait de Clermont-Ferrand. Il y avait quelque chose de saugrenu, là, en haut des montagnes, d'entendre ainsi répété le nom de cette ville sans intérêt. Le ciel était d'un bleu pur, les perspectives superbes, l'horizon presque infini. Brek avait guidé, deux ans auparavant, un couple de Fran-

çais qui visitaient la région. Ils vivaient à Clermont-Ferrand et lui avaient promis qu'ils s'ef-
forceraient de lui procurer un visa pour travailler
chez eux à la maison et s'occuper de leur jardin.

Pendant que le peintre faisait des esquisses
sur son grand cahier, Brek lui dit soudain :

— Tu sais, ma cousine, ta femme, m'a proposé elle aussi de me faire venir en France. Je lui
ai donné des photos d'identité, mon passeport
et d'autres papiers. Elle m'a dit que je pourrai
venir bientôt. C'est pour ça que je veux tout savoir sur Clirmafirane, c'est là où vous habitez ?

— Non, nous habitons à Paris dans le trei-
zième arrondissement de Paris. Ce n'est pas
comme ici.

— Elle m'a dit que vous aviez une grande
maison et que je m'occuperais du jardin.

— Ah, bon !

— Oui, je serai votre jardinier.

— Mais tu es jardinier ?

— Non, mais les gens de Clirmafirane m'ont
dit ça aussi. Je dois pouvoir faire l'affaire. Je sais
arracher les mauvaises herbes, bêcher, arroser...

— Mais tu viens de te marier, tu vas laisser ta
femme et t'en aller à l'étranger ?

— Non, ma cousine m'a dit que ma femme
travaillerait pour vous à la maison ; elle lui fait
faire aussi un passeport et un visa.

C'est en effet ce qui se produisit, ou presque,
quelques mois plus tard. En rentrant à Paris
après un vernissage en Allemagne, le peintre fut

surpris de découvrir qu'une très jeune femme était désormais installée dans l'une des chambres des enfants. Elle était très timide, ne parlait pas un mot de français ni d'arabe. Quand il demanda à son épouse pourquoi elle ne lui en avait jamais parlé, ni demandé son avis, elle lui répondit de manière agressive :

— Je sais ce que je fais. Cette fille, mariée très jeune, je l'ai fait venir ici pour qu'elle aille à l'école et qu'elle m'aide en même temps à m'occuper des enfants. Toi, tu n'es jamais là, tu ne sais pas ce qui se passe dans cette maison pendant que tu es absent, tout ce qu'il y a à faire. Tu cherches un prétexte pour m'emmerder, c'est ça ? Trouve autre chose...

— Mais tu me mets devant le fait accompli !

— Fait accompli toi-même !

Il se tut. Il vit l'ampleur des dégâts le jour même. La pauvre paysanne était totalement dépaysée. Dans les toilettes à côté de la chambre qu'elle occupait, il trouva du papier hygiénique sale jeté par terre. La lunette était souillée, car elle devait monter sur la cuvette, ne sachant pas qu'on s'asseyait dessus. Il ressortit écœuré. Il ne dit rien à sa femme, préférant qu'elle s'en rende compte par elle-même. Il jeta un coup d'œil dans la chambre. Elle s'était servie du lit pour déposer ses affaires. La nuit, elle se couchait sur la couette étalée par terre. Le lendemain matin, il la découvrit pliée en deux, toute rouge. Elle avait pris un pot de moutarde pour de la confiture et en avait avalé une cuillerée entière. Dans la cuisine, il ramassa une capsule métallique de bouteille de Coca pleine de trous. Elle avait dû essayer de l'ouvrir avec les dents... Le soir, il l'entendit qui pleurait dans la chambre.

Un mois après, elle repartait dans son village. Le peintre se sentit soulagé. Mais deux semaines plus tard, une autre jeune fille la remplaçait. Celle-là venait d'avoir son bac, et commençait des études de biologie. Il n'avait pas non plus été averti de son arrivée. Toute discussion ou contestation était inutile. Il ne posa qu'une question à sa femme : « Et le jardinier ? Il arrive quand ? » Il n'obtint aucune réponse.

Du sommet de la montagne, le village de Khamsa ressemblait à une tache rouge et desséchée. Pas d'oasis à ses abords, pas la moindre verdure alentour, pas le moindre buisson. Le peintre se dit que c'était un douar maudit, rien que des pierres et des chardons. Brek confirma. Il était disert sur son lieu de naissance : « Dieu nous a oubliés. Nous n'avons rien : peu d'eau, pas de courant électrique, pas de collège, pas de médecin, rien, rien n'y pousse, mais nous avons une colonie de chats et de chiens qui ont aussi faim que nous. Ils viennent là parce qu'on les laisse fouiller partout. Alors, tu comprends, mon frère, Clirmafirane c'est forcément mieux ! Tu sais, toi, pourquoi Madame Nicole ne m'a pas écrit, ni n'a répondu à mes lettres ? Et ma cousine, tu penses qu'elle tiendra parole ?

96

Quand il pensa avoir fait suffisamment d'esquisses et de photos, Brek et lui rentrèrent au village. Un dîner somptueux l'attendait. Le tagine de mouton aux olives était très gras. Il ne pouvait pas le manger, il avala quelques bouchées et se fit servir un couscous aussi gras que le tagine. Il avait honte de ne pas faire honneur à ces plats que les femmes avaient mis toute la journée à préparer. Heureusement, les autres convives mangèrent tout. Il coucha dans une chambre utilisée pour la prière. Des brûlures d'estomac et des aigreurs l'empêchèrent de fermer l'œil. Tôt le matin, il sortit de la maison et découvrit une lumière d'une douceur et d'une subtilité extraordinaires. Il prit une série de photos pour s'en souvenir. À son retour à Paris, il travailla aussitôt sur tout ce qu'il avait vu et qui l'avait tant impressionné durant ce voyage.

Sa femme fit irruption dans son atelier et reconnut son village. Les deux toiles n'étaient pas terminées. Elle les regarda, puis en partant elle dit :

— L'argent de la vente de ces toiles sera pour Khamsa. Tu n'as pas le droit d'exploiter ces pauvres gens. Ils ne savent pas que tu t'enrichis avec leur misère, c'est comme ton copain photographe qui filme les ouvriers dans les mines puis fait des expositions où il se fait plein de fric. Ça devrait être interdit.

Il répondit sans savoir si elle l'avait entendu :

— Elles ne sont pas à vendre.

CHAPITRE IX

Casablanca, 1995

> « Certains disent qu'avec la couleur que
> prennent les cheveux des morts, on peut savoir
> ce que l'âme est devenue. »
>
> *Le rio de la mort,* Luis Buñuel

Un jour, alors qu'ils vivaient désormais à Casablanca depuis deux ans dans une belle maison, sa femme lui dit sur un ton laconique : « Je sais que tu me trompes et je sais même qui c'est. »

L'ère du soupçon commença. Elle n'allait jamais cesser. Elle le surveillait, se méfiait de tout ce qu'il lui disait et suspectait la moindre femme de son entourage. Sa jalousie n'avait pas de limite. Ainsi, alors qu'il devait rejoindre le peintre Anselm Kiefer à Berlin pour un débat sur « L'art et l'écriture », elle lui annonça que son voyage avait été annulé.

— Mais comment est-ce possible ?, lui demanda-t-il. Qui a fait ça ?

— Moi, qui veux-tu que ce soit d'autre ? Une

fille a appelé pour demander à quelle heure ton avion arrivait à Berlin, c'était une Maghrébine, une certaine Asma... J'ai senti à sa voix qu'elle se prostituait, alors j'ai dit que mon mari n'était pas intéressé par ce prétendu colloque et qu'il restait avec sa femme, puis j'ai raccroché.

Cette histoire rendit le peintre littéralement furieux. Il tenta de rattraper l'annulation, mais il était trop tard, elle avait déchiré les invitations pour le colloque, et il n'avait plus les noms des organisateurs. Il avait honte de la situation et il découvrait combien sa femme pouvait être dangereuse pour lui. Il essaya encore de téléphoner à un de ses amis berlinois, mais personne ne répondit. C'était la veille du colloque. Il n'arrivait pas à calmer sa colère. Cette nuit-là, il dormit au salon et décida de partir voir sa mère malade.

Le lendemain matin, il n'avait toujours pas retrouvé son calme. Il avait hâte de s'éloigner de la maison. Ulcéré par l'annulation du colloque, il ruminait sur la route de Fès, où vivait sa mère. Il repensait à un récent dîner avec des amis au restaurant de l'hôtel le Mirage, près de Tanger. Sa femme s'était mise à raconter des choses horribles sur une connaissance commune. Elle inventait, disait n'importe quoi, accusait cette personne d'avoir manqué de noyer leurs enfants, puis, au détour d'une phrase, elle s'adressa à son mari : « Tu n'es pas un homme et encore moins un mari ! Si tu étais un homme, tu aurais rompu avec ce soi-disant ami qui a failli faire mourir un de tes enfants ! » N'en pouvant plus, perdant tout contrôle, le peintre avait jeté un verre d'eau au visage de sa femme. Elle avait immédiatement répliqué en lui lançant son verre de vin. Ses yeux ne voyaient plus ; il fut dans le noir durant quelques secondes. Tout le restaurant avait suivi la scène. Le couple d'amis essaya de calmer les choses. Mais la violence de ce qui venait de se passer lui faisait très mal, il s'en voulait d'avoir manqué de sang-froid. Jamais plus il ne se laisserait aller à ce genre de geste. Les larmes aux yeux, il était parti avec son ami marcher le long de la plage. « Quand la violence s'installe dans un couple, lui avait dit son ami, la vie en commun n'est plus possible ; tout le reste n'est que rafistolage et mensonge à soi. Divorcer, alors, est la seule solution. » C'était la première fois que quelqu'un prononçait le mot de divorce à propos de leur couple.

Lorsque sa femme partait en voyage et qu'il se retrouvait avec les enfants, leur grande maison de Casablanca devenait silencieuse, les choses se déroulaient sans drame, et même les disputes coutumières des enfants étaient moins fréquentes. Le peintre observait la maison avec l'œil d'un scrutateur et se disait : même les murs se reposent. Il y régnait un calme inhabituel qu'il aurait voulu prolonger au-delà de cette absence. Mais comment faire ?

Quand ils vivaient à Paris et qu'il partait à son atelier, il lui arrivait d'y dormir parce qu'il pressentait l'orage qui l'attendait chez lui. Il reportait l'échéance d'une nuit, espérant que cela apaiserait les récriminations. Sa femme le soupçonnait de n'être pas seul dans l'atelier, débarquait au milieu de la nuit puis repartait sans dire un mot. Elle avait pris l'habitude d'appeler son lieu de travail un « soi-disant atelier » ou plus directement un « bordel ».

Certes il recevait là ses amies, l'après-midi de préférence. Il travaillait le matin et, après le déjeuner, il aimait faire une sieste. Une de ses amies, en particulier, savait mieux que n'importe qui le sens qu'il donnait à ce mot. C'était une femme mariée, professeur de mathématiques appliquées. Elle aimait ces moments où elle retrouvait l'artiste qu'elle admirait avant de le connaître. Elle lui apportait des cadeaux, souvent du thé aux parfums subtils, elle l'aimait tout en aimant son mari, avec lequel elle avait conclu un pacte d'une liberté assumée sans mensonge, sans tricherie. À aucun moment le peintre ne se sentait coupable. Il ne faisait rien de mal, cherchait son équilibre en dehors de son couple qui fonctionnait par intermittence, selon les événements familiaux et surtout les voyages. Avec la prof, c'était ainsi qu'il la nommait, il passait des heures à discuter, à parler, parfois à se confier. Il leur arrivait aussi de faire l'amour, mais ce n'était pas le plus important. Ils avaient réussi au bout de quelques années à instaurer une sorte de paix dont ils avaient besoin tous les deux, lui en particulier. Il y avait de la tendresse, de l'amitié et aussi de la sensualité. Ils buvaient du thé et parlaient des expositions en cours. Elle le connaissait bien et anticipait ses désirs. Elle aimait lire et lui raconter ce qui la bouleversait dans l'écriture des romanciers du dix-huitième. Cette prof aux yeux clairs et aux cheveux châtains avait une peau d'une blancheur étourdissante. Quand elle se mettait nue, il lui demandait de déambuler dans l'atelier pour le plaisir d'admirer son corps et son allure. Elle le priait de rester habillé, se mettait à genoux, avec ses dents elle attrapait sa braguette et la faisait glisser, elle s'emparait ensuite de sa verge et la cajolait longuement, l'embrassait et ne la lâchait qu'une fois qu'elle avait avalé la semence dont le contact sur son palais lui donnait des frissons.

Malgré la suspicion de sa femme, le peintre se disait qu'il avait bien fait de décider sur un coup de tête de fuir Paris et sa grisaille pour s'installer durablement à Casablanca. La lumière de la ville le comblait et cela se remarquait dans sa nouvelle manière de peindre. L'endroit qu'ils habitaient était de toute beauté. Construite par un couple d'homosexuels anglais dans les années vingt, leur maison possédait un beau jardin, avec une vue sur le vieux port et au fond la mer. Mais cette superbe demeure s'assombrissait chaque fois qu'une dispute entre lui et sa femme éclatait.

Le peintre avait toujours eu un pressentiment, l'intuition étrange qu'il serait un jour victime d'une attaque ou de quelque chose d'approchant. Il avait consulté un ami cardiologue qui lui avait dit ce qu'il fallait éviter : le stress avant tout, les contrariétés, les colères répétées, les réactions violentes. « Sois malin, lui avait-il dit, sois indifférent, ne te laisse pas envahir ni manipuler, nous avons le même âge, mon cher, alors je sais de quoi je parle, prends le large, si tu sens une tension à la maison, va dans ton atelier, on a besoin de toi en tant qu'ami certes mais aussi en tant qu'artiste, tu es reconnu, célébré, respecté, tu as du talent et ton travail t'impose avec évidence partout dans le monde, alors ne te laisse pas abattre... Bien, ton électrocardiogramme est bon, l'épreuve d'effort aussi, tu as de la tension artérielle non maîtrisée, on va s'en occuper, fais du sport, suis un régime alimentaire et surtout, surtout, prends du bon temps ! »

Tout cela il le savait. Son ami ne faisait que le confirmer. Il soignait sa tension et ne mangeait plus de choses grasses. Il ne fumait plus sinon un cigare de temps en temps, et il faisait de la marche quotidiennement. Depuis qu'ils étaient retournés vivre au Maroc, qu'ils avaient quitté Paris et sa vie trépidante, il avait plus de temps pour s'occuper de sa santé. Il partait tous les matins marcher avec un ami qu'il appelait Google parce qu'il était tellement cultivé qu'il suffisait de lancer une question pour qu'il fît un exposé brillant durant toute la promenade le long de la corniche d'Aïn Diab. Il faisait des exercices pendant que l'ami parlait, cela durait presque deux heures, puis il plongeait dans la mer et ensuite retournaient à la villa où il s'était aménagé un atelier.

Au printemps, son galeriste espagnol vint le voir et insista pour qu'il fût prêt pour la grande exposition qu'il lui préparait au début de l'année suivante. Il reçut aussi la visite de deux critiques d'art qui étaient en train de faire un livre sur son travail. Ce n'était pas le premier ouvrage qu'on lui consacrait mais là c'était plus important, le livre devant sortir en trois langues au moment de l'exposition. C'était une grande opération. Il était modeste mais au fond il était fier et flatté ; il ne montrait rien de cela et sentait naître en lui une énergie particulière pour mener à bien la série de toiles qu'il avait imaginées et dont il avait quelques esquisses. Pour cette série, il avait décidé de peindre les arbres de son jardin. Chacun était différent et semblable, mais la précision du trait, l'adéquation entre le réel et l'imaginaire étaient étonnantes, presque parfaites. C'étaient de grandes toiles sur fond neutre, arbres isolés mais réinventés. Il détestait l'expression « nature morte », car l'art pour lui n'était pas quelque chose de figé, c'était la vie et rien n'était mort dans ses toiles. Il s'était toujours méfié des étiquettes et des catégories. Il ne faisait pas du réalisme, surtout pas! Un ami écrivain lui avait fait remarquer combien il était difficile d'écrire un texte sur son travail, les mots justes étaient rares et certains équivoques. Alors il avait dû écarter toutes les expressions inappropriées.

Il partit quelques jours à Madrid pour acheter le matériel dont il avait besoin, il en profita pour voir quelques amis. Il retrouva Lola, cette femme qu'il avait aimée avant son mariage. Elle avait changé, s'était mariée et avait eu deux enfants. Il la regardait parfois à son insu et constatait combien les souvenirs sont menteurs. Il avait gardé d'elle l'image d'une belle jeune femme au corps superbe et à la sensualité étourdissante, et il retrouvait une mère de famille qui s'était laissée aller. Ce fut une soirée triste. Il l'embrassa et la raccompagna chez elle. Il valait mieux ne jamais réveiller les souvenirs. Quand il revint à Casablanca, son chauffeur et assistant, qui s'occupait de tout ce qui était administratif, faisait les courses, réglait les factures et surtout lui épargnait tous les problèmes d'ordre pratique, problèmes particulièrement fréquents et absurdes dans ce pays, bref, Tony, qui s'appelait en fait Abderrazak, mais son ancien employeur italien lui avait donné ce prénom facile à prononcer, n'était pas là à l'attendre. Étrange. Jamais Tony n'avait raté un rendez-vous, jamais en retard, toujours impeccable, ponctuel et anticipant les événements. Il lui téléphona. « Je suis désolé, monsieur, mais votre femme m'a retiré les clés de la voiture et m'a renvoyé. J'allais vous appeler mais je ne savais pas à quelle heure votre avion atterrissait. » Il appela sa femme qui lui dit : « Bon débarras! Ce parasite volait l'argent de mes enfants et nous roulait dans la farine. Tu es naïf, tu te fais tout le temps avoir et tu continues à croire tous ses bobards. Ton Tony, c'est fini! Qu'il aille voler ailleurs, de toute façon on n'en avait pas besoin, il vivait sur notre dos, maintenant il n'a qu'à aller retrouver son pédé italien... D'ailleurs, c'est louche que tu tiennes tellement à lui! Bon, je n'insiste pas, je l'ai renvoyé parce que j'ai découvert qu'il volait, c'est un voleur, ton Tony! »

Pendant qu'elle hurlait ces insanités, une colère irrépressible monta en lui. Il ne se contrôlait plus, les gens le regardaient puis continuaient leur chemin vers le comptoir d'enregistrement. Il jeta par terre son sac où il y avait son ordinateur et se mit à hurler à son tour. Il tournait comme un fou dans le hall de l'aéroport, ferma son téléphone en pestant et insultant sa femme. Il était démoli, sa salive devint amère et rare. C'était le signe d'une grosse contrariété. Il chercha un verre d'eau. En buvant, il avala de travers et se mit à tousser, devint tout rouge, posa le verre et mit sa main sur sa poitrine. Quelqu'un avait ramassé son sac et le lui apporta. Au moment de le remercier, il sentit comme un coup de couteau au niveau de la poitrine. Il eut mal, ses jambes flageolaient, il s'assit sur une chaise, il grelottait, avait des sueurs et un mal de tête plus violent que d'habitude. Des employés de l'aéroport qui le connaissaient vinrent à son secours, ils firent demander par haut-parleur s'il y avait un médecin parmi les voyageurs. Un Suédois se précipita et dit en anglais : « Vite, à la clinique. » On le garda vingt-quatre heures, puis, le lendemain, un taxi le ramena chez lui.

Ce n'était qu'une alerte. Les enfants étaient au lycée, sa femme était sortie, peut-être partie. Il éprouva une grande satisfaction, car que dire après l'incident de l'aéroport ? Ne rien dire était une forme de consentement. Alors cela l'arrangeait qu'elle ne fût pas là. Une confrontation de moins. Elle ne s'était même pas inquiétée de ne pas le voir rentrer le jour de leur dispute téléphonique. Elle avait dû penser qu'il était reparti ou s'était installé à l'hôtel ou chez l'une de ses maîtresses. Tony, lui, était venu le voir à l'hôpital et l'avait prié de ne pas en vouloir à sa femme, de toute façon il continuerait à lui rendre service. Il était désolé et avait de la peine de voir son patron et ami dans cet état.

CHAPITRE X

Casablanca, 1995

> « Entre l'homme et la femme, la cruauté est indispensable », réplique Matsuko, la femme du tueur.
>
> *L'obsédé en plein jour,*
> Nagisa Oshima

Le peintre avait été surpris de constater que, depuis qu'ils vivaient à Casablanca, sa femme avait changé ses habitudes. Elle s'absentait souvent, rentrait au milieu de la nuit, buvait pas mal et disait qu'elle était avec « les filles ». Elle fréquentait une bande de femmes divorcées, aigries, devenues féministes sur le tard, qui se retrouvaient dans la maison d'une sorcière dont la laideur physique trahissait la noirceur d'âme. Petite, ronde, une chevelure de lionne, de petits yeux profonds et surtout un front étroit qui, d'après un physionomiste, était de mauvais augure. Elle se faisait appeler « Lalla », prétendant que sa mère avait été une des concubines de Hassan II. Le prénom de toute princesse est précédé de « Lalla ». Elle racontait n'importe quoi, se disant ancienne hippie ayant eu pour amants quelques célébrités, des chanteurs, des musiciens et même un acteur fameux dont elle portait sur elle une photo prise dans une ville qu'elle prétendait être Los Angeles alors que ce devait être un décor à la Kasbah de Zagora. Elle disait avoir séjourné en Inde chez un maître qui lui avait ouvert les yeux sur les mystères de l'âme; elle avait appris de lui où se trouvait la source de toutes les énergies, les positives et les négatives, affirmait que les ondes que nous envoyons mettent du temps à se déplacer, ainsi venait-elle seulement de recevoir celles de sa mère morte et enterrée dix ans auparavant, bref, elle se la jouait mystique avec des mots compliqués dont elle ne connaissait pas le sens exact mais elle avait assez de conviction pour agir sur des esprits disposés à la suivre et à lui obéir dans ses délires et ses manipulations. Elle leur resservait le vieux discours féministe des années soixante à la sauce mystico-mytho-orientalo-bidon, le tout dans des vapeurs d'encens made in China qu'on trouvait dans les drogueries populaires du quartier Maarif. Elle prétendait que son maître et gourou indien lui avait envoyé ces herbes après les avoir cueillies dans son jardin et les avoir fait sécher dans son salon de méditation. Elle leur donnait des noms qu'elle empruntait aux titres des films de Bollywood qui se vendaient en DVD piratés près du marché des légumes de la Jouteya.

Lalla avait le sens de la théâtralité, de la mise en scène. Chez elle, tout était truqué, mais ça passait malgré la bêtise évidente et l'absurdité de son discours. Plus c'était énorme, plus ça impressionnait sa cour de groupies qui ne soupçonnaient pas la supercherie. Elles avaient enfin rencontré l'âme sœur, celle qui les comprenait et savait trouver les mots pour leur parler et leur montrer le chemin. Lalla s'était mariée avec un cousin qui avait fait un héritage important. C'était un homosexuel qui voulait avoir socialement une couverture et il l'avait payée chèrement. Au bout d'un an de vie de couple maquillée, elle se sépara après lui avoir soutiré quelques millions ainsi que la villa où ils vivaient. N'ayant aucun souci pécuniaire, elle disposait de suffisamment de temps et d'argent pour se constituer une petite cour afin de se sentir importante. Elle prétendait faire des traductions pour des maisons d'édition américaines mais elle était incapable d'en montrer ne serait-ce qu'une seule avec son nom imprimé sur la couverture. Son père, qui s'était remarié après le décès de sa femme, vivait loin d'elle et ne la voyait presque jamais. Elle avait essayé d'attirer dans son cercle sa belle-mère, qui s'était vite rendu compte du grand bluff et lui avait dit en face ses quatre vérités. Quelques jours plus tard, elle avait apporté à son père des photos compromettantes de sa femme, photos qu'elle avait fabriquées sur ordinateur. Elle voulait nuire mais la belle-mère, plus forte et plus saine que Lalla, prouva le tru-

cage. Après l'échec de cette lamentable machi-
nation, elle fut mise en quarantaine et n'eut plus
le droit d'accéder à la maison de son père. Aux
« filles » elle racontait que son père avait été en-
voûté par une sorcière qui le dépouillait de ses
biens et dont elle espérait un jour réussir à le
sauver.

La femme du peintre prenait au sérieux cette
histoire rocambolesque. Elle affirmait que la
belle-mère, qui venait d'une famille d'Agadir,
descendait d'une lignée de sorcières bien
connues dans le Sud. Lorsque son mari doutait
de ce qu'elle racontait, elle se mettait en colère
et criait parce qu'il avait osé douter des paroles
de Lalla.

Le peintre pensa un temps que cette relation
cachait peut-être une liaison lesbienne. Il savait
par ailleurs que sa femme détestait l'homosexualité et qu'elle ne supportait pas les femmes
qui s'approchaient trop d'elle pour la séduire.
Cependant, elle était tellement passionnée par
cette Lalla qu'il se posait des questions. Elle
passait parfois toute la journée avec elle. Elle
devait avoir pour elle des sentiments, car elle ne
jurait que par elle, répétait mot pour mot son
discours, le débitait avec force et détermination,
martelait certaines phrases comme si elle était
dans un tribunal. Il essayait de la raisonner, de
lui montrer que cette femme était une illuminée
qui s'ennuyait et qui avait besoin d'une cour
pour se sentir exister, en vain. Elle la défendait

et ne tolérait pas la moindre critique à son égard. Alors il choisit de plaider la jalousie. C'était normal qu'un époux fût jaloux de quelqu'un qui accaparait sa femme douze heures par jour. Il pensait qu'elle serait sensible à cet argument, qu'elle le prendrait comme une preuve d'amour. Elle ne déciderait peut-être pas de rompre avec Lalla mais au moins elle prendrait un peu conscience de l'état psychique et mental de cette manipulatrice.

Mais, non, elle lui disait : « Enfin quelqu'un m'a ouvert les yeux, Lalla est la femme la plus noble, la plus digne, la plus sincère de toute la ville. C'est une artiste qui a du talent. Je lui dois d'avoir enfin compris que ma vie était sacrifiée ; à présent je ne me laisserai plus faire, je ne tolérerai plus l'humiliation de ta famille, les combines de ton frère et de sa bonne femme, les manigances de tes sœurs qui ne viennent nous voir que pour mendier de l'argent. Je suis une femme libérée, je fais ce que je veux, je me réalise, je vais exister autrement que sous la coupe d'un pervers, un monstre d'égoïsme, un lâche, un mari célibataire qui continue de vivre comme s'il était toujours seul, un hypocrite qui n'est même pas capable d'assumer d'avoir fait des enfants. Oui, grâce à Lalla j'ai les yeux grands ouverts, je vais vivre enfin, vivre ma vie, et toi je t'emmerde, toi et tes poufiasses qui tournent autour de toi et de ton sale argent... J'ai renvoyé ta plus jeune sœur l'autre jour en lui disant que tu étais parti en Asie ; elle m'a crue et a rebroussé chemin ; elle était très déçue. Je lui ai fait comprendre que ce n'était plus la peine de faire le voyage de Marrakech jusqu'à Casablanca ; je lui ai dit que tu étais ruiné, que nous n'avions plus d'argent. Je crois même qu'elle en a pleuré. »

L'affaire était entendue, bien enclenchée, il ne lui restait qu'à en tirer les conséquences. Des amis proposèrent de lui parler, d'autant plus qu'ils connaissaient la réputation de la sorcière. Mais sa femme avait la capacité de faire croire que non seulement elle écoutait attentivement mais qu'elle était tout à fait d'accord avec vous. Les amis revenaient contents de leur intervention et repartaient apaisés. C'était mal la connaître. Son système de défense était primaire et archaïque mais d'une efficacité étonnante. Elle n'en faisait qu'à sa tête et oubliait avec une certaine jubilation ce que les uns et les autres pensaient d'elle.

Un ami suggéra au peintre d'entreprendre de séduire Lalla pour l'éloigner définitivement de sa femme. Il n'en eut pas le courage, il n'arriverait jamais à jouer une telle comédie. Ce n'était pas un joueur. Il laissait ça à ses ennemis et adversaires.

Lalla continuait d'entretenir des relations étroites avec sa femme, au désespoir de ses enfants qui finirent par découvrir à leur tour que cette amitié était suspecte. Ils se plaignirent à leur père qui dédramatisa l'affaire pour ne pas les perturber. Un jour, Lalla eut la maladresse d'intervenir alors qu'ils négociaient un programme de vacances avec leur mère. Ils n'apprécièrent pas cette ingérence et demandèrent à leur mère de ne plus la fréquenter. Mais elle était sous influence, envoûtée, complètement acquise à la vision débilitante de sa grande amie.

Lalla écrivait des textes sur « l'énergie primale » qu'elle n'arrivait pas à publier. Elle les rassemblait, les faisait relier et les offrait aux personnes qui méritaient sa confiance. Elle disait que sa pensée était si personnelle qu'elle ne souhaitait pas la diffuser au grand public. Elle accompagnait ces textes de dessins approximatifs, le résultat était si ridicule que cela ne valait pas tout le bruit qu'elle faisait autour. C'est ainsi que sa petite secte contribuait financièrement à son train de vie. Et personne ne trouvait rien à redire.

Un jour, le peintre eut l'occasion de voir un film qui racontait l'histoire d'une belle enseignante qui arrive dans un collège, mariée, deux enfants dont un trisomique. Elle fait la connaissance d'une femme d'un certain âge, professeur dans cet établissement, vivant seule avec son chat. Une amitié se noue entre elles ; petit à petit les liens se renforcent à tel point qu'elles deviennent inséparables, la vieille protégeant la jeune et guidant ses pas au niveau pédagogique mais aussi affectif. La jeune succombe un soir aux avances d'un de ses élèves, un bel adolescent. La vieille les surprend et se met à faire chanter sa protégée, qui par ailleurs n'a pas les mêmes intentions ni les mêmes sentiments qu'elle. Elle pense l'avoir soumise, mais un incident à propos de son chat et de l'enfant trisomique met fin à cette amitié ambiguë. Se sentant trahie, délaissée, la vieille fait courir le bruit que la nouvelle est pédophile et a des relations sexuelles avec un de ses élèves. Le scandale éclate; la jeune est condamnée à une peine de prison, mais avec le temps cet événement la libère de la main-mise de la vieille perverse.

Il ne cessa de penser à Lalla et à sa relation avec sa femme. Il acheta le DVD du film et lui demanda de le regarder attentivement. Ce qu'elle fit, mais elle lui dit : « Je ne comprends pas pourquoi tu tenais à ce que je voie ce film. » Évidemment, elle avait compris la correspondance entre les deux situations mais elle ne se sentit en rien concernée. Il se contenta de sourire et abandonna toute idée de l'arracher à la femme malfaisante. Quelqu'un lui dit : « Tu verras, elle s'en lassera un jour, et elle la quittera, il faut un peu de patience. »

D'autres drames surgirent et la relation avec la sorcière devint pour lui secondaire. Il comprit que l'important était de sauver sa peau, de prendre la fuite et d'en finir avec ce couple où il n'avait plus sa place ni son rang.

CHAPITRE XI

Casablanca, avril 2000

« Les rêves, la vie, c'est la même chose. Ou
alors ça ne vaut pas la peine de vivre. »

Les enfants du paradis,
Marcel Carné

Imane n'était pas seulement infirmière, elle
était aussi kinésithérapeute. Elle lui massait sa
jambe inerte et les bras. Elle le faisait avec délicatesse et force en même temps. Il aimait ces
moments et pouvait apprécier les progrès qu'il
réalisait, aussi infimes soient-ils. Elle était même
un peu coquine, jouait de ses sourires, de ses
yeux et de son charme. Il s'était attaché à elle et
réjouissait de l'écouter un jour lui raconter son
histoire comme elle le lui avait promis.

Un matin, à l'heure de la première visite
d'Imane, le peintre vit entrer un homme et une
femme d'un certain âge en blouse blanche, au
visage marqué, dur, et sans sourire. Elle lui dit :
« Je suis votre nouvelle infirmière et mon frère
votre kiné. C'est votre femme qui nous envoie. »

Avec sa canne il protesta en tapant sur le sol, les mots n'arrivant pas à sortir de sa bouche. C'était la première fois que sa femme, avec qui il ne communiquait plus depuis l'accident, se permettait d'intervenir sans tenir compte de son état. Il les renvoya, en faisant comprendre aux Jumeaux de les payer et de leur dire de ne jamais revenir. Il fallait appeler Imane et lui expliquer ce qui s'était passé. Mais il était si choqué par cette intrusion soudaine qu'il n'avait pas le courage de le faire et attendait que la tempête provoquée en lui par cette visite désagréable se calmât.

Le retour d'Imane, qu'il obtint par l'entremise de ses fidèles Jumeaux, l'apaisa et le troubla en même temps. C'était la fête, une joie intérieure qu'il ne montrait pas à cause de son visage déformé. Mais ses yeux le trahissaient. Imane lui expliqua comment, deux jours plus tôt, elle avait reçu la visite de son épouse qui avait employé un ton menaçant et péremptoire. Imane ne tenait pas à entrer en conflit avec la femme de son patient et avait préféré renoncer à lui. Elle comptait même lui écrire une lettre pour lui dire ses regrets et sa grande sympathie. « Dorénavant, lui répondit-il, vous n'aurez affaire qu'à moi! Si par hasard ma femme s'adresse à vous, dites-lui que c'est moi qui vous ai engagée et que c'est moi qui décide. »

Ravie, Imane fit son travail en chantonnant, murmurant des mots qui avaient pour effet de le détendre. Il en avait besoin parce que la dernière contrariété le travaillait encore. Qu'avait-il bien pu se passer pour que sa femme déterre brusquement la hache de guerre ? Devait-il se préparer à de nouveaux assauts ? Il n'avait pas l'esprit tranquille. Imane décida de rester un peu plus et proposa au peintre une tasse de thé. Les Jumeaux jouaient aux cartes et tournaient le dos au malade pour ne pas le gêner. C'était un thé de Thaïlande, dit « Thé des poètes », fumé et au goût subtil. Elle porta la tasse au niveau de ses lèvres et le fit boire gorgée après gorgée. Elle s'assit devant lui et, le voyant heureux, lui demanda s'il était toujours intéressé par son histoire. Il lui répondit avec les yeux mais arrêta net son sourire, se rappelant la grimace hideuse qu'il faisait. De temps en temps, Imane se levait et regardait par la fenêtre au cas où la femme du peintre serait dans les parages. Il comprit ses craintes, il la libéra à contrecœur, espérant la revoir le lendemain. Malheureusement, elle devait s'occuper de sa grand-mère qui tenait absolument à aller au hammam malgré son âge et sa fatigue. En partant, elle se pencha sur lui et effleura sa joue. Elle dit en riant : « Ça pique ! » Les Jumeaux ne l'avaient pas rasé depuis deux jours.

CHAPITRE XII

Casablanca, 1998

« Entre un homme rangé et un voyou,
tu n'hésites pas, tu prends le voyou », dit
Mme Menu à Julie.

Liliom, Fritz Lang

Le peintre et sa femme vivaient un véritable
enfer. La maison était leur champ de bataille,
leurs amis étaient pris à témoin, leurs familles
des arbitres fort peu impartiaux. Il n'avait pourtant pas abandonné tout espoir de trouver un
moyen d'arrêter le conflit. Il passait de nombreuses heures à réfléchir à ce qui leur arrivait.

C'est ainsi qu'un jour il crut avoir la clé de
l'étrange effondrement de leur couple : sa
femme était devenue double. Il y avait deux
personnes en une, deux caractères, deux tempé-
raments, deux visages. Même sa voix changeait.
Il savait que tout être humain était plus ou
moins double, mais à ce point c'était troublant.
Parfois il ne la reconnaissait pas. Il lui disait :
« Qui es-tu? Une étrangère? La mère de mes

enfants ou bien une femme habitée par une autre femme?» Elle ne lui répondait pas. Il avait rencontré dans sa vie des gens dits lunatiques, mais là c'était autre chose, un cas pathologique : elle passait d'un état à un autre, sans prévenir ni s'en rendre compte. Quand elle l'appelait pour lui dire d'une voix claire et nette : «J'ai une surprise pour toi», il savait qu'il allait passer un mauvais quart d'heure. C'était sa façon de lui annoncer une demande d'explication, ou simplement une attaque préparée.

Une fois, en rentrant, il trouva dans l'entrée sa trousse de toilette déversée par terre. Sa femme l'attendait assise en haut des escaliers, fumant une cigarette. C'était l'époque où il utilisait des préservatifs pour faire l'amour avec elle. Elle dit calmement : « Avant ton départ à Copenhague, il y en avait onze, là il n'y en a plus que neuf. Tu t'es envoyé en l'air deux fois, mon salaud, tu vas me le payer. J'ai déjà appelé l'hôtel ; elle s'appelle Barbara, c'est une pute qui travaille à la Galerie Klimt. »

Persuadée qu'elle était persécutée, que sa belle-famille cherchait à lui nuire, que les amis de son mari étaient tous profiteurs et malhonnêtes, que les voisins étaient jaloux, que les gens qui travaillaient à la maison cherchaient à la voler, elle soupçonnait tout le monde. Elle s'était construit ainsi d'inébranlables certitudes. Pas de discussion possible. Il avait remarqué qu'avant de s'attaquer à sa famille elle avait essayé de le séparer de certains de ses amis, ceux qui étaient le plus proches de lui. Les prétextes ne manquaient pas, les occasions de les rencontrer fréquentes, donc il fallait trouver la faille pour l'attaque.

L'ami d'enfance du peintre fut pour elle une proie facile : il avait mauvais caractère, était complexé et aussi rigide qu'elle. Elle le provoqua, il répliqua de manière cinglante. La rupture était consommée, et le peintre fut sommé d'en finir avec ce « nain » qui avait osé la critiquer. Cet homme avait de l'humour mais ne prenait rien à la légère. Le peintre tint bon jusqu'au jour où son ami lui écrivit une lettre de rupture. Elle avait réussi son coup.

Elle s'attaqua ensuite à un autre ami, un homme sage et philosophe, se fâcha avec sa femme mais ne parvint pas à le séparer de son mari.

Elle fit de même avec d'autres, notamment une amie qui avait une galerie où il avait fait une de ses premières expositions. Il la considérait comme une sœur, quelqu'un de la famille. Elle était devenue proche de sa mère et ils se rendaient des services mutuellement. La femme du peintre l'accusa tout de suite d'être ou d'avoir été la maîtresse de son homme, ce qui la fit rire : il n'y avait entre eux qu'une amitié sans aucune ambiguïté.

Le peintre ne se mêlait jamais des affaires de sa femme, une règle absolue qu'il ne dut enfreindre que deux fois parce qu'elle s'était réellement mise en danger. La première fois, c'était lorsqu'elle lui avait appris qu'elle voyait un « étudiant » syrien. Il tenta de lui faire comprendre qu'il ne devait pas faire « que » des études et qu'il travaillait très vraisemblablement pour des services de renseignement. Il expliqua à sa femme que le régime syrien était un système policier terrifiant et qu'il avait d'ailleurs signé une pétition pour la libération de prisonniers politiques enfermés à Damas. C'était, pensait-il, très risqué, pour elle comme pour lui, qu'ils soient en contact. Elle ne le crut pas, continua à « prendre des cafés » avec le gars. Une autre fois, à Casablanca, des amis l'alertèrent : « Ta femme a de drôles de fréquentations en ce moment. Sais-tu qu'elle s'affiche avec une certaine Loulou, bien connue pour ses liens avec des trafiquants et des types louches qui fournissent des jeunes filles à des Saoudiens de passage ? Évidemment, ta femme n'a rien à voir avec ça, mais elle ne se rend pas compte de la situation et du tort que ça peut vous porter. Il est impératif qu'elle cesse tout contact avec elle. »

Apprenant dans quel pétrin elle s'était fourrée, il lui recommanda de suivre à la lettre les conseils qu'on lui avait donnés. Il était encore temps de rattraper les choses. Elle le prit très mal, cria qu'il était comme les autres Marocains, machiste et plein de préjugés, et qu'il se laissait berner par les rumeurs. Elle était incapable de croire son mari, de lui faire confiance et de se poser des questions. Elle ne doutait pas. Elle ne doutait jamais. Elle ne reconnaissait jamais ses torts. Il le savait depuis longtemps et maintenant ça commençait à se savoir dans leur entourage. Elle continua à voir Loulou, malgré les avertissements répétés de son mari, jusqu'au jour où celle-ci lui fit une proposition indécente qui scandalisa sa femme. Elles rompirent enfin.

Pendant longtemps, il ne se posa pas de questions sur la fidélité de sa femme. Il ne pensait pas qu'elle avait des amants, pourtant elle avait eu tout loisir de le tromper puisqu'il voyageait souvent, qu'il ne la faisait pas surveiller, qu'il ne fouillait pas dans ses affaires, qu'il ne lisait pas ses lettres ni regardait son agenda. Elle était libre et n'avait pas de comptes à lui rendre. Après un voyage qu'elle fit avec une amie en Tunisie, il eut un doute. Elle était revenue avec une idée fixe : tout lire, tout savoir, tout voir de Stanley Kubrick. Il se souvenait qu'elle n'avait pas aimé *2001, l'odyssée de l'espace*. D'où venait cet amour soudain ? En réalité, elle avait rencontré un certain Hassan qui faisait sa thèse sur Kubrick et qui lui montra certains de ses films. Cette passion subite n'était rien d'autre que l'hommage qu'elle lui rendait ; Hassan lui avait offert un gros livre sur son cinéma. Durant quinze jours, on n'entendit parler que de Kubrick, de *Barry Lyndon*, des *Sentiers de la gloire*, de *L'ultime razzia*, de *Doctor Folamour*.

Elle se trahissait.

Quand il tenta de l'interroger sur sa liaison, elle esquiva en faisant valoir que son éducation ne lui permettait pas d'avoir des amants. Un jour, il trouva des préservatifs tombés de sa trousse de toilette dans la salle de bain.

— Que fais-tu avec ça?

— Ah, ça, ce sont des échantillons qu'on a reçus pour une campagne contre le sida.

Il n'en crut pas un mot, se tut et pensa : « Si j'ouvre ce dossier, il va falloir tout dire et ce sera l'enfer. »

CHAPITRE XIII

Casablanca, 15 novembre 1999

> « Quand je suis avec toi, rien ne me fait peur, pas même la guerre, peut-être la police », dit Veronika à Boris avant qu'il parte à la guerre.
>
> *Quand passent les cigognes,*
> Mikhaïl Kalatozov

Le peintre avait un bon ami grec, Yanis, à qui il se confiait et avec qui il apprenait la langue grecque parce qu'il avait l'intention d'aller un jour vivre dans la petite île de Tinos. Yanis avait beaucoup d'humour, noir surtout, faisait des films sur les artistes contemporains et écrivait de temps en temps des nouvelles pour des journaux de son pays. C'était aussi un tombeur, un homme à femmes, alors qu'il n'avait le physique ni d'un apollon ni d'un basketteur américain. Il ressemblait plutôt au professeur Tournesol et avait une façon ironique de considérer ce qui lui arrivait. Ils se retrouvaient toujours dans le même restaurant, avec un autre ami, le Père

François, qui n'était pas prêtre mais un poète et un grand écrivain discret. Yanis aimait l'appeler ainsi, sachant son athéisme radical et son sens de la dérision.

François comme Yanis avaient fait partie de la délégation qui était partie dans la banlieue de Clermont-Ferrand demander la main de la future femme de leur ami peintre. Un voyage resté mémorable pour ses amis qui mettaient la première fois les pieds dans ces territoires exotiques et pleins de désolation. Ils découvraient le mal de ces banlieues où les immigrés et leurs enfants avaient de tout temps été abandonnés et stigmatisés en tant que fauteurs de troubles et d'insécurité.

Depuis quelque temps, Yanis et François s'inquiétaient pour leur ami. Ils le voyaient harassé par des disputes, des colères, des fatigues et des contrariétés de plus en plus fréquentes. Il se confiait à eux, et tous les deux, épris de liberté et d'indépendance, l'aidaient à se libérer de ce mariage où rien n'allait. Ils avaient peur pour lui car ils savaient que sa tension artérielle n'était pas bien régulée.

Un jour, Yanis accompagna le peintre dans un grand magasin où il acheta un petit appareil enregistreur. Pensant qu'il en avait besoin pour son travail, Yanis ne comprenait pas à quoi cela pouvait lui servir, peut-être à dicter sa correspondance, mais il savait que son ami n'écrivait jamais de lettres.

— Ma femme se contredit tout le temps, ne

reconnaît pas avoir dit telle ou telle chose, alors j'ai décidé de l'enregistrer, à son insu, pour lui ressortir ce qu'elle dit.

— Mais à quoi bon?

— J'espère qu'un jour elle reconnaîtra une de ses erreurs, et là j'aurai le plaisir de l'enregistrer et de repasser la cassette plusieurs fois pour l'entendre dire « je suis désolée, je me suis trompée », ou bien « j'ai tort », ou bien « tu as raison », ou bien « excuse-moi, je n'aurais pas dû », j'ajouterai « merci, chéri », ce qu'elle ne m'a jamais dit...

— Je ne pensais pas que ça allait si mal entre vous. Je t'avoue que ça me choque. Tu sais, moi j'ai divorcé pour moins que ça... je n'avais pas grand-chose à reprocher à ma femme. C'était plutôt moi qui déconnais...

Le peintre n'eut jamais l'occasion de faire marcher son magnétophone. L'unique fois où elle avait reconnu qu'elle avait pris des risques en conduisant trop vite tout en étant fatiguée et où elle avait failli avoir un grave accident avec toute la famille dans la voiture, il n'avait pas l'appareil à portée de main. Ce jour-là, peu lui importait d'enregistrer ses aveux. Il était encore sous le choc de l'émotion qu'il avait eue la veille quand il avait vu arriver un camion à toute vitesse dans leur direction et qu'elle avait failli manquer de réflexe parce qu'elle n'était pas dans son état normal. L'accident avait été évité de justesse. Les enfants avaient hurlé, lui était

127

resté figé sur son siège, incapable de sortir un mot. Un grand silence avait suivi cet instant terrible. Arrivés à la maison, ils ne se parlèrent pas, ne se regardèrent pas non plus.

Depuis ce jour, il avait décidé de ne plus voyager avec elle en voiture. Cette vie, il n'en voulait plus. Mais ce constat, il l'avait fait tant de fois qu'il ne lui servait plus à rien. Il fallait agir, réagir, et si possible fuir. Ce dont il était certain, c'était qu'une montagne de difficultés l'attendait avant qu'il se décide. C'est à cette époque qu'il reprit ses séances de psychothérapie afin de renforcer ses défenses immunitaires, comme s'il souffrait d'une maladie qui rongeait ses muscles, son esprit, sa vie.

Le psychiatre lui dit :

— La seule chose à espérer est que votre femme entreprenne une analyse ou une psychothérapie, mais, comme vous savez, elle seule peut décider; personne, ni ses amis, ni ses conseillers, et encore moins vous, n'est autorisé à lui indiquer cette voie.

Il sourit et expliqua que la culture de sa femme ne la prédisposait pas à une telle démarche. Au mieux, elle consulterait des charlatans qui lui donneraient des trucs à faire, du genre de l'encens à brûler de pleine lune, des herbes à déposer dans les coins de la chambre à coucher, des écritures à diluer dans de l'eau qui proviendrait de La Mecque, des talismans à accrocher en haut d'un arbre centenaire ou à enterrer sous cet arbre, d'autres à jeter à la mer un jour de forte houle...

Ces pratiques magiques, fréquentes chez des gens analphabètes et attachés à leurs traditions ancestrales dans les régions de montagnes, confortaient son irrationalité. C'était une des raisons pour lesquelles elle était tombée dans la secte de son amie, la fameuse Lalla qui continuait à agir en douce pour envenimer les relations avec le mari et surtout avec sa famille, et qui l'encourageait à multiplier ses visites aux charlatans, qu'ils fussent proches ou lointains.

Un jour, elle but une infusion d'herbes que lui avait données Lalla. L'effet fut immédiat. Ils étaient à table pour déjeuner avec les enfants, tout d'un coup elle eut un instant d'absence comme quelqu'un qui va s'évanouir. Elle se leva, tituba et se jeta sur le lit où elle sombra dans un sommeil profond. Devant l'angoisse des enfants, il appela un ami médecin qui accourut, l'examina et conclut qu'elle réagissait comme si elle avait avalé une dose de somnifère. Il s'empara des herbes en question et se mit en colère.

— Ce sont des herbes dont on ne connaît rien. Qui nous dit qu'elles ne sont pas empoisonnées? Je vais la réveiller et lui faire un lavement.

Il la secoua, elle ouvrit péniblement les yeux, se leva en disant que ce n'était rien. Elle eut la bonne idée de vomir; elle se sentit mieux mais ne reconnut absolument pas qu'elle avait pris des choses dangereuses.

En discutant plus tard avec l'un de ses amis, le peintre lui fit part de sa grande inquiétude :

— Comment laisser mes enfants avec une femme aussi irrationnelle et irresponsable ?

Cette question avait un double sens. D'un côté, il avait raison de s'inquiéter, de l'autre, c'était probablement une sorte de justification pour ne pas mettre un terme à ce calvaire.

Quand il la voyait en société, aimable, belle, serviable, attentive, aimée de tous, félicitée par les hommes pour sa beauté et son charme, quand il l'entendait parler avec sa voix suave des choses de la vie, quand il la regardait à son insu, il était partagé entre l'admiration et la colère. Il admirait cette femme si douce avec les autres, et était en colère que cette douceur et cette attention manquent terriblement dans leurs rapports. Il avait cru un moment à une double personnalité mais il se trompait. Elle n'était pas double, c'était la même personne qui réservait ce qu'elle avait de meilleur aux autres et ce qu'elle avait de pire à son mari. Elle lui faisait payer toutes ces années où elle avait souffert du regard méprisant de sa famille et de certains de ses amis. Un jour, elle surprit une femme dire à son mari à leur propos :

— Elle est jolie, jeune, mais notre ami mérite mieux, une vraie et belle femme de son rang, de son niveau.

Évidemment, c'était dur à entendre. Le couple fut rayé de la liste sans plus d'explication.

Un jour, la voyant si préoccupée par le bien-être de son petit frère venu la voir, si attentive, lui proposant de la vitamine C dans un verre d'eau parce qu'il avait toussé, lui repassant sa chemise qu'elle avait lavée la veille, s'informant sur son travail, lui glissant un gros billet dans la poche de sa veste, il lui dit, une fois le frère parti :

— Pourquoi ne pas me considérer comme ton petit ou grand frère ? Fais un effort, regarde-moi, je ne suis pas le monstre que tu penses, non, je suis juste différent des autres, je suis artiste, et j'ai besoin de soutien, de compréhension, je n'ai pas besoin que tu m'admires, ce serait trop te demander, et puis ce sont des choses qui ne se commandent pas. Sois un peu plus attentive à ton vieux mari. Il n'est pas méchant, il est même bon. J'ai beau tousser, avoir même une angine, tu ne m'as jamais proposé un verre de vitamine C, ce n'est pas grand-chose mais ce sont de petites attentions qui me feraient plaisir. En fait, c'est ça le point faible de notre couple : le plaisir ! Faire plaisir à l'autre, et réciproquement. Malheureusement, beaucoup de limites ont été dépassées des deux côtés. Il n'y a plus de respect entre nous. J'en suis désolé, et je suis aussi responsable que toi. Je ne crois pas avoir jamais manqué de respect à quelqu'un. J'ai été maladroit, certainement, j'ai été léger, pas assez attentif, mais jamais je n'ai programmé de te manquer de respect. Mais que de fois la colère, la brutalité de tes réactions m'ont poussé à proférer des mots que je ne pensais pas, qui n'ont jamais fait partie de mon vocabulaire. Tu as réussi à sortir de moi ce qu'il y a de pire, et moi également. Je n'accuse personne. J'ai toujours essayé d'éviter les conflits, or c'est dans les conflits que notre couple s'est installé comme si c'était un lit d'amour et de passion. Un jour je m'en irai, ce jour-là, ne m'arrête pas, parce que ce sera le jour où je serai arrivé au bord du gouffre et si tu me pousses j'y tomberai. Enfin, sache une chose, ce jour-là tu découvriras que tu as vécu avec un étranger, un inconnu, quelqu'un avec qui tu n'as rien partagé, en dehors des enfants rien de bien, rien de mieux. Nous nous sommes trompés. Ce n'est ni ta faute ni la mienne. Peut-être que ma part de responsabilité est plus importante. J'aurais dû me fier davantage à mes intuitions, mais c'est vrai que l'amour rend aveugle! On ne contredit pas le destin, on se laisse berner par ses illusions. Mais oui, ça ira, tu gagneras en assurance et en maturité. Nos différences sont grandes, culturelles avant tout. Nous venons de deux planètes éloignées l'une de l'autre. Je le savais mais j'avais parié sur la force de notre amour pour dépasser tout cela. Au fond, nous sommes restés étrangers l'un à l'autre. Moi, je vivais cette étrangeté avec regret, toi, tu te battais contre des moulins à vent. Un jour tu t'en rendras compte, ça sera trop tard, tu auras tout détruit.

Ce jour arriva au milieu du mois de novembre 1999. Il était en train de travailler quand elle entra comme une furie, lui jeta à la figure son ordinateur portable qui se brisa en deux morceaux et lui lança ensuite un presse-papier en bronze assez lourd qui atteignit son épaule gauche, hurlant des insultes en trois langues, le berbère, le français et l'arabe, et criant entre deux injures : « Tu me le payeras, tu me le payeras, je te détruirai, je te mettrai sur la paille, je brûlerai toutes tes toiles de merde, je les balancerai à la poubelle, tu n'es qu'un monstre, un pervers, un mari exécrable, un père de merde, un traître, tu es comme ton père, un pauvre type, un faux-jeton... »

Là, le choc physique et le choc psychologique se conjuguèrent, il sentit monter en lui une fièvre soudaine, un sang chaud circuler à grande vitesse, son visage bougeait comme si la peau s'étirait, le pinceau tomba de sa main, son bras devint rigide, il vit les choses floues, puis tomba par terre, sa tête ayant percuté un appareil de chauffage, le sang coulait, il s'était éraflé la peau. Mais c'était plus grave, il avait les yeux révulsés et ne pouvait bouger ni les bras ni les jambes.

Elle paniqua, appela les urgences. Il fut transporté à la clinique la plus proche. AVC. Tel fut le diagnostic. Accident vasculaire cérébral : hémiplégie du côté gauche avec des difficultés côté droit. Il faudrait attendre pour évaluer la gravité de l'accident.

Le médecin parlait vite, il était ému. Il connaissait le peintre de réputation. Il eut la délicatesse d'interdire à la secrétaire d'alerter la presse.

Sa femme demanda un lit supplémentaire pour dormir à côté de lui. Le médecin lui dit : « Par précaution, il vaut mieux qu'il reste seul, nous sommes là, ne vous en faites pas, dès qu'il se réveillera on vous préviendra. »

Par chance, il ne se souvenait pas de ce jour-là. Il avait tout oublié, comme si ça n'avait jamais existé.

En revanche, il avait vu la mort. Elle était bleue, n'avait pas de forme, ni d'odeur, juste l'impression d'être enveloppé d'une vapeur blanche puis bleuâtre. Il ne pensait pas mais voyait défiler des images de plus en plus rapides, chaotiques. Il n'avait prise sur rien, son corps était devenu une masse lourde qu'il ne pouvait plus commander. Son visage n'était plus son visage. Quelqu'un de mal dessiné s'était installé là. Il se demandait si ce locataire indélicat allait rester longtemps. Seule sa tête était encore en activité. Il entendait des mots, des bruits rendus incompréhensibles par cette vapeur de plus en plus épaisse, virant vers un bleu foncé taché de noir. Il ouvrait les yeux, voyait flou, puis les fermait. Il devait croire que s'il ouvrait grands les yeux la mort reculerait, passerait à côté et lui laisserait un peu de temps, un répit. Curieusement, il pensait à sa dernière toile et se disait dans ce cauchemar réel : « Je ne ferai pas comme Nicolas de Staël, je dois terminer cette toile, j'irai jusqu'au bout. Je ne me jetterai pas par la fenêtre. Je ne tomberai pas en morceaux sur le trottoir. » Aller au bout de quoi? De cette folie qui le guettait et qui l'aidait à poursuivre son travail.

Il était entre les mains des médecins qui essayaient de le réanimer.

CHAPITRE XIV

Casablanca, 27 août 2000

> « N'essaie pas de m'attendrir avec tes en-
> nuis. Ici-bas, chacun doit se débrouiller. Je n'ai
> aucune pitié pour les souffrances de l'âme »,
> répond Isak Borg à sa belle-fille.
>
> *Les fraises sauvages,*
> Ingmar Bergman

Ce jour-là, il reçut Imane dans son atelier. Il
ne pouvait pas encore peindre, mais il regardait
ses nombreuses toiles que la maladie l'avait empêché de terminer et qu'il avait fait disposer par
terre. Certains de ses visiteurs s'extasiaient devant ces œuvres dites inachevées, d'autres n'y
prêtaient pas attention. Lui se disait : « Si je devais m'en aller volontairement, je mettrais
de l'ordre dans mon atelier auparavant, je laisse-
rais des recommandations bien précises pour
mes enfants, je le ferais même si je ne suis pas
certain qu'ils les suivraient, mais on ne sait jamais. Ensuite, j'irais voir un notaire pour que
les filles aient la même part de l'héritage que les

garçons, je suis contre cette discrimination qui lèse la femme en lui accordant une demie-part quand le garçon jouit d'une part entière. C'est la loi musulmane, mais je regrette que des théologiens n'aient pas changé cette pratique valable au temps du Prophète où les femmes ne travaillaient pas. Voilà, avant de m'en aller, je mettrais les choses au propre. » Il pensait à ça avec délectation comme si l'idée du suicide ne lui était plus étrangère. Le fait de préparer sa succession, d'imaginer les réactions des uns et des autres l'amusait. Il eut envie d'écrire, mais ses doigts avaient du mal à tenir un stylo. Il eut l'idée de se confier face à une caméra ; cela lui rappelait un joli film américain où Andy Garcia jouait un personnage d'ancien gangster qui s'était retiré dans une petite ville d'Amérique et avait créé une société qui se proposait de filmer les dernières volontés des mourants. Certains racontaient leur vie, donnaient des conseils, faisaient de la philosophie simpliste. Il se souvenait surtout d'une très jolie fille que courtisait Garcia. Il lui demandait : « Êtes-vous amoureuse ? » La question était surprenante. Une leçon de séduction, que le peintre avait retenue.

Il avait envie de parler avec Imane mais son élocution était encore difficile. Alors il décida de l'écouter pendant qu'elle le massait. Elle portait une blouse blanche dont certaines ouvertures laissaient apparaître une partie de son corps. Il faisait chaud et elle voulait être à l'aise. Son patient était un homme courtois et respectueux. Elle n'avait rien à craindre. En passant doucement la main sur son bras droit en vue de lui rendre sa souplesse, elle esquissait des caresses, ce qui lui plaisait et le faisait sourire. Mais son sourire avait toujours une forme désagréable, ce qui le dérangeait beaucoup. Il murmura : « Merci, excusez-moi ; racontez-moi votre histoire... » Il mit du temps à se faire comprendre. Elle recula et lui dit : « Après le travail, aujourd'hui j'ai le temps. D'abord, je m'occupe de vos bras et de vos jambes, c'est important, j'ai tellement envie de vous voir rétabli, vaillant et en pleine forme. Vous savez, j'ai beaucoup d'amitié pour vous. Je ne connais pas grand-chose à la peinture, mais vos couleurs, vos formes me parlent ; je ne sais pas ce qu'elles me disent mais je suis contente. Vous reproduisez les choses mieux que n'importe quel photographe, chez vous il y a un travail, on voit que ça vous a pris beaucoup de temps. Un photographe, il se contente d'appuyer sur un bouton... Bon, passons à la jambe droite, faites un effort, vous pouvez bouger, c'est bien, vous coopérez ! »

Lorsqu'elle se mettait à genoux pour le massage des pieds, il pouvait apercevoir sa poitrine. Il ne savait pas si elle en était consciente, mais il aimait la regarder à son insu. Il avait toujours eu un faible pour les seins.

Après avoir terminé, elle se proposa de faire chauffer de l'eau pour le thé, s'assit ensuite devant lui et se mit à raconter une histoire telle Shahrazade dans *Les mille et une nuits.*

Il était une fois dans une époque indéfinie une jeune fille qui rêvait tout le temps. Elle ne connaissait de la vie que ce qu'elle mettait dans ses rêves. À l'école, elle voyait ses personnages inventés se promener entre les rangs, elle les visualisait nettement tout en étant présente au cours. Elle avait cette capacité étrange de vivre dans deux univers, l'un imaginé, l'autre réel. Mais elle faisait un va et vient entre les deux avec souplesse. Ses rêves ne ressemblaient pas à ceux des jeunes filles de son âge.

Elle rêvait d'escalader les pyramides en s'appuyant sur un roi d'Égypte qu'elle soignerait par ses sourires et ses caresses.

Elle rêvait de diriger un orchestre symphonique dans une grande salle qui serait remplie de sa famille et de ses amis. Chaque musicien aurait une étoile qui brillerait au-dessus de la tête, une grâce déposée par des anges sur l'ensemble des participants.

Elle rêvait de faire la traversée de l'Atlantique en solitaire mais elle y renoncerait parce qu'elle ne savait pas nager.

Elle s'imaginait en femme imam présidant la prière dans une grande mosquée et faisant un prêche qui rappellerait l'amour du Prophète pour les femmes.

Elle rêvait d'être un moineau qui volerait de branche en branche et donnerait des réponses au buisson de questions.

Elle rêvait d'être la sœur de Shahrazade et assisterait à la première nuit d'amour avec le prince; elle se ferait plus petite que d'habitude mais ne manquerait rien du spectacle.

Elle rêvait de diriger un hôpital et d'être munie d'une baguette magique.

Elle rêvait de dattes grasses d'Arabie et d'un bol de lait de chèvre.

Elle rêvait de ne plus avoir mal au dos à la fin d'une longue journée de travail.

Elle rêvait de longues journées d'été sous un arbre entourée de ses personnages, mangeant du raisin et des fruits venus des pays lointains.

Elle rêvait de pouvoir rêver tout le temps.
Pour cela elle devait travailler davantage.

Elle s'interrompit et remarqua que le peintre avait retrouvé une expression du visage quasi normale. Il l'écoutait et buvait ses paroles avec délice. Avec les yeux il lui indiqua de poursuivre. Elle lui fit avaler quelques gorgées de thé, lui essuya les lèvres, et se remit à sa place pour continuer son récit.

Il était une fois un homme contrarié. Il avait une bonté naturelle dont profitaient des gens sans qualité.

Il l'interrompit en tapant de la main sur son fauteuil. Il prépara mentalement ce qu'il voulait lui dire : « Je veux ton histoire, pas la mienne... » Elle s'en étonna puis lui promit que ce serait pour la prochaine fois.

Mais la fois suivante elle était pressée. Sa grand-mère avait fait une chute et s'était cassé le col du fémur. Il pensa à son propre père qui mourut dix jours après être tombé de sa chaise. C'était en septembre, le peintre travaillait sur un hommage à Giacometti quand le téléphone sonna. Son ami médecin lui dit : « À cet âge, c'est une question de quelques jours. » Il eut un chagrin immense. Cette mort soudaine le mit dans une colère qu'il réprima en laissant ses larmes couler. Sa femme avait été impeccable. Toute la famille qui l'avait sous-estimée était étonnée de la voir si bien accomplir le devoir de deuil. Il n'y avait plus lieu de faire des plaisanteries ou des sous-entendus à propos de ses origines. Il fut content qu'elle réussisse à se tirer si bien de cette épreuve.

Imane eut juste le temps de lui faire sa piqûre et quelques massages, et elle lui dit que ce dont elle rêvait vraiment, c'était de le voir rétabli et qu'il fît son portrait. « Je vous raconterai bien des choses durant la pose. Vous serez étonné. » Il approuva de la tête.

Après le départ d'Imane, les deux aides vinrent le chercher pour lui faire sa toilette. Il prononça le mot « hammam ». Ils se regardèrent surpris puis se demandèrent si c'était indiqué avec sa maladie. L'un d'eux appela le médecin, qui leur dit d'éviter la salle trop chaude et les massages brutaux tels qu'ils se pratiquaient dans les hammams populaires. Ils louèrent la salle à la chaleur moyenne et emmenèrent l'artiste dans son fauteuil roulant. Il était heureux de renouer ainsi avec un de ses souvenirs d'enfance.

Les Jumeaux étaient efficaces et très habiles. Lui était à l'aise, disposé à se débarrasser de ses peaux mortes. Un homme arriva et le gratta comme on l'aurait fait d'un légume sorti de terre. Un autre le massait doucement. Il se sentit bien, surtout après, quand il sortit se reposer dans le salon. Il s'assoupit et ronfla un peu. Le soir, il décida de ne pas prendre de somnifère. Il était assez détendu et pouvait dormir sans un coup de pouce chimique. Il fit des rêves où tout se mélangeait, sa femme, Imane, Ava, la professeur de mathématiques appliquées, le directeur de sa galerie et bien d'autres personnages qui défilèrent toute la nuit. Le matin, il eut peur comme si ce qu'il avait rêvé était prémonitoire, annonçant les visites d'adieu aux mourants.

Comme tous les hommes qui aiment les femmes, il pensa au cortège de celles qui l'avaient aimé et qu'il avait aimées. Il imaginait même les réunir un jour dans une grande maison et leur dire combien elles lui avaient donné de plaisir et de bonheur. Il les remercierait, les embrasserait une à une pour la dernière fois. Soudain il se demanda : « Est-ce que ma femme serait là ? Ferait-elle partie de celles qui m'ont donné du plaisir et du bonheur ? » Il ne voulait pas être injuste. Du plaisir ? Certainement. Il aimait faire l'amour avec elle mais ils n'en parlaient jamais. Cela ne se faisait pas. Il était surpris qu'elle ne lui ait jamais dit un mot sur leurs relations sexuelles, sauf une fois, en colère, où elle lui lança : « Je ne suis satisfaite ni sexuellement ni financièrement ; tu es un impuissant ! »

C'était curieux et intéressant de lier le sexe et l'argent dans une même phrase. Il avait lu Freud et en savait long sur ce sujet. Mais être traité d'impuissant le fit rire en douce. Il ne pouvait pas lui répliquer que d'autres femmes ne se plaignaient absolument pas de lui, bien au contraire. Mais cette phrase résonnait de temps en temps dans sa tête comme la sonnerie d'un réveil devenu fou. « Bon, d'accord, c'est peut-être vrai, elle n'est pas contente, pas satisfaite, mais je sais que ce n'est pas vrai, à moins qu'elle simule, là je n'y peux rien. »

Après cet incident, il s'était encore une fois posé la question : « Pourquoi ne sommes-nous jamais parvenus à nous parler, à discuter sans nous disputer, à dialoguer sans vouloir tout casser, bref, à négocier et à vivre intelligemment ensemble ? Suis-je le monstre et le pervers qu'elle dit ? Suis-je un handicapé de la sensibilité au point qu'elle me reproche de ne jamais me sentir concerné par la famille et par ce qui se passe dans la maison? Je sais que tout cela n'est pas vrai, mais à force de mots accusateurs, on finit par y croire ou au moins par douter. C'était peut-être son ambition, m'amener à douter de moi, de mes capacités, de mes actes, me mettre dans une situation où je ne lui échapperais plus, à sa merci, son objet, sa victime, et qu'elle puisse agir à sa guise, comme si elle était séquestrée dans cette maison par un ayatollah! » Ayatollah, elle l'appelait souvent ainsi. Savait-elle au moins ce que cela signifiait? Dans son esprit, cela devait correspondre à une insulte.

La défaite commence à partir du moment où l'adversaire parvient à vous faire douter de vous-même jusqu'à ce que vous vous sentiez coupable et soyez prêt à agir selon sa volonté, à vous plier à ses exigences.

Un de ses amis lui avait avoué que son épouse le griffait quand ils se disputaient. « Entre nous, avait-il dit au peintre, c'est la guerre perpétuelle. Un jour ou l'autre, je déposerai les armes. Regarde, tous nos copains d'enfance ont abdiqué devant leur femme, ils sont soumis et vivent tranquilles. Moi, je n'en suis pas encore là. Je lutterai jusqu'au moment où elle m'enverra au cimetière! »

Un écrivain de ses amis semblait pourtant vivre dans une paix exceptionnelle. Non seulement sa femme ne le contrariait pas, mais elle l'aidait, l'entourait, le cajolait, prenait des initiatives pour que rien ni personne ne le dérange. Le peintre lui demanda son secret. Après un profond soupir, l'écrivain lui dit : « Je n'ai pas de secret, je lui ai simplement tout abandonné. Elle a le contrôle de tout. Je ne connais pas le numéro de mon compte en banque, je ne voyage jamais sans elle, je ne vois plus personne en dehors d'un cercle restreint. Elle a évidemment accès à mes mails, à mon téléphone mobile, à mon courrier... C'est elle qui répond pour moi. Les journalistes la craignent et moi je suis débarrassé de tous ces tracas. Je ne me souviens pas de la dernière fois où j'ai vu nue une autre femme. Alors, de temps en temps, pour combler le vide, je regarde des films porno pendant qu'elle dort. Je sors sur la pointe des pieds de la chambre et je me rince l'œil, parfois je me branle. Voilà mon secret. Si tu veux la paix, tu en connais maintenant le prix. »

Abdiquer, autant disparaître ! À quoi bon devenir si petit que plus personne ne vous remarque ? La relation à deux n'était donc possible qu'à condition d'être une ombre ? Le peintre relut un ouvrage de son ami. Dédié à sa femme, il racontait l'histoire d'un fonctionnaire du ministère de l'Intérieur d'une dictature qui passait ses journées à torturer des militants politiques mais qui, quand il revenait chez lui le soir, était un père et un mari parfait. Le matin, il déposait ses enfants à l'école, les embrassait, fermait le col de leur chemise de peur qu'ils n'attrapent froid et, un quart d'heure après, il enlevait sa veste, retroussait ses manches et pratiquait la torture dans la cave de son administration. Il avait bonne conscience.

L'allusion à la situation personnelle de l'auteur était transparente. Le peintre pourtant ne lui en dit rien. Pour lui, vivre ainsi était inadmissible.

CHAPITRE XV

Casablanca, 28 août 2000

« Je suis l'invisible qui ne peut disparaître
Je suis comme l'onde
Allons ouvrez les écluses que je me précipite et
renverse tout. »

Chant de l'horizon en Champagne,
Guillaume Apollinaire

Par un chaud après-midi d'été, le peintre, fatigué de ressasser ses idées noires, ferma les yeux et décida de passer en revue les femmes de sa vie. D'abord, comme dans un songe, il se confondit avec l'horizon et prit les couleurs du soleil couchant.

Soudain, elles arrivèrent toutes ensemble. Il pouvait les voir sans être vu. Certaines en noir, d'autres en blanc, toutes en deuil. Il n'était pourtant pas encore mort. Peut-être avaient-elles pris cette invitation mystérieuse pour une cérémonie des adieux ?

Seule Criss était parée de toutes les couleurs. Une femme aux yeux en amande, le visage ouvert, les bras pleins de cadeaux. Elle le cherchait et ne le trouvait pas. Quand elle se retournait, elle voyait d'autres femmes avancer vers l'horizon sans se parler. Elle crut que c'était un rêve, sauf que le rêve n'était pas le sien mais celui de l'homme qu'elle avait aimé sans vivre avec lui.

C'était une histoire pas comme les autres. L'amour était né soudainement puis s'arrêta aussi brutalement. Elle avait assouvi un fantasme, un vœu, car elle aimait l'artiste avant de rencontrer l'homme. L'amour était fort puis, un matin en se levant, elle lui déclara : « C'est fini ! » Il la regarda, fit un geste qui signifiait qu'il n'était pas d'accord. Mais elle était sérieuse, son visage avait changé, sa manière de bouger aussi. Elle était méconnaissable, redevenue l'espace d'une nuit la femme qui avait tant de choses à faire. Elle lui avoua qu'elle avait peur des hommes et que lui n'avait fait que confirmer cette crainte, le remercia comme si c'était un plombier ou un électricien effectuant un dépannage ou une réparation dans sa maison.

Avant de refermer la porte, elle lui dit : « Je serai toujours ton amie, le sexe c'est fini, j'aime ma solitude que je trompe parfois avec un homme, de préférence dans ton genre, beau, pas très grand, fameux. Ensuite, je retourne à ma vie solitaire et à mon travail qui me passionne et me donne beaucoup de satisfaction. Quand le désir se pointe, je me caresse, et de temps en temps j'ai mon petit truc qui vibre très bien et me donne des orgasmes. Voilà, mon

cher, sache que ce fut très beau, très intense.
Adieu ! » ·

Il en était resté figé quelques instants, voir en
l'espace d'une saison une personne passer si vite,
d'une facette à une autre l'impressionnait beaucoup. Criss n'avait pas le sens de l'humour et
n'avait pas de maturité dans ses relations avec
les hommes. Peut-être préférait-elle les femmes
et n'osait pas l'avouer ? Pourtant, elle disait
avoir adoré faire l'amour avec lui. Il n'insista
pas, déchira les photos prises ensemble au cours
de quelques voyages, puis décida de tourner
cette page.

Puis Zina, son premier amour, passa à son
tour près de lui. Tout au long de sa vie, son souvenir l'avait accompagné sans qu'il la revoie jamais. Il n'avait cessé de la chercher à travers
d'autres visages, une brune à la peau mate, au
corps sculpté par la sensualité et le désir. Leur
passion s'était terminée en drame et avait été à
l'origine de la plus grave frustration de sa vie
sentimentale. Avec Zina, il n'avait jamais fait
l'amour complètement ; ils attendaient le jour
des noces qui n'eurent jamais lieu pour des
raisons compliquées ; c'était l'époque où la vir-
ginité n'était pas négociable, où on se conten-
tait d'attouchements, où les corps se frottaient
jusqu'à l'éjaculation qu'il fallait essuyer avec des
mouchoirs qu'il lavait, de retour chez ses parents, dans le lavabo. Ils flirtaient dans les coins
sombres des environs de la ville, dans des cime-

tières, jusqu'au jour où ils en furent chassés par des gardiens à coups de pierres. Elle en reçut une qui lui laissa une éraflure sur la tempe. Il avait fallu cacher cette trace avec un foulard le temps qu'elle disparaisse. Ils se voyaient chez une amie dont les parents étaient partis à La Mecque. Ils adoraient cette période où ils se sentaient en sécurité, mais la pénétration lui était refusée. Ils découvraient la sexualité et l'amour avec la naïveté de l'adolescence. Il fut marqué par cette époque et ses échappées dans la clandestinité. Puis, un jour, il la vit dans la rue, main dans la main avec un homme plus âgé que lui. Tout était fini, plus qu'une déception, ce fut un cataclysme. En y repensant, il sourit parce que la jalousie l'avait rendu ridicule.

Trente ans après, Zina repassait devant lui dans cet espace blanc où l'artiste faisait un bilan. Elle était maintenant voilée et égrenait un chapelet. Elle était devenue croyante et on disait qu'elle fréquentait les cercles soufis de la mystique musulmane.

Soudain, il vit Angelika se détacher du groupe avec grâce. C'était une acrobate grecque, belle mais terriblement fantasque. Elle avait joué avec lui la naïve mais en réalité ne perdait jamais le nord. Angelika était tout simplement une femme intéressée. Elle n'aimait pas le peintre mais se laissait aimer. Elle lui avait proposé de découvrir avec elle les régions les plus reculées de son pays en plein hiver. Amoureux, il avait dépensé le peu d'argent qu'il possédait à l'époque pour la rejoindre là où elle se trouvait. Sa beauté était une énigme, son corps gracieux, son humeur changeante, mais sa voix toujours pleine de sensualité. Il la quitta le jour où un autre homme frappa à sa porte, venu chercher sa fiancée. Le peintre s'était senti trahi, utilisé, floué par une comédienne qui jouait à faire l'amour. Il en gardait encore aujourd'hui de l'amertume, même s'il avait réussi à effacer ses souvenirs. Il ne l'avait pas invitée, mais elle était venue malgré tout, avec l'air de celle qui passait là par hasard. Angelika avait toujours eu du flair.

L'unique blonde qu'il avait aimée dans sa vie s'avança aussi belle qu'au jour de leur rencontre. Ses yeux si bleus, son humour, son rire l'avaient séduit. Il l'avait invitée à le rejoindre au Maroc à une époque où il n'était pas marié et où il cherchait non pas la femme idéale mais au moins celle qui lui donnerait envie de vivre avec elle. Il se souvint du moment où elle arriva par bateau et qu'il la vit rayonnante dans la foule de voyageurs fatigués. Il aimait ces rencontres dans les gares ou dans les ports. C'était son côté romantique. Ils passèrent quelques jours à faire les fous. Ils partirent ensuite en Corse et leur relation prit fin de manière brutale, sans explication, sans commentaire. Elle ne vint pas au rendez-vous. Il l'attendait dans un restaurant marocain dont il se rappelait encore le décor et le visage inquiet du garçon qui avait l'habitude de le servir et qui comprit qu'on lui avait posé un gros lapin. Il lui dit, pour le réconforter : « Je te comprends, moi, une femme me ferait ça, je lui cognerais dessus. » Il leva les yeux et dit : « Non, ce n'est ni mon genre, ni mon style. Les femmes, c'est par la douceur qu'il faut les garder, pas par les coups de poing. C'est ce qui fait que chez nous, au Maroc, nous sommes en retard sur bien des sociétés. »

Tandis qu'elle marchait devant lui sans le voir, la belle blonde pensait intensément à son amant de quelques semaines, celui qu'elle appelait « mon ami précieux », et qu'elle avait quitté brusquement pour ne garder de lui que de bons souvenirs.

Brusquement, une main tira le peintre du doux songe dans lequel il était plongé. C'était une infirmière qui venait pour sa piqûre. Encore étourdi par ses rêves, il crut qu'elle faisait partie de la cohorte des femmes qu'il avait aimées. Mais c'était une dame habillée comme un homme, efficace et sans humour. Elle faisait son travail en silence, à peine si elle lui demanda où il préférait être piqué.

Quand elle repartit, il se sentit submergé par l'angoisse. Avec la tombée de la nuit, la lumière était devenue triste dans son atelier. Contre toute attente, l'apparition de ces créatures aimées lui faisait éprouver de la nostalgie, un sentiment qu'il devait éviter à tout prix — comme il disait : « Les souvenirs s'ennuient. » Puis la fatigue l'engourdit de nouveau. Il regardait autour de lui et refusait de croire que sa vie était finie, que son travail resterait inachevé. Il voulut bouger mais n'y arriva que très péniblement. Il se détestait, avait envie de hurler. Il pensa que s'il réussissait à détruire ce qu'il y avait autour de lui, ce serait au moins une manière de répondre à l'appel de cette mort installée chez lui sans pudeur. « La mort, c'est la maladie », répétait-il.

Soudain, il entendit une voix lui dire : « Ne te laisse pas abattre. Courage, c'est un mauvais moment à passer. Allez, la vie t'appelle, elle est magnifique, crois-moi... » Il chercha à savoir d'où elle venait, se tourna comme il put. C'était son neveu préféré, un architecte passionné de musique et de football, qui était venu lui rendre visite. Il lui apportait un iPod qu'il avait rempli de chansons des années soixante-dix. Il ne resta pas longtemps, simplement, avant de partir il lui mit les écouteurs dans les oreilles, brancha l'appareil et le laissa avec Bob Dylan.

Le peintre ferma les yeux, écouta la musique, et attendit que reprenne le défilé des femmes de sa vie, comme s'il était au cinéma et que le film interrompu allait se remettre miraculeusement en marche. Soudain, la journaliste qu'il faisait rire parce qu'il se moquait de ses fesses et de sa poitrine aussi dures et fermes que celles d'un mannequin en cire apparut à quelques mètres de lui. Encore une originale qui, à l'époque, se partageait entre sa meilleure amie et son fiancé officiel. Elle lui avait avoué d'emblée qu'elle aimait varier les plaisirs et qu'elle avait beaucoup d'ambition. Elle fit d'ailleurs une très belle carrière par la suite. Le peintre se souvint d'un soir où il l'avait vue assise en tailleur dans un salon de l'Élysée. Elle interviewait, en compagnie d'un autre journaliste, le président de la République. Il s'amusa à l'imaginer toute nue dans les positions scabreuses et complexes qu'elle adorait. Alors, tout ce que disait le président devint très drôle.

Elle marchait devant lui avec élégance, mais ne le voyait pas. Il se demanda pourquoi elle avait répondu à son invitation. Peut-être s'était-elle munie d'une caméra cachée pour arracher un dernier scoop sur l'enterrement de celui dont les toiles étaient de plus en plus cotées.

Vint le tour de celle qui lui rappelait Faye Dunaway dans *L'arrangement*, le film d'Elia Kazan. C'était une amie avec laquelle l'amour était facile et la vie sans contrariétés. Elle était venue le voir parce qu'elle préparait une thèse sur la peinture contemporaine du Maghreb et ses influences. Elle était studieuse, grande; elle avait de l'humour, de la légèreté, ce qui lui plaisait beaucoup. Née d'un mariage mixte, père tunisien, mère française, elle tenait des deux sur le plan culturel et aimait parler l'arabe avec accent. Ils riaient beaucoup et faisaient souvent l'amour n'importe où. Elle aimait l'entraîner dans des lieux qu'il ne connaissait pas et se donnait à lui avec passion. Quand elle arrivait chez lui en jupe, il savait qu'elle ne portait pas de culotte. Il passait la main entre ses jambes et poussait un cri de joie. Il adorait toutes ses jupes, même celles de l'hiver. Quand elle arrivait en pantalon, il savait qu'elle avait ses règles ou bien que l'envie n'était pas là.

Leur relation cessa le jour où elle rentra dans son pays pour se marier. Elle aussi faisait partie des femmes d'avant le mariage. Parfois, il regrettait de ne pas lui avoir proposé plus que des rencontres sexuelles. Elle avait un bon caractère, une gentillesse réelle et beaucoup de charme.

À la même époque, il voyait une étudiante marocaine à la peau exceptionnelle. Elle était partie poursuivre ses études au Canada et mourut brutalement à vingt-quatre ans. Son souvenir le hantait et sa mort l'avait meurtri même s'il ne l'avait pas bien connue. Elle se donnait à lui avec fougue et espérait autre chose que des retrouvailles entre deux cours. Il chercha son ombre, en vain.

Cette année avait été aussi celle de la rencontre avec une autre Marocaine qui portait sa beauté comme un fardeau, un drame imminent. Elle avait les yeux gris, de grands yeux, mais quelque chose la travaillait de l'intérieur. Elle n'arrivait pas à être heureuse, elle pleurait souvent et son corps se crispait chaque fois qu'il le caressait. C'était la première fois qu'il avait affaire à une femme frappée de frigidité. Elle pleurait, se serrait contre lui, lui réclamait des caresses, longues et douces, ce qui l'apaisait et l'aidait à s'assoupir sur son épaule. Il comprit qu'elle avait été traumatisée mais ce n'était pas à lui de jouer à l'analyste. Son père avait dû abuser d'elle. Elle portait cette blessure comme un meurtre. Elle le lui fit comprendre à demi-mot, cacha son visage dans l'oreiller puis sanglota longtemps. Elle se maria, et ses parents organisèrent une grande fête. Son époux, un homme gentil et sans charisme, ne sut pas s'occuper d'elle. Il rentrait tard et la négligeait. Elle appela au secours un de ses amis qui, ce soir-là, avait une angine et ne pouvait se déplacer. Il lui parla et lui promit de venir la voir dès qu'il irait mieux. Il ne voulait pas la contaminer avec ses microbes, lui dit-il. Il essaya de la faire rire, mais, au bout du téléphone, il y avait la voix lointaine d'une femme à la dérive. Il lui dit : « Attends-moi, j'arrive. » Quand il débarqua, il n'y avait personne. Elle était partie en voiture dans un chalet à la plage, avait avalé une grande quantité de comprimés et s'était endormie. Son suicide avait ému tout le monde car tous les garçons de sa génération étaient fous de sa beauté et toutes les filles atrocement jalouses de sa grâce et de son élégance.

Puis se présentèrent celles qu'il appelait « les étudiantes », qui venaient le voir parce qu'elles préparaient un mémoire ou un exposé sur la peinture et le Maroc. Elles étaient toutes sensibles à sa disponibilité et cédaient facilement à ses avances discrètes. Certaines revenaient durant quelques mois, d'autres disparaissaient. Il trouvait cela regrettable mais les oubliait aussitôt. Elles étaient presque toutes là, à marcher dans ce rêve, heureuses de revisiter un passé commun. Il ne se souvenait plus des noms mais de leurs parfums, de leurs gestes intimes. Parmi elles il y avait une jolie Asiatique qui, après avoir dévoré pas mal d'hommes, entra dans les ordres et ne réapparut plus. Il se souvenait de sa manière enflammée de faire l'amour. Quand il apprit qu'elle était devenue religieuse, il n'en fut guère étonné.

Il y avait celle qui écrivait des poèmes en arabe et qui rêvait de faire un livre avec ses toiles. Elle s'y prit de façon intelligente, professionnelle : elle lui envoya quelques recueils avec la copie d'un portrait d'elle fait par le Grec Fassianos. Une belle femme dans une belle peinture. Dès qu'elle entra dans son atelier, il sut que quelque chose allait se passer entre eux. Question d'intuition et de regard. Elle n'était pas grande, mais avait une superbe chevelure noire et des yeux gris-verts. Ils parlèrent politique, elle venait d'une région meurtrie par plusieurs années de guerre. Pas un mot sur son projet. En partant, elle lui demanda une faveur : pouvoir l'inviter à dîner. « C'est plutôt moi qui vous inviterai la semaine prochaine. — Pas question, j'insiste, et puis la semaine prochaine je serai en Grèce », lui dit-elle. Le lendemain, ils dînèrent dans un restaurant discret. Ce fut elle qui lui dit : « Êtes-vous libre cette nuit ? » Il répondit de manière évasive : « La nuit je dors, du moins j'essaie de dormir. » Elle lui prit le bras et lui murmura à l'oreille : « Cette nuit je n'ai pas envie de faire l'amour avec mon compagnon, mais avec vous. Je ne dormirai pas à vos côtés, je rentrerai après l'amour. »

Cette relation épisodique avait duré deux ans. Ils se voyaient rarement à Paris, mais lors de voyages. Un jour, le compagnon posa un ultimatum : « C'est lui ou moi. » Elle choisit la sécurité et quelques mois plus tard ils se marièrent.

Curieusement, il la vit dans ce défilé accompagnée de son homme, plus âgé qu'elle, un peu lourd ; il devait posséder des qualités cachées.

Il y avait celle qu'il appelait « l'ange de Brasilia », une jeune étudiante en histoire de l'art qui débarqua un jour dans son atelier envoyée par son professeur, lequel était marié à une Marocaine, une cousine. Sa beauté lui rappelait certaines actrices égyptiennes, bien en chair. Quand il lui serra la main, elle s'évanouit. C'était la première fois qu'il assistait à un évanouissement. Il la ranima comme il put, puis, après avoir repris connaissance, elle lui demanda de l'excuser et lui avoua : « Quand un homme que j'admire me touche, je m'évanouis. » Il sourit, et lui promit qu'il ne la toucherait plus. Elle

répliqua en riant : « Mais c'est une punition! »
Elle devint sa maîtresse le temps de son séjour
à Paris, puis ils se retrouvèrent une fois à Bue-
nos Aires. Chaque fois c'était une fête, elle se
laissait aller et lui parlait en arabe, des mots appris par cœur. L'amour devint de l'amitié, une
tendresse qu'ils gardaient jalousement dans leur
cœur. Elle disait qu'il était l'homme qu'elle avait
le plus aimé; lui restait silencieux; il l'aimait
bien, mais ne pouvait pas faire semblant d'être
amoureux.

Il ouvrit les yeux, regarda autour de lui, appela les Jumeaux en appuyant sur le bouton de
la sonnette, leur fit comprendre qu'il avait envie
de sortir faire un tour. Il se dit que ce défilé avait
quelque chose d'un catalogue industriel. Il se
détestait, refusait de se contenter de ces images
qui envahissaient son esprit dès qu'il fermait les
yeux.

Le soir, il but du café en espérant mettre fin
au défilé. Mais son imagination l'installa sur un
balcon d'où il admirait les femmes qui passaient
avec grâce.

Il y avait Caroline, la femme aux jambes parfaites qu'il connut alors qu'elle luttait contre un
cancer du sein. C'était un être exceptionnel de
sensibilité, de tendresse et d'intelligence. Il était
heureux de la voir, de l'écouter, de la serrer dans
ses bras, de se confier à elle. Cette amitié abou-
tirait à un amour discret. Elle avait du mal à se

montrer nue devant lui, ayant subi l'ablation d'un sein. Faire l'amour avec un corps dont la beauté était infirme ! C'était dur, grave. Comment lui dire, comment le prévenir ? Elle rougissait et puis elle le lui dit simplement : « On m'a débarrassée du sein du malheur, mais j'attends qu'on me le remplace avant l'été, car j'irai avec mes enfants sur la plage. » Elle lui demanda de fermer les yeux quand elle se déshabillerait et d'éteindre la lumière. Elle gardait un pansement autour de la poitrine. Il la touchait délicatement, la caressait avec précaution. Il lécha les larmes sur ses joues et la serra contre lui sans lui faire mal. Ils mirent un peu de temps à s'y habituer et pour cela il n'y avait rien de mieux que l'humour. Alors ils riaient, plaisantaient, évoquaient la pose d'un nouveau sein et se promettaient d'aller l'exhiber sur une belle plage. Longtemps le sein manquant le hanta. Il pensait à elle et se mettait en colère contre cette injustice qui s'était abattue sur cette belle âme, une femme si gracieuse, si bonne, si tendre.

Elle n'irait pas à la plage. Cette femme avait beaucoup souffert. Elle avait du courage et de l'espoir. Ils s'écrivaient à défaut de se voir. Sa dernière lettre :

Je t'écris d'une salle d'attente, horrible comme toutes les salles d'attente des hôpitaux. Je suis en pyjama, un foulard sur la tête où il n'y a plus un cheveu, je me sens laide, abandonnée par la vie, mais j'ai confiance, le médecin est un ami, un homme âgé et qui continue d'exercer malgré la stupidité de la loi française, il me rend optimiste, il sait comment me parler et quoi me dire. Je suis là et je pense à toi, je suis là et je vois passer devant moi des vieillards tout décharnés que la mort délaisse dans un couloir, je pense à toi et te conjure de te battre pour que personne ne porte atteinte à ton intégrité d'artiste, d'homme, personne n'a le droit de te piétiner, de te voler ton bien le plus précieux, ton travail, ton art, ta grâce. Je te le dis parce que je sais que ta sensibilité a été souvent malmenée par l'égoïsme des gens. Sois fort, sois bien, continue de nous étonner, de nous donner le meilleur de toi.

Je suis là et j'attends et je sais que je veux vivre, j'ai envie de hurler pour que Dieu, s'il existe, m'entende et me donne un peu de temps, juste pour aimer encore, faire l'amour, manger un plat de lentilles, boire un bon vin et fumer avec toi un cigare. Ce temps, je l'attends, je le prendrai là où il se cache, je ne laisserai personne me l'enlever.

Une femme est à côté de moi, elle me regarde écrire. Elle se penche sur moi et me dit : « Quelle chance vous avez, vous écrivez à quelqu'un, une personne que vous aimez, j'imagine ? Moi, je n'ai personne à qui écrire. Mes enfants m'ont abandonnée, mon mari est mort et mes amies sont toutes à l'hospice, sans mémoire. Bon, dites quelque chose de gentil à ce monsieur. Dites-lui que Gisèle l'embrasse. Il saura qu'il y a dans le monde une femme de quatre-vingt-trois ans qu'il ne connaît pas et qui l'embrasse. Merci. »

Voilà, c'est fait, mon amour, mon arbre, ma musique, ma plus belle folie. C'est mon tour, j'entre chez le médecin. N'oublie pas, ne laisse personne, ne permets à personne de porter atteinte à ton intégrité.

Pendant longtemps il porta en lui le deuil indicible de cette femme qu'il ne pouvait partager avec personne. Il aurait pu vivre avec elle parce qu'elle lui apportait une sérénité essentielle ; elle l'apaisait et l'aimait. Il n'avait eu avec elle que des moments de grâce. Ils s'étaient connus au cours d'une rétrospective des films de Billy Wilder. Ils adoraient le cinéma de cette époque, comme celui de Lubitsch et de Capra. Ils parlaient des soirées entières sur tel ou tel plan d'Orson Welles dans *La soif du mal*. Si la maladie ne l'avait emportée si jeune, si belle, si vive, il aurait terminé ses jours avec elle. Il se disait cela pour maintenir en vie les souvenirs. Quand il apprit que ses cendres avaient été dispersées en Afrique, là où elle avait vécu enfant, il eut un instant de trouble et de panique. Comment ce corps qu'il avait tant de fois étreint s'était-il dissous en cendres mêlées au sable d'une terre lointaine ? Cette idée le tourmentait. Il la rejeta et continua de penser à elle dans ses moments de vie les plus éclatants. Il entendait encore sa voix douce, ses éclats de rire. Un jour, sa fille l'appela et lui dit : « J'ai rêvé de maman, elle est heureuse, et elle m'a dit de vous appeler pour vous dire qu'il faut faire attention à vous et qu'elle vous aime. » Il resta interloqué, posa son pinceau et relut sa lettre qu'il cachait dans un tiroir fermé à clé.

Il lui avait réservé une place de choix dans ce rêve, mais elle ne vint pas. Il eut de la peine et perdit le souvenir de ses traits comme cela lui arrivait après une forte émotion.

C'est l'image d'Ava qui s'imposa à lui à la place. D'abord ses yeux clairs, verts, gris, sa chevelure de lionne, sa grande taille, sa voix naturellement sensuelle, et puis ce corps fin qui le faisait chavirer dans un délire qui provoquait chez elle des fous rires. Ava débarqua dans sa vie quelques mois après ce deuil clandestin. Comme un ouragan, une sorte de belle pluie qui l'émerveilla et le mit à genoux devant elle. Une rencontre arrachée aux pages de Nabokov ou Pouchkine, tirée de quelque plan d'*Autant en emporte le vent*, ou de *Pandora* où Ava serait jouée par Ava Gardner, sauf qu'Ava ne suscitait pas le malheur et la destruction. Elle était amour, douce folie, voyage. Elle avait du mystère, de la gravité dans le regard mais aussi de la joie de vivre. Quand il la rencontra, il sut immédiatement qu'ils étaient faits pour vivre un amour intense. Il n'était plus le même, depuis qu'elle lui avait remis un billet où elle avait reproduit un dessin de Matisse, une façon pour elle de se présenter à lui. Derrière, il y avait un numéro de téléphone et une signature en forme d'étoile filante. Quand il l'appela, elle éclata de rire comme s'ils étaient déjà familiers et avaient un passé commun. Elle lui dit : « Votre peinture me fait mal, j'ai trop de cicatrices dans ma vie, et vous, vous n'avez pas le droit d'en rajouter ! » Puis elle ajouta : « Taratata, taratata… »

Ava comprit qu'elle arrivait dans sa vie au moment où plus rien n'allait avec sa femme. Il était tourmenté, triste, fatigué de se battre contre des vents contraires, avec la volonté d'en finir afin de retrouver sa liberté. Il le disait à sa femme, elle lui répondait : « Ce n'est pas mon problème, tu as fait des enfants, alors tu dois assumer ! » Il avait beau lui expliquer qu'on pouvait se séparer sans faire souffrir les enfants, qu'on ne pouvait pas forcer le destin et que toutes les tentatives de conciliation avaient échoué, elle n'entendait rien à ce discours, elle s'entêtait avec une constance qui le consternait. Il se battait tout seul. Les mots se perdaient, volatilisés, poussière dans l'air. Elle ne les entendait pas, les repoussait avant même qu'ils lui parviennent. Seuls les actes la faisaient fléchir un peu, elle y voyait la main d'un sorcier ou d'une femme stratège qui serait décidée à ruiner son foyer. Elle tombait malade, s'enfermait dans la chambre, laissait la maison à l'abandon, disait aux enfants qu'elle souffrait parce que leur père était un monstre, elle pleurait, maigrissait, rendant l'atmosphère irrespirable. Le médecin, en aparté, dit au peintre : « Elle fait du chantage à la dépression, attention, elle risque d'y tomber si ce n'est déjà le cas. » Elle prenait des médicaments mais refusait de parler avec un psychiatre.

C'était l'époque où son travail avait connu un grand succès à la Biennale de Venise ; plusieurs galeries en Europe et en Amérique le voulaient. Il devait peindre, mais son esprit était accaparé par la dégradation de la relation conjugale. Sa femme avait découvert l'existence d'Ava mais n'avait pas réussi à en savoir plus. Ni le nom ni le lieu où elle travaillait. Elle le suppliait de lui dire qui elle était. Il tint bon, refusa d'en parler, minimisa l'affaire, n'eut pas le courage de tout avouer au risque de provoquer un plus grand malheur. Elle en était capable, parce que son irrationalité pouvait faire des ravages. Elle le haïssait et lui jetait tout ce qu'elle trouvait à sa portée en l'injuriant dans le but de le culpabiliser. Les enfants assistaient à ces scènes mélodramatiques en se demandant de quoi leur père était coupable. Il ne voulait pas les mêler à cette crise, mais elle s'en chargeait et les troublait. Se sentant trahie, elle cherchait par tous les moyens à se venger, à lui rendre au quintuple le mal qu'il lui faisait. Il restait muet, fuyait et la laissait dans son désarroi. Il n'en parlait pas avec Ava ; ils avaient peu de temps et tenaient à le vivre pleinement. L'envie de quitter sa femme était forte, mais sa faiblesse, ce que son épouse appelait sa lâcheté l'empêchait de prendre une telle décision.

Au mystère de la nuit s'ajoutait le secret de l'insomnie, une souffrance cruelle qui labourait son corps et son esprit. Il avait de l'hypertension artérielle, la soignait sans réussir à la stabiliser complètement. Il avait des pics qui montaient à des niveaux inquiétants ; puis ça redevenait normal. Il avait peur de la nuit, du risque de l'apnée. Il redoutait l'arrivée du soir et le moment où il se mettait au lit. Il couchait dans son atelier, mais ses membres étaient agités par des tremblements nerveux harassants. Il se levait, faisait quelques pas dans cet espace parfaitement ordonné où il entreposait ses toiles, son matériel, sa collection de livres d'art, et sa documentation. Il buvait de l'eau, prenait un deuxième calmant, se recouchait et attendait. Rien ne venait. Il pouvait suivre les nuages qui traversaient le ciel de Paris par une lucarne dans le toit. Vers l'aube, la fatigue l'assommait et il dormait une heure ou deux.

Il avait pris l'habitude d'appeler Ava tous les matins à la même heure, juste avant qu'elle ne parte à son travail. Il lui souhaitait une magnifique journée et l'attendait le reste du temps.

La clandestinité donnait à leurs retrouvailles une joie particulière. Ils disaient : « Nous sommes des voleurs ; notre bonheur est notre secret ; notre amour est notre survie ; nous refusons d'être des naufragés ; nous vivons cet amour et nous savons que nous serons un jour des êtres inconsolables. »

Puis vint la rupture. Brutale, définitive, cruelle. Elle le quitta parce qu'elle savait que jamais il n'abandonnerait sa famille pour vivre avec elle. Son intuition était juste. Il avait peur des représailles de son épouse. Une peur insurmontable. Il était figé, incapable d'avancer, incapable de tourner le dos à une vie misérable pour partir ailleurs avec la femme qu'il aimait. Ce fut là qu'il accepta la proposition d'un de ses amis très versé dans les histoires de sorcellerie. Il lui dit : « Laisse-moi faire, laisse-moi savoir ce qui se passe, je t'en supplie, donne-moi ton accord pour que je consulte en ton nom un très vieil homme reclus dans la montagne loin de la ville et qui a un pouvoir extraordinaire, il sait ce qui se passe entre les gens, il a ce don, c'est un homme qui travaille uniquement avec le Coran, pas de grigris, pas de magie noire, seule la lecture du Coran et les chiffres. »

Il le laissa faire, de toute façon qu'avait-il à perdre ?

Le constat du vieil homme était impressionnant : « Cet homme est travaillé depuis longtemps par sa femme, qui cherche à le bloquer en vue de le posséder et qu'il devienne son objet soumis. Il est entouré de talismans de toutes sortes ; c'est un artiste, quelqu'un qui réussit bien, elle est jalouse et elle est conseillée par plusieurs personnes de son bled. Il faut qu'il parte. Nous, nous ne sommes jamais pour séparer le mari et l'épouse, mais là, il risque quelque chose ; je ne sais pas quoi, mais elle ne le laissera jamais en paix. Tenez, donnez-lui ce talisman, qu'il le porte sur lui et qu'il lise une page du Coran tous les soirs avant de dormir. Cela apaisera son sommeil qui est très agité. S'il veut rester avec sa femme et ses enfants, il faut qu'il se soumette, sinon, ce sera l'enfer parce qu'elle travaille avec des hommes qui feront le nécessaire pour bloquer tout ce qu'il entreprend. Dès qu'il rencontrera une femme, tout sera entrepris pour que leur histoire échoue. Son sommeil sera tout le temps difficile à trouver. Une malédiction rôde autour de cet homme. Que Dieu remplisse nos cœurs de sa bonté ! Jamais elle ne le laissera en paix. »

Il resta bouche bée et se mit à chercher les grigris qu'elle aurait placés dans son atelier. Il en trouva quelques-uns sous le canapé où il lui arrivait de dormir, dans la salle de bains, dans la cuisine et même dans son sac. Il était cerné. Lui qui ne croyait pas à ces choses-là changea d'avis et devint méfiant. Il comprit que les sorts jetés contre elle Ava avaient fonctionné. Il se dit : « Maintenant que je sais, je vais tout faire pour renouer avec celle que j'aime. » Il fit plusieurs tentatives, en vain. Ava avait déménagé, son téléphone avait changé, il était impossible de retrouver sa trace. Il resta ainsi sans nouvelles d'elle durant deux années où il souffrit en silence tout en continuant à vivre avec sa femme, dans l'espoir de préparer son départ définitif. Il n'eut pas le temps de s'en aller. L'attaque cérébrale se produisit après cette terrible dispute entre eux.

CHAPITRE XVI

Casablanca, 12 septembre 2000

> « Tu es affreusement égoïste. À tes yeux, personne ne compte. Tu ne crois qu'en toi ; tu n'écoutes aucun conseil. Bien sûr tu ne le sais pas, tu poses au vieux monsieur ; c'est à tort qu'on te présente comme l'ami de l'humanité souffrante », dit la belle-fille à son beau-père.
>
> *Les fraises sauvages,*
> Ingmar Bergman

Parfois, au beau milieu de la journée, de petits souvenirs d'enfance, apparemment insignifiants, lui revenaient à la mémoire. Ils dansaient devant ses yeux comme des pantins dans une foire foraine. Cela le surprenait à chaque fois. C'est ainsi qu'il revit très nettement ce seau en bois que son père emportait avec lui au hammam. Un vieux seau, quelconque, d'un marron qui avait fini par noircir. Avant de partir, son père y mettait toujours du savon, une serviette de bain et une pierre rêche pour enlever les peaux mortes. Pourquoi ce seau venait donc, un demi-siècle plus tard, occuper son esprit? Un autre jour, il revit soudain, tout aussi nettement, la vieille natte en paille tressée sur laquelle ses parents faisaient la prière. Elle n'avait rien de particulier. Pourtant elle était là, de retour, posée à côté du seau. Une mendiante, à qui il avait donné du pain et qui lui avait offert un morceau de sucre en échange, réapparut de la même manière, avec son visage plein de rides, son sourire édenté et ce sucre en forme d'étoile au fond de la main.

Quelques jours après, il revoit ce cul-de-jatte qui chantait faux devant son école, puis ce chien malade qui traînait dans les ruelles de Fès et que des enfants chassaient en lui jetant des pierres. Ce pauvre animal avait bien du mal à marcher et le peintre se demandait : Pourquoi ce chien soudain?

Même question pour ce pantalon de golf qu'il avait déchiré aux genoux en tombant d'une balançoire. Ce souvenir datait de ses six ans, c'était la première fois qu'il faisait de la balançoire. Son frère aîné le poussait et, en plein vol, il avait lâché les cordes et s'était retrouvé par terre, le visage en sang. Curieusement, la matière du pantalon l'avait plus marqué que son visage blessé.

Une vieille valise en carton dans laquelle son père gardait des numéros du magazine *Life*, tous consacrés à la guerre, lui apparut un matin sans crier gare. Il lui était souvent arrivé dans son enfance d'en tirer un exemplaire et de le feuilleter.

Pourquoi se rappelait-il encore le visage de ce très jeune soldat américain qui pleurait devant le corps de son ami mort ? Il s'appelait Salomon. C'était curieux, Salomon à genoux, les mains sur sa figure pleine de larmes. Qu'était devenu ce jeune homme ? Il l'imaginait de retour chez lui, marié avec une femme rousse, et vendeur de voitures.

Une autre fois, c'est une écharpe mangée aux mites qui vint le hanter. Elle était rouge et ne servait plus à rien, comme ces ampoules grillées que son père gardait dans un tiroir espérant qu'elles se répareraient toutes seules. Il vit aussi des clous de toutes tailles dans un sac en papier posé dans un coin de la cuisine, ou encore la cravate sale, pleine de taches de gras que portait son instituteur d'arabe. Son institutrice, jeune mariée, qui écartait légèrement les jambes en s'asseyant sur sa chaise, passa aussi lui rendre visite. Il revit même inexplicablement le numéro d'immatriculation de la Chevrolet de son oncle, à l'époque le seul homme de la famille à posséder une voiture : 236 MA 2.

Un jour, lui revint le souvenir de sa première éjaculation, qu'il avait eue en jouant avec sa cousine. C'était comme de l'électricité agréable qui traversait son pénis. Il s'était levé, cachant de sa main la tache sur son pantalon. Il avait honte, d'autant que sa cousine qui devait avoir un an de plus que lui l'invitait à la rejoindre dans la chambre de ses parents partis en voyage. L'odeur forte et nouvelle qui montait de son

172

bas-ventre et l'envie brûlante de retrouver la cousine qui l'attendait à plat ventre sur le lit lui revinrent, intactes. Il la revoyait, ses fesses roses offertes, lui disant : « Vas-y, mets ton truc dans mon cul ! »

Le peintre se disait qu'il fallait vraisemblablement attribuer cette invasion de souvenirs à la paralysie de sa jambe et de son bras gauches. Un jour, au beau milieu d'une de ces réminiscences, le téléphone retentit bruyamment. Un de ses aides, qui n'était pas loin, lui passa le combiné. C'était son agent qui l'appelait pour prendre de ses nouvelles. Il devait surtout avoir peur pour ses pourcentages ! Le peintre le rassura : son état allait s'améliorant. Il fallait être patient, très patient.

CHAPITRE XVII

Casablanca, 5 octobre 2000

> « Les gens du peuple de basse extraction
> sont moins sensibles. Voyez un taureau blessé :
> impassible », dit une bourgeoise à d'autres
> bourgeoises juste avant le drame.
>
> *L'ange exterminateur*, Luis Buñuel

Après cette invasion de petits souvenirs insignifiants, il passa par des moments de longues rêveries suivis de cauchemars terrifiants. Le médecin l'avait prévenu, mais le peintre ne s'attendait pas à une telle activité cérébrale. Le premier de ses rêves lui fit revoir, comme s'il y était, sa femme à l'époque où il était amoureux d'elle, où il ne voyait qu'elle. Il était très attentionné, elle était extrêmement douce et prévenante. Jamais elle ne le contrariait ni n'émettait une opinion divergente, à tel point qu'il craignait qu'elle manque d'assurance ou ne soit trop soumise. Chaque jour, il remerciait le ciel d'être tombé sur cette fille si différente de celles qu'il avait connues. Après être resté longtemps célibataire, ne se fixant jamais avec les femmes qu'il rencontrait, les yeux de cette fille l'avaient profondément ému. Elle lui donnait envie d'être sérieux. Pas question de jouer avec son innocence et sa jeunesse. Ils avaient presque quinze ans de différence, mais il pensait que cela ne posait pas de problème. Puis le rêve le promena à travers les deux années de bonheur qui avaient suivi leur mariage. Pas de disputes, pas de brouilles, pas de nuages. Ils étaient heureux, voyageaient, s'amusaient, riaient et faisaient des plans d'avenir. C'était merveilleux. Trop beau pour durer. Avec sa superbe chevelure châtain et sa grande taille, elle était irrésistible.

Mais il faisait aussi de terribles cauchemars. Celui en particulier où apparaissait un petit homme trapu qui l'avait piégé et lui avait subtilisé une somme importante plus quelques toiles. Il se présentait comme marchand d'art, mais c'était surtout un peintre raté reconverti dans les affaires ou plus exactement dans les magouilles qu'il combinait avec un frère qui se prostituait dans les palaces de la Côte d'Azur. Avant son accident, le peintre avait réussi à l'oublier, le jetant dans la fosse du mépris. Il avait préféré l'ignorer plutôt que de passer des années dans les couloirs des tribunaux, d'autant plus qu'il ne possédait que des reçus bidons avec une adresse fantaisiste et une signature sur un tampon trafiqué. Mais voilà que ce petit homme réapparaissait pour le narguer, alors même que sa force physique s'était amoindrie. Il le voyait

175

tourner autour des toiles, une torche imbibée d'alcool prête à être enflammée. Le peintre fermait les yeux, mais le diable en personne resurgissait, poussant des éclats de rire hystériques. Il se mit à songer à la manière dont il aurait voulu le massacrer. Il le voyait écrasé par une bétonnière, ses entrailles étalées sur le sol plein de boue; il l'imaginait sur un lit d'hôpital, seul, jaune et affamé, suffoquant face à la mort qui allait l'emporter après de longues heures de souffrance.

Puis il chassa ces images de vengeance et pria Dieu de lui rendre justice un jour. Du coup, l'escroc trapu disparut de façon définitive.

À la nuit tombée, les aides le firent remonter dans la voiture pour rentrer à l'atelier. Mais comme sa femme était en voyage, il leur demanda de l'emmener plutôt dans la maison et fit téléphoner à Imane afin qu'elle vienne dès que possible pour la séance de rééducation. Il s'installa dans la chambre qu'il avait désertée depuis longtemps. Il y avait le parfum de sa femme, les traces de sa vie, ses habits posés n'importe où, la salle de bains avec un nombre incalculable de produits de beauté. Il demanda à la femme de ménage de changer les draps et d'y mettre de l'ordre.

Avec les années, il était devenu indifférent à la jalousie que bien des gens éprouvaient à son égard. Il s'était fait une raison, une philosophie de l'indifférence. Les plus jaloux étaient les femmes qu'il avait aimées et les artistes de son pays qui ne comprenaient ni n'admettaient ses succès. Il avait fait un long travail sur lui-même et était arrivé au constat que de toute façon il valait mieux être envié et jalousé que d'être ignoré et sans talent. Mais la jalousie de sa femme l'atteignait ; il n'était pas parvenu à la considérer avec indifférence. Elle devait être plus forte que lui, plus déterminée que les autres, et avançait sans se retourner pour constater les dégâts qu'elle provoquait par ses crises répétées de suspicion qui frôlaient la folie. Il y a plusieurs degrés de folie ; celui de sa femme n'était pas très élevé, juste suffisant pour lui rendre la vie infernale. Dans ces cas, il n'y a rien à faire ; subir ou fuir ; esquiver ou redoubler de violence et de férocité. Lui, il subissait en protestant.

Un jour, il lui avait dit : « La jalousie est une maladie qui exprime une faiblesse de caractère et une dépossession de soi. » Il essaya de la raisonner, de lui démontrer qu'entre un homme et une femme il est des espaces et des secrets qu'on doit respecter sinon tout éclate, tout explose. Elle ne l'écoutait pas et suivait à la lettre les consignes que lui donnait son charlatan.

Le secret. Une notion qu'elle n'admettait pas. Pour elle, les conjoints ne devaient avoir aucun secret l'un pour l'autre. Le couple, c'était une fusion où un plus un égale un. Cela lui rappela une émission à la télévision marocaine où une journaliste avait réuni quatre femmes d'âges et de conditions différents, toutes non mariées. Elles devaient s'expliquer sur cette « anomalie ». L'une disait qu'elle n'avait pas eu de chance, qu'elle était tombée sur un fiancé alcoolique, l'autre qu'elle avait préféré se consacrer à sa carrière plutôt qu'à chercher un mari qui allait l'exploiter ou l'empêcher de travailler, la troisième qu'après le divorce de ses parents elle avait décidé de ne jamais se marier, quant à la dernière, elle cherchait un homme avec lequel elle partagerait tout jusqu'à ce que les deux disparaissent pour ne former qu'une seule personne. Aucune ne parla de jardin secret, de dialogue, de construction quotidienne du couple dans le respect des différences, sans exclure pour autant les dissensions.

Il s'assoupit en regardant un film. Ses pensées étaient floues et lentes. Il apercevait de loin l'ombre d'un homme, peut-être son père qui venait vers lui habillé en djellaba blanche, la barbe taillée, le visage lumineux, jeune et souriant. Son père était plus jeune que lui. Il l'observa attentivement, il le reconnut mais c'était comme dans un film muet. Le son était inaudible. Son père s'approcha de lui, se pencha, lui prit la main droite et la baisa. Il se dit lors de cette vision que c'était le monde à l'envers. C'était toujours lui qui embrassait la main de son père et de sa mère. La bise sur les joues était arrivée en même temps que l'indépendance du pays.

Après cette main baisée, il se réveilla de bonne humeur, arrêta le film et réclama du thé. On lui dit : « Imane est en train de le préparer. » Il balbutia doucement : « Espérons que ce n'est pas encore une vision. »

CHAPITRE XVIII

Casablanca, 4 novembre 2000

> « Le hasard a ceci d'extraordinaire, c'est
> qu'il est naturel. »
>
> *Madame de...*, Max Ophuls

Cette nuit-là, il fit un rêve qui se poursuivit
en cauchemar et le réveilla avec une forte migraine. Il devait rendre visite à un chef d'État.
C'était l'été, il fallait porter une chemise blanche
et un pantalon en lin blanc. C'était écrit sur le
carton d'invitation. Sur le chemin du palais, un
oiseau lâcha une fiente jaune moutarde qui salit
sa belle chemise. Il fallait se changer, mais il
n'avait pas de temps pour cela. Il demanda à
un de ses amis de lui en prêter une. Cet ami
n'avait que des chemises de couleur. Il n'était
pas content. Le temps passait et l'heure de la
réception approchait. Il mit une chemise grise
et, quand il sortit de chez son ami, des policiers
en civil l'arrêtèrent : « Vous devez nous suivre,
vous avez été condamné et on vous emmène directement en prison. » Il avait beau leur deman-

der de quoi il était coupable, on lui répondait : « N'aggravez pas votre cas, vous savez très bien ce que vous avez fait. » On lui retira son téléphone mobile, et on lui dit : « Pas de peinture en prison, pas de cahier ni de crayon. Ce sont les ordres. » Il criait, aucun son ne sortait de sa gorge. Sa femme était sur le seuil ainsi que son meilleur ami. Mais ils ne faisaient rien pour lui. Il voulut appeler son avocat mais sa mémoire lui faisait défaut et il n'arrivait plus à se souvenir ni de son numéro de téléphone ni de son nom. Il avait mal à la tête. Ce fut à ce moment-là qu'il se réveilla. Il aurait aimé se lever et ouvrir la fenêtre. Il était trois heures du matin. Tout le monde dormait. Il réussit à s'asseoir sur le lit et garda ouverts ses yeux pour que le cauchemar ne revînt pas.

Le matin, la fatigue l'avait endormi. Quand les aides arrivèrent avec le petit déjeuner, il ne se réveilla pas. Ils laissèrent le plateau sur la petite table à côté du lit et s'en allèrent.

Une autre douleur allait interrompre son sommeil. Une crampe à la jambe gauche. Il cria puis ferma les yeux, attendant que l'étau se desserre. Il se dit : « La journée commence mal. » Il valait mieux ne pas travailler à l'atelier. Il avait plutôt besoin de massages et de réconfort.

Lorsque Imane arriva, il était dans la salle de bains avec ses aides qui faisaient sa toilette. C'était pour lui des moments pénibles et particulièrement humiliants. Là, il sentait de manière violente le poids de son handicap. Se faire torcher par un homme et être lavé par un autre, tenir à peine debout pendant qu'ils passent le gant sur les parties intimes, cela le mettait dans une rage qu'il taisait. Il se dit : « En principe, ce devrait être à mon épouse de le faire, mais je ne le souhaite pour rien au monde, pourvu qu'elle me fiche la paix et qu'elle me laisse récupérer mes capacités de mouvement. »

Mais une fois lavé, rasé et changé, il se sentait un peu mieux et cela l'aidait à oublier ces instants insupportables. En voyant Imane et surtout en sentant son parfum *Ambre Précieux*, il eut un sourire. « Aujourd'hui, lui dit-elle, nous allons passer la journée ensemble, c'est mon jour de congé, je vais vous masser, vous faire votre piqûre, je vous donnerai à manger des petites choses cuisinées par moi, après je vous conterai la suite de mon histoire, à moins que vous préfériez autre chose ou que je rentre chez moi... »

Il était comblé. Imane était si délicate, si sensible qu'elle lui redonnait espoir et participait à l'amélioration de son état. Il dit lentement : « Comment vous remercier ? »

Après un instant, tout en massant sa jambe, et sans le regarder dans les yeux, elle se mit à lui parler :

— Vous savez, vous pourriez être mon père, et pourtant je ne vous vois pas comme un père ; nous avons presque trente ans de différence, mais je trouve dans votre art, dans votre tempérament une humanité qui manque cruellement aux jeunes d'aujourd'hui, surtout au Maroc où tout le monde veut réussir vite et gagner beaucoup d'argent, où l'apparence est plus importante que le fond des choses. J'aime être en votre compagnie, j'aime vous soulager, mes mains en vous massant essaient de prendre votre douleur et de la jeter loin de vous, c'est pour ça que vous me voyez après chaque séance secouer mes doigts pour retirer le mal qui est en vous. C'est comme si mes mains étaient trempées dans une eau noire et qu'elles se secouaient pour s'en débarrasser. C'est un maître indien qui nous a appris ça lors d'un stage à Rabat. »

Après cette séance, elle lui proposa de s'appuyer sur elle pour faire quelques pas. Il lui dit : « Mais ce sont mes aides qui s'en occupent, je suis trop lourd pour vos frêles épaules. » Elle l'aida à sortir du lit, lui donna une canne, et ils se mirent à marcher lentement dans la chambre. Il s'arrêta et demanda aux Jumeaux de venir lui enfiler des vêtements de ville. Il voulait être élégant en compagnie de cette jeune femme. Quand Imane revint, elle fut surprise par le changement. L'artiste était un bel homme. Elle lui prit le bras. Il sentit son corps contre le sien et eut honte d'avoir une érection. Le médecin l'avait rassuré : « L'érection est modulaire, ça vient de la moelle. » Il avait son bras gauche autour de sa taille et ils avançaient en se rapprochant de plus en plus. Il eut envie de la serrer dans ses bras, de l'embrasser, d'enfouir son visage dans sa chevelure, il se retint et, de toute façon, dans l'état où il était il ne pouvait pas se tenir seul face à elle. Il se demanda si elle avait senti quelque chose. Elle lui parlait mais il ne faisait pas attention à ses mots, il était troublé et réclama qu'elle l'installe dans le grand fauteuil pour pouvoir étendre ses jambes. Elle s'assit par terre et posa sa tête sur sa jambe gauche. Ils restèrent ainsi un bon moment. Il était apaisé et fit un effort pour caresser ses cheveux de la main droite, moins atteinte que la gauche. Soudain elle se leva, esquissa des pas de danse et lui dit : « C'est l'heure du déjeuner, laissez-moi faire, je sais que votre cuisinière est une championne mais moi j'ai des recettes de ma grand-mère qui sont exceptionnelles. » Il n'avait pas d'appétit, se força et mangea ce que ses doigts lui mettaient dans la bouche. Dans d'autres circonstances, il aurait trouvé ces gestes pleins d'érotisme, là, ils étaient utilitaires. Elle lui donnait à manger comme on le ferait avec un bébé ou bien avec un vieillard à l'esprit égaré. Quand elle introduisit une paille dans la soupe, il repoussa légèrement le bol et dit : « Non merci, pas faim. » Pourtant il aimait ce genre de potage, mais le boire avec une paille devant cette belle femme le diminuait encore plus.

Les Jumeaux le ramenèrent à l'atelier. Imane les suivit. Ils l'installèrent dans le fauteuil roulant.

184

— Imane, voulez-vous continuer à me faire plaisir?

— Bien sûr, Capitaine.

C'était la première fois qu'elle l'appelait ainsi, sans doute avait-elle vu la casquette de marin accrochée dans un coin de l'atelier. Elle avait appartenu à un ami du peintre qu'il avait perdu de vue.

— Je suis content que vous m'appeliez Capitaine. Avant vous, c'était ma fille aînée qui m'appelait ainsi. Ça l'amusait. Bien, prenez ce tome de la Pléiade de Baudelaire, ouvrez-le à la page où il y a une feuille jaunie, là où il écrit sur Eugène Delacroix. Et lisez, j'adore ce texte.

Elle but un verre d'eau pour éclaircir sa voix et commença à lire. Le Capitaine ferma les yeux pour mieux goûter ces phrases. La voix d'Imane était grave. Si elle la travaillait, elle pourrait devenir très belle.

Quand elle s'interrompit, la lecture terminée, le peintre lui dit :

— Vous voyez, cet artiste, en quelques mois passés au Maroc en 1832, a saisi quelque chose de l'âme de ce pays. Il a fait beaucoup de dessins et d'esquisses, mais il n'a rien peint ici. Le Maroc, il l'a peint de mémoire, et le résultat est merveilleux. Je regrette qu'il n'ait rien laissé à ce pays, je veux dire qu'il aurait dû offrir quelques toiles en signe de remerciement et de reconnaissance. Il n'y a pas pensé. En Algérie, il a peint les femmes d'Alger dans leurs appartements, c'est absolument magnifique. Voilà, chère Imane. Je vous prête un gros livre sur ce peintre. Regardez-le et vous verrez comment le Maroc est réinterprété par ce visiteur de génie. Et si vous lisez un jour son Journal, vous serez surprise par ce qu'il dit de nos ancêtres. Pas très joli! Mais c'était courant à l'époque.

CHAPITRE XIX

Casablanca, 6 novembre 2000

« J'ai horreur des dettes de politesse. »
Un revenant, Christian Jaque

Vint le moment où tout dans la vie du peintre
sembla se mettre à pencher et changer de sens.
Autour de lui, les murs se rapprochaient, le plafond menaçait de s'écrouler, sa propre voix
s'éteignait, puis s'éloignait, son corps se raidissait, et la tête lui tournait. Le peintre tremblait
parfois de tout son corps, pourtant il n'avait pas
froid. Il se sentait horriblement seul bien que ses
aides ne soient jamais loin. Il avait le sentiment
de vivre dans un cylindre obscur et de devoir
courir pour sauver sa peau. Il était poursuivi
tantôt par une ombre, tantôt par une rumeur,
tantôt par une vague de chaleur provenant d'une
boule de feu. Il vivait dans une sorte de film,
où il avait encore son corps d'avant l'accident,
mais ses pensées de grand malade. Deux états
de conscience se superposaient, l'un avec un

corps handicapé, bloqué, en réparation, l'autre avec un corps jeune et vif. Le malheur s'acharnait sur lui. Sa femme aurait sûrement dit que c'était le mauvais œil ou quelque sort jeté par la voisine. Mais dans le cylindre obscur, il n'arrêtait pas de courir, tombait, se relevait, puis tombait encore, happé par un grand trou noir. Tout son corps était secoué dans la chute, mais sa tête tenait bon.

On dit souvent que la dépression est une quintessence de la solitude dans ce qu'elle peut avoir de plus cruel. Dans ses pires cauchemars, le peintre se trouvait dans une cave où les rats du quartier se rassemblaient. Il avait toujours eu ces bêtes en horreur, une peur si irrationnelle qu'il ne pouvait supporter de les voir même dans un livre d'images. Cela datait probablement de l'enfance, quand il allait aux toilettes à la turque et qu'il fut un jour mordu à la cheville par une taupe. Il avait été sauvé par un jeune médecin qui lui avait fait sur-le-champ une piqûre. Dans son cauchemar, il était condamné à vivre avec les rats et il devait ravaler l'horreur qu'ils lui inspiraient. Au milieu d'eux, son corps ne lui obéissait pas. Qui pouvait donc l'avoir déposé dans ce lieu macabre, sans lumière, où il n'entendait que le bruit de ces bêtes capables d'exterminer une ville en lui apportant la peste ? Chez les rats, son corps jeune et svelte avait disparu, seul le corps lourd et malade était là. Des rats montaient sur ses jambes, circulaient tranquillement sur lui, se disputaient près de sa tête, le mordaient ici et là, le tiraient de partout. Quand soudain une grosse taupe s'approcha de lui, toute noire, et se jeta sur ses parties génitales qu'elle arracha avec force. La douleur le fit hurler, mais il avait beau appeler au secours, sa voix était étouffée par le cauchemar, personne ne l'entendait. Il se résignait à mourir à petit feu quand une autre morsure encore plus féroce le surprit et finit par le réveiller. Il était en sueur, et des larmes coulaient sur son visage, intarissables. Il en avait assez, marre de cet état, marre de cette maison, de ces gens autour de lui, il n'en pouvait plus, il souffrait en silence.

Le peintre redoutait plus que tout ces moments où un mal inconnu venait le ronger, mais il ne pouvait pas lutter. Tant bien que mal, il essayait de résister à l'assoupissement, faisait tout son possible pour rester vigilant, malheureusement les médicaments et l'ennui l'assommaient, malgré ses efforts. Jamais résigné, il appuyait à tout bout de champ sur la sonnette pour réclamer qu'on lui serve du café. « Oui, du café ! Même si le médecin me l'a interdit. Je veux être bien réveillé ! »

Le peintre aimait le café, le bon, l'expresso italien. Il buvait toujours un café serré, puis un deuxième un peu allongé. Après, il se sentait mieux. Il pouvait alors regarder derrière lui, là où il lui semblait que se trouvait, quelques instants auparavant, le cylindre et la trappe qui le persécutaient. Il savait que le spectre de la dépression rôdait autour de lui et qu'il pouvait lui arriver à tout moment la même chose qu'à son ami Antonio Tabucchi qui avait sombré dans une longue dépression durant trois ans. Un jour, alors qu'Antonio lisait son journal comme à son habitude, juste avant de se mettre au travail dans la pièce à côté, il n'avait pas réussi à se lever. Le soir, sa femme le retrouva dans le fauteuil tel qu'elle l'avait laissé le matin. Pourtant rien ne le prédisposait à la dépression. Sa femme et lui formaient un couple heureux, complice, solidaire. Le médecin lui avait dit : « La dépression est une maladie, ce n'est pas un vague à l'âme, un petit nuage passager, c'est grave, il faut faire attention. L'insomnie en est un signe sérieux. »

Ses cauchemars récurrents l'inquiétèrent tellement qu'il décida de se mettre encore plus sérieusement à la rééducation. Il sortait en ville tous les matins. Les Jumeaux l'emmenaient au bord de la mer, il marchait appuyé sur eux, respirait l'air marin et insistait pour aller jusqu'au bout de ses exercices. Au début, il ne voulait pas se montrer à cause du regard des gens ou bien à cause du risque de rencontrer certaines personnes qui se seraient apitoyées sur son état. Un jour, il tomba nez à nez avec Larbi, son encadreur, un type talentueux, formé en Espagne, et qui avait pour lui beaucoup d'affection. Il avait toujours aimé parler avec lui, car cet homme, son aîné de plus de vingt ans, continuait de travailler quand tous les autres se laissaient bercer par leur retraite. Il avait de l'esprit et aimait raconter des histoires drôles. Le peintre lui demanda de venir le voir dans son atelier pour bavarder comme avant.

Le lendemain, il débarqua avec du kif et deux pipes. Ils fumèrent en buvant du thé. Il lui tenait la pipe puis le faisait boire. C'était amusant comment les choses se passaient entre eux. De vieux amis qui avaient dû faire la fête ensemble au temps de l'insouciance. Larbi lui demanda si « le Maître » était en activité. Il fit oui de la tête tout en levant les yeux au plafond pour signifier que toutes ses femmes s'étaient éloignées de lui.

— Il faut faire quelque chose, si « le Maître » cesse toute activité, il risque de ne plus se réveiller !

— Je sais.

Ce fut à ce moment-là qu'Imane apparut en djellaba avec un foulard assorti sur la tête. C'était la première fois que le peintre la voyait voilée. Elle lui expliqua qu'ainsi elle était moins embêtée par les garçons dans la rue. Elle retira la djellaba et le foulard, elle était en jean moulant, portait un chemisier très joli, lâcha ses longs cheveux et sortit les huiles pour commencer le massage. Larbi, en admiration devant cette beauté, s'excusa et s'en alla en rappelant qu'il fallait s'occuper du « Maître ».

— Capitaine, faut-il vous appeler « Maître » à présent ?

Il sourit.

— Capitaine me va bien.

Il se souvint quand il avait son angine an-
nuelle — malgré le vaccin contre la grippe, il
passait deux à trois semaines terrassé par une
forte grippe qui se transformait en angine —, sa
femme sortait le soir et lui attendait bêtement
son retour. Il s'énervait, ne pouvant dormir que
si elle était rentrée, téléphonait et tombait sur le
répondeur. Il regardait sa montre, deux heures
dix, trois heures, quatre heure cinq et là, enfin,
il entendait le bruit du portail qui s'ouvrait pour
laisser passer sa voiture. Il fermait les yeux, et
n'avait aucune envie de parler ni de savoir d'où
elle venait, de toute façon, elle lui dirait : « J'étais
avec les filles, on a parlé, parlé, et je n'ai pas vu
l'heure passer... » Elle sentait l'alcool. Il détestait cette haleine ; il se recroquevillait dans le lit
et cherchait le sommeil alors qu'elle s'endormait
dès qu'elle posait la tête sur l'oreiller. À présent
que cette jeune personne s'occupait de lui, il
mesurait le gouffre qui le séparait de sa femme.
Certes, Imane était une employée, touchait un
salaire, mais il y avait quelque chose de plus,
une gentillesse, une grâce qui ne faisaient pas
partie du travail.

Il avait des sentiments — très maîtrisés —
pour elle. Quand elle ne venait pas, elle lui manquait. Quand elle était là, il se sentait revivre. Il
ne voulait pas mettre de mots sur ce qu'il ressentait, mais découvrait une forme discrète de
bonheur.

Un jour, un magazine lui avait demandé sa définition du bonheur. Sans même réfléchir, il avait répondu : « Un déjeuner entre amis sous un arbre l'été en Toscane. » Il aimait l'amitié, malgré quelques trahisons, il aimait l'Italie et se sentait bien à l'ombre d'un arbre immense comme s'il le protégeait, comme s'il était une bénédiction, celle de ses parents et celle de son attachement à la spiritualité.

CHAPITRE XX

Casablanca, 2 novembre 2002

« Pour Katarina, je ne suis qu'un tas de gelée flasque », dit Peter à ses amis Johan et Marianne durant le dîner.

Scènes de la vie conjugale,
Ingmar Bergman

Cela faisait près de trois ans qu'il avait eu son accident vasculaire cérébral. Le peintre, grâce à ses médecins et au talent d'Imane, avait retrouvé l'usage de sa main. Il pouvait maintenant tenir un pinceau et peindre sur des petits formats sans trembler. Sa jambe le faisait encore souffrir mais il pouvait se déplacer grâce à un fauteuil roulant. Il avait retrouvé l'usage de la parole, son élocution était à peu près normale et il pouvait soutenir une conversation. Une exposition de ses nouvelles œuvres était prévue. Il la préparait soigneusement car elle revêtait une importance particulière, elle signifiait pour lui sa victoire sur la maladie. Sa manière d'ailleurs avait une fois encore changé. Ses toiles avaient gagné en dépouillement et dégageaient une profonde sérénité. Cela avait frappé les spécialistes de son œuvre.

Sa femme s'était rapprochée de lui. Alors qu'ils ne se voyaient plus depuis deux ans, elle était venue lui rendre visite dans son atelier, d'abord de temps en temps, puis de plus en plus régulièrement quand ils avaient pu recommencer à échanger ensemble. Elle fut la première à applaudir et à l'encourager quand il se remit au travail et acheva une nouvelle toile. Elle organisa même une petite fête pour l'occasion. Un semblant de vie commune reprit entre la maison et l'atelier. Le peintre, en fauteuil, retrouvait sa femme en fin d'après-midi, une fois qu'il avait terminé dans son atelier. Il partageait avec elle et les enfants les repas et les soirées. Mais si son corps allait beaucoup mieux, il s'aperçut vite que son couple ne guérirait jamais. Les disputes recommençaient à s'insinuer dans le quotidien au point de lui faire regretter les mois où il avait vécu paralysé, entre sa chaise et son lit, mais séparé d'elle.

— Plus tu vieillis, plus tu ressembles à ton père !

Dans la bouche de sa femme ce n'était pas un compliment, au contraire.

— Qu'est-ce que tu entends par là ?

— Que tu es de plus en plus aigri, méchant, de mauvaise foi et faux-jeton.

Sa femme était entrée dans son atelier sans

prévenir, alors qu'il était en pleine préparation d'une mixture complexe pour sa toile. Il fit mine de ne pas l'entendre. Elle revint à la charge.

— Tu vois, tu ne réagis pas...

Il continua son travail, elle disparut et revint avec un magazine arabe où on le voyait en compagnie d'une jeune actrice libanaise. Elle jeta le journal en direction de sa palette qui, lui échappant des mains, s'écrasa sur la toile. Le peintre se retourna et lui dit calmement :

— Laisse-moi tranquille, s'il te plaît, je suis en train de peindre et je ne peux pas discuter avec toi. Je dois penser à la toile, uniquement à la toile. Laisse-moi.

— Tu n'es qu'un lâche.

Elle partit. Il s'enferma à clé et retourna à son travail, mais il se rendit compte au bout d'un moment qu'il n'avait plus le cœur à peindre, s'affala dans son fauteuil et eut envie de pleurer. Il pensa à son père auquel sa femme venait de le comparer. Quelle erreur d'appréciation, il était si différent de lui ! C'était un homme qui avait mauvais caractère mais qui était tout sauf méchant. Avec sa mère, son père n'était pas très attentionné, mais c'était courant à leur époque, et leur mode de vie n'avait rien à voir avec celui du peintre, toujours en voyage, toujours sollicité. Tout compte fait, il y avait de l'amour entre ses parents, ce n'était pas expansif, ni évident, mais quelque chose les liait, peut-être l'habitude, la tradition, ou simplement de l'affection, de la pudeur, une forme de respect mutuel.

Leurs disputes n'atteignaient jamais ce degré de violence qui régnait entre le peintre et sa femme.

Pour retrouver sa sérénité, le peintre appela au téléphone son confident et ami, Adil, un vieux sage qui avait longtemps pratiqué le yoga et le tai-chi, à qui il raconta l'énième scène qu'était venue lui faire sa femme. Adil lui dit : « Ta santé physique et mentale passe avant tout. Ne mets pas des œillères, ne reste pas à regarder le naufrage, tu dois trancher. Reste serein, fais un effort pour garder ton calme. Je sais, se séparer est un déchirement. Il faut que toi-même tu te persuades que c'est la bonne décision. Tes enfants te remercieront plus tard. La mort aussi crée des déchirements, mais elle nous pousse à relativiser les choses. La vie est un clin d'œil, une étincelle, elle s'allume puis s'éteint. Le temps est illusion. On vit et on s'accommode de cette illusion. Au moment où on s'en va, tous les petits bobos ne sont rien. Courage. »

Le lendemain matin, Imane arriva en retard. Elle était de mauvaise humeur, s'excusait tout en faisant son travail. Le Capitaine n'était plus qu'un matelot. Il s'étonna de ce changement brusque puis la laissa en paix. Pendant qu'elle le massait, il pensait à ce qu'il allait peindre après cette séance. Les mains d'Imane s'arrêtèrent au niveau du mollet gauche, elle leva la tête vers lui ; elle avait les yeux pleins de larmes.

— Si je parle, elles vont couler, n'est-ce pas ?

— Oui, je suis malheureuse.

— Vous aimeriez me raconter ce qui vous rend si triste ?

— Non, Capitaine.

Dès qu'elle termina ce qu'elle avait à faire, elle ramassa son sac.

— C'est la dernière fois que je viens ; il va falloir que vous trouviez quelqu'un d'autre ; je pourrai vous aider, vous donner des adresses...

De nouveau elle pleurait.

— Non, ne partez pas ; faisons du thé et parlons calmement.

Il devina que sa femme devait être derrière tout ça.

— Elle est venue vous voir...

— Oui, elle m'a offert de l'argent pour que je renonce à ce travail avec vous. Elle a été gentille, pas menaçante, ni violente ; mais elle était déterminée. Elle m'a dit : « C'est mon mari et je tiens à le récupérer, à le garder, et personne ne m'en empêchera. » J'ai refusé son argent mais je lui ai promis de m'en aller.

— Je vais lui parler. C'est moi le malade, pas elle, alors je vous en prie, faites votre travail et ignorez ce genre d'ingérence.

— Oui, mais j'ai donné ma parole.

— Votre parole, je l'aime, j'en ai besoin, vous n'allez pas me laisser tomber, je tiens à vos soins et à votre présence.

Après un moment de silence, elle reprit :

— OK, mais je dois vous parler. Je préfère m'éloigner parce que je ne suis pas certaine que je fais bien de continuer à venir vous soigner et aussi passer des moments agréables en votre compagnie.

— Je sais, je sais, il y a autre chose en plus des soins... Mais que voulez-vous? Nous sommes humains; en tout cas, sachez que grâce à vous j'ai fait des progrès qui épatent le médecin; je peins, je marche, j'ai retrouvé la parole, tout ça, c'est grâce à vous. Même si, bien sûr, j'ai dû faire des efforts, m'exercer en votre absence. Donc, impossible de me passer de vous. Côté sentiments, je comprends parfaitement que votre avenir n'est pas avec moi, vous avez le droit de vivre une histoire magnifique avec quelqu'un de bien, de votre âge, de votre choix; moi, je suis une vieille pièce rapportée, c'est tout. Mais il fallait que je vous dise tout ce que je vous dois, maintenant faites comme vous voulez.

Imane baissa la tête, prit la main du Capitaine et l'embrassa comme pour dire merci. Sans le regarder dans les yeux, elle lui déclara :

— Je pense à vous tout le temps, je ne sais pas quoi faire. Mon fiancé est arrivé il y a quinze jours de Bruxelles pour que nous fassions les papiers de mariage, plus le jour approche, moins j'ai envie de m'engager avec cet homme, un immigré qui conduit des bus là-bas. Il est grand, jeune, fort et même gentil. Mais je n'ai aucune envie d'être la femme d'un chauffeur de bus, j'ai d'autres rêves. Je n'ai rien à lui reprocher, mais je n'ai rien à lui dire. J'ai besoin de lire, d'aller

au musée, de fréquenter des artistes... Un chauffeur de bus ne peut pas m'offrir toutes ces
choses superflues. Et puis il m'a prévenue, je
devrai habiter avec sa mère, ça me donne déjà la
nausée. Vous vous rendez compte ? Être surveil-
lée, épiée, jugée, ah, ça non ! J'ai une copine qui
a été obligée par son mari de cohabiter avec sa
mère, ça s'est très mal terminé, bagarre, police,
divorce... Je suis sûre que c'est un bon parti, il
est musclé, nous avons flirté deux ou trois fois,
nous n'avions nulle part où aller, alors nous
sommes allés au cinéma. On s'est embrassés, il
est fougueux, enfin, tout ça n'a pas d'intérêt ;
c'est vous que je veux.

Il la regarda avec tendresse.

— Mais ma pauvre Imane, je ne suis ni jeune,
ni musclé, j'ai toujours eu horreur du sport et de
la musculation ; que voulez-vous faire avec un
homme de mon âge ? Je ne peux rien vous offrir,
en plus j'ai pris en grippe tout ce qui ressemble
au mariage ; vous savez ce que disait Tchekhov
à propos du mariage ? « Si vous craignez la solitude, ne vous mariez pas. » Pour vous je serai
davantage un poids qu'un compagnon. Vous
vous fatiguerez vite de moi et de mes manies,
car, je l'avoue, je suis un homme maniaque, un
emmerdeur, j'aime que les choses soient à leur
place, je ne supporte pas le désordre, le manque
de ponctualité, je déteste la mauvaise foi, les fri-
meurs, les usurpateurs, et puis par-dessus tout
j'aime ma solitude, ça paraît incroyable, pourtant c'est vrai, j'aime me retrouver seul et ne pas

être dérangé. Je dors seul, ça c'est par respect pour mon épouse, mes insomnies ne doivent pas perturber celle qui partage mon lit. Ma femme a toujours cru que je la fuyais, alors qu'en vérité je m'inquiétais pour sa tranquillité et son sommeil. Toute notre vie a été une suite de malentendus. Quand on les met bout à bout, ça fait plusieurs wagons de contrariétés. Je me perds, je vous propose de remettre cette discussion à votre prochaine visite. Mais j'y tiens, je ne veux pas changer d'infirmière et de kiné. C'est bien entendu. Ne vous en faites pas. Je saurai quoi dire à ma femme.

Imane était souriante, plus belle qu'au moment de son arrivée. Elle resta silencieuse puis dit : « À demain. »

CHAPITRE XXI

Casablanca, 20 novembre 2002

> « Nous sommes la police de Dieu ; si la mort
> arrangeait tout, ce serait trop commode d'être
> un homme à ce compte-là », disent à Liliom
> les deux anges noirs venus l'emmener au ciel.
>
> *Liliom,* Fritz Lang

Ce matin-là les Jumeaux le déposèrent dans la baignoire remplie d'eau chaude et le laissèrent méditer. Il leur dit en arabe : « Accordez-moi une petite heure, je vais profiter du silence et de la chaleur pour écouter mes os. » Quand il rentrait de l'école et trouvait sa mère couchée au salon, elle disait : J'ai profité de votre absence pour me reposer et écouter mes os. » Cette expression le faisait rire. Comment fallait-il s'y prendre ? Où mettre l'oreille pour les écouter ? Que racontaient-ils ? Est-ce que les os se mettaient à bouger, à jouer à cache-cache, à se faire des politesses ? Simplement, ils se remettaient en place. L'eau chaude les aidait à se détendre même si c'étaient les muscles qui en profitaient.

Il adorait ces moments de paix où rien ne venait le déranger. Ce jour-là, il repensa à Ava, la belle Ava qui avait marqué ses quarante ans à jamais. Ils avaient volé quelques jours et s'étaient réfugiés dans un magnifique hôtel à Ravello. Ils nageaient, parlaient des heures de littérature et de cinéma, mangeaient des choses simples, buvaient du bon vin, faisaient l'amour plusieurs fois par jour et criaient leur bonheur comme des enfants libérés de toute contrainte. Le soir, ils prenaient ensemble un bain chaud, elle le massait avec une huile ayant des vertus spéciales, allumait des bougies et lui disait : « Je t'aime et je n'ai jamais autant aimé un homme... » Lui répondait qu'il ne trouvait pas les mots justes pour exprimer ce qu'il ressentait. En revanche, il lui citait des couleurs, des étoiles dont il connaissait les noms et l'histoire, il lui racontait des films qu'elle n'avait pas vus, des opéras qu'elle avait ratés. Il leur arrivait de pleurer de bonheur, ils savaient que cela ne pouvait pas durer, que la réalité allait les rattraper, surtout lui qui trahissait sa femme et ne se sentait pas coupable. Quand il avait des relations juste sympathiques, sans conséquence, il ne pensait pas tromper sa femme. Pour la première fois, il vivait une grande passion et n'appartenait plus qu'à celle qu'il aimait ; il s'était entièrement donné à Ava et il en était heureux.

Cet amour avait bouleversé sa façon de peindre. Il était submergé d'idées et voulait les rendre toutes le plus vite possible. Il faisait des esquisses, marquait au crayon les couleurs, mais sentait surtout que le bonheur, cet état qu'il recherchait depuis longtemps, cet amour, cette passion allaient nourrir son art et s'y illustrer.

En rentrant à Paris, il s'enferma des semaines dans son atelier et travailla dans l'effervescence. Ava venait le voir, le regardait, l'admirait, l'embrassait et lui apportait des fruits et du vin. Ils se cachaient, vivaient dans la crainte d'être découverts et surtout que leur amour soit brisé. Elle voulait un enfant, lui repoussait cette éventualité sans dire non. Elle avait trente ans et désirait être mère, avec ou sans lui. Ce fut leur premier différend. Elle comprit qu'il était incapable de quitter sa femme, qu'il avait peur des représailles dont elle le menaçait, il aurait voulu vivre en conciliant les contraires. Ava était plus claire et plus courageuse que lui. Sa femme aussi. Lui voulait se tenir à égale distance des deux histoires. C'était là son trait de caractère le plus détestable. Faire plaisir à tout le monde, plaire aux uns et aux autres, n'avoir que des amis, être un messager de la paix, refouler les conflits, se faire violence pour ne pas devoir choisir, ne pas trancher ; il devait préférer les douleurs diffuses et longues plutôt qu'une forte douleur vive et brève mais décisive. Il n'aimait pas se battre. Il ne comprenait rien au pouvoir et à ceux qui luttent à mort pour l'acquérir. Ça ne l'intéressait pas. Il n'avait jamais quitté une femme, c'était toujours les femmes qui se fâchaient ou se lassaient et s'en allaient. Il tenait à garder avec elles de bons rapports ; le pire, c'était qu'il y parvenait. Il les revoyait avec plaisir et parfois reprenait avec certaines des relations. Il était heureux de ce partage et de cette souplesse mais savait au fond qu'il ne tiendrait pas toute une vie dans cet équilibre artificiel et malsain.

Le peintre gardait caché dans un coffre dont lui seul avait la combinaison les lettres d'amour d'Ava. De temps en temps, comme un adolescent, il les ressortait et les relisait. Cela lui donnait de la force pour peindre, se disait-il.

Il existe des promesses et des miroirs dressés sur le chemin des regrets. Un amour englouti dans l'étreinte de la nuit, un amour mouillé par des pluies retenues dans les nues, un amour qui se fait douleur exaltée, c'est une étoile indécise qui creuse sa tombe à côté des amants ruinés par l'attente.

Je suis passée ce matin au musée Pompidou, j'ai longuement regardé l'unique toile de toi exposée parmi les contemporains. J'étais fière. C'est le tableau que tu peignais au moment où nous nous sommes rencontrés. Tu m'as dit : « C'est une œuvre étrange, elle annonce du bonheur, pourtant les couleurs ne sont pas gaies ! » Il se dégage de cette image une force qui frise l'angoisse. Tu te souviens, tu m'as dit ton angoisse chevillée à ta pensée, à ton corps. Je t'ai répondu par cette phrase de Kongoli :

« Elle était comme moi, incapable de se sui-cider, et elle goûtait sa mort de son vivant. »

Cela te semblera peut-être étrange mais cette phrase me ressemble ou m'a tant ressemblé, avant de te connaître. Aujourd'hui je vais et je goûte ma vie. Tu es dans ma vie, ma vie dans l'amour. L'amour et ses fleurs : désir, rire, douceur, plaisir, abandon, partage ; il y a aussi la pensée, le bouton d'or.

Tu es mon amour, mon tout, ma joie.

Il avait tout gardé, même la dernière lettre écrite après la séparation :

Je suis heureuse de te savoir en train de peindre. J'ai foi en ton exigence que tu dois reconnaître impérieuse, souveraine. Tu me manques. Je comprends combien tu m'as aimée, je n'en ai jamais douté, comme je ne peux oublier que tu n'as pas su nous choisir. Je suis toute toi, tendre et souvenir, douceur et sourire. Je poursuis le partage de la grande émotion qui nous lie par-delà le temps.

Le vide de mes nuits m'écrase parfois. Je grandis en tâchant de ne pas vieillir trop. Je me blottis dans les mots. J'attends que la fleur éclose, j'apprends mon tourment. La tristesse repose en sédiment dans mon profond ; je me suis mise en retrait, je n'ose plus avancer dans la lumière de peur de l'ombre qui vient à la recouvrir. Je me souviens de tes paupières baissées. Je caresse ton visage lentement, longuement.

Lui aussi avait écrit à Ava, des lettres, des poèmes, il lui envoyait des dessins joyeux, des caricatures, ou parfois le dessin méticuleux et précis d'une fleur. Elle gardait tout jalousement. Quand il tardait à lui écrire, elle le grondait. « Alors, on est paresseux ce matin ? »

Elle était romantique et sa vie n'avait pas toujours été facile ni calme. C'était une fille blessée de partout, qui donnait des coups de pied dans les eaux profondes quand elle atteignait le fond. Elle refaisait surface et luttait avec ce besoin d'amour, cette soif de vie et de bonheur.

Le peintre s'était interdit d'avoir des regrets parce que ça ne servait à rien. Il disait : « Les regrets et la nostalgie sont les oripeaux de notre faiblesse, notre impuissance. Ce sont des mensonges que nous habillons avec des mots qui nous apaisent et facilitent notre sommeil. Cela rend moins cruelle notre défaite. »

Il n'avait pas su ou pu choisir. Il avait des raisons, mais à quoi bon revenir sur cette tranche heureuse de sa vie ? Il lui arrivait de s'imaginer quelle aurait été sa vie avec Ava une fois séparé de sa femme. Il se faisait des scénarios dignes d'un film d'horreur. Il voyait Ava en femme dévoreuse, infidèle, méchante... Non, il arrêtait le film. Impossible. Ava ne pouvait pas avoir un double si mauvais.

Il savait qu'il était passé à côté de sa vraie vie, il avait raté sa plus belle histoire. Longtemps Ava, l'ombre d'Ava gouverna ses jours et ses nuits, le guida, le conseilla. Il avait besoin de son flair, de son intelligence, de son romantisme même quand il le faisait rire parfois. Ava était la femme de sa vie, elle n'avait fait que passer et lui était resté sur le quai, lourd avec sa culpabilité, enchaîné par le lien conjugal, immobilisé par la peur. Il lui restait son art pour ne pas tout rater. Quand il dit à son psychiatre que, si sa vie conjugale était un désastre, sa vie professionnelle était une réussite, celui-ci rétorqua : « Nous ne sommes pas dans le système des vases communicants, chaque phase de votre vie a ses ressorts, ses échecs et ses succès. L'un ne comble pas l'autre. Sinon ce serait trop facile. »

CHAPITRE XXII

Casablanca, 1ᵉʳ décembre 2002

> « Tu me dégoûtes physiquement. Je paye-
> rais n'importe quel type pour laver mon sexe
> de toi », dit Katarina à son mari Peter.
>
> *Scènes de la vie conjugale,*
> Ingmar Bergman

Lui qui était obsédé par les labyrinthes, qui
avait tourné autour de ce thème après avoir
lu les fictions de Borges, se retrouvait à présent
au centre de l'un d'entre eux, dont les murs, au
lieu de s'ouvrir pour le laisser passer, l'enser-
raient de plus en plus jusqu'à l'étouffer. La maladie le gênait mais depuis peu elle ne le pré-
occupait plus comme avant. Sa lucidité était
entière, il avait même gagné en clarté. Il voyait
maintenant la situation de manière nette, sans la
moindre fioriture. Une chose était certaine, il
fallait qu'il se dégage de l'emprise de sa femme
et de son programme de destruction. Pour y
arriver, il fallait se blinder. Il se souvenait de la
phrase du philosophe : « Il faut que le cœur

se brise ou se bronze. » Mais comment faire se bronzer un cœur? Comment le remplacer par une pierre? Des gens naissent avec un morceau de métal à la place du cœur, d'autres sont normaux. Ceux-là sont plus nombreux et sont souvent des victimes.

Sa femme avait du cœur, courait au secours de ceux qui souffraient surtout s'ils étaient de sa tribu. Elle était généreuse, recevait avec joie ses amis, ne se rendait jamais à un dîner les mains vides, appelait le lendemain pour remercier. Elle avait du cœur mais, quand elle était blessée, tout son être se mobilisait pour se venger. L'autre femme en elle surgissait. Elle redevenait primitive, totalement irrationnelle, prête à tout pour assouvir sa vengeance. Elle ne jouait aucune comédie, disait haut et fort ce qu'elle allait faire et le faisait. Il se souvint d'une pauvre couturière qui avait raté son kaftan et qui ne voulait pas rembourser les arrhes ni reconnaître son erreur; sa femme lui avait fait une réputation terrible en l'espace d'une semaine. Elle avait réussi à la ruiner.

Il comprenait que maintenant il ne lui échapperait plus. Elle lui avait trop pardonné ses errances, ses absences. Malade ou pas, il allait déguster jusqu'au bout.

Pourquoi payer aussi chèrement un désamour? Une députée espagnole voulait déposer une loi punissant le désamour. Ainsi, lorsqu'une femme ou un homme n'aimerait plus son conjoint, il ou elle serait passible d'une amende, et pourquoi pas de quelques années de prison. Combien d'années de prison, quel serait le montant de l'amende ? C'était ce qu'aurait voulu sa femme qui, se sentant trahie, humiliée, aurait aimé qu'un juge prononçât une sentence exemplaire pour cet homme qui avait eu l'audace de ne plus aimer son épouse et d'aller dilapider l'argent de ses enfants auprès d'autres femmes. Quand elle avait découvert les preuves de son infidélité, il ne s'était pas excusé. Il s'était même presque arrangé pour la mettre sur la piste. Pourquoi s'excuser si cela pouvait concourir à le libérer d'une situation qu'il ne pouvait plus vivre, une situation faite de mensonges, d'hypocrisie, de crises de nerfs, de cris, de colères non maîtrisées ?

Il entendit la voix de Caroline lui répétant : « Il ne faut pas subir. Quelle est cette loi qui dit qu'on doit subir l'autre ? N'oublie pas, tu es ton propre capital. Il n'y en a pas d'autre. » C'était à peu près ce que lui conseillait son psychiatre. Rien ne justifie qu'on vous piétine. Quant à sa mère, elle lui disait : « Personne n'a le droit de laver ses pieds sur toi. »

Son ami suisse nihiliste, lui, dissertait, comme d'habitude : « Mais enfin, tu es un artiste, on te doit du respect même si tu fais des conneries, qui n'en fait pas ? Prends le large, sache qu'on vit seul et qu'on meurt seul. De temps en temps on trompe cette solitude par des moments de plaisir, mais surtout pas d'illusions, soyons légers, légers, mon ami ! Fais comme moi, va dans les palaces, dépense ton argent, nage dans les meilleures piscines du monde, tes enfants, ils feront leur vie, ils travailleront, et puis ne crois pas qu'ils viendront à ton chevet quand tu te retrouveras dans un hospice comme ce pauvre Francis, la grande éminence de la culture française, rendu méconnaissable par la maladie, assis dans un fauteuil, bavant et ne sachant ni qui il est ni qui vient le voir. Il faut rendre visite aux amis défigurés par la maladie. C'est une excellente pédagogie. Après ça, on est quasi obligés de parier sur la légèreté. »

Chaque jour, il sentait ses progrès et se trouvait en meilleure forme. La perspective de voir Imane le réjouissait. Elle arriva avec un bouquet de roses.

— Aujourd'hui, nous allons marcher pendant une heure ; il fait beau. Votre jambe gauche retrouve ses réflexes, votre bras aussi. Vous pouvez vous tenir debout, en vous appuyant sur une béquille.

La promenade lui fit beaucoup de bien. Imane rencontra sa mère sur la Corniche. Elle la lui présenta. Une femme encore jeune. Elle le remercia pour tout le bien qu'il faisait à Imane.

Une fois qu'elle fut partie, il s'arrêta, regarda Imane :

— Quel bien ? C'est vous qui me faites du bien, vous avez de la patience, des mains qui guérissent...

— Ma mère pensait à quelque chose dont je ne vous ai pas encore parlé. Je lui ai menti et lui ai raconté que vous étiez d'accord. Vous vous demandez de quoi il s'agit? Bien, voilà, il s'agit de mon frère, son rêve est de partir, aller en Europe chercher un travail. Ma mère pensait qu'avec vos relations et votre notoriété vous pourriez l'aider. Je n'ai pas osé vous en parler, vous savez comment sont les familles marocaines.

— Oh, je connais. Il n'y a pas de mal à vouloir s'entraider. On en reparlera une autre fois.

Après un silence :

— Cette idée de partir, de quitter le Maroc à tout prix est nouvelle. Le pays a manqué tous ses rendez-vous. Voilà que sa jeunesse cherche à le quitter! J'essaierai de trouver un travail à votre frère, mais plutôt ici, près de vous, ce sera plus facile pour moi et puis l'Europe n'est pas le paradis qu'il croit.

Pendant qu'ils marchaient, il pensait à la manière de garder auprès de lui Imane.

Il se demandait si elle pouvait faire une bonne assistante, en même temps il craignait la confusion des sentiments et du travail.

En rentrant, elle massa ses jambes puis s'installa à ses pieds comme elle aimait faire souvent et se mit à raconter :

Il était une fois une petite fille qui voulait grandir plus vite que le temps et qui se prenait pour le vent du sud, fort et violent. Elle arrivait comme une bourrasque et emportait tout sur son passage. On l'appela « Fitna », qui veut dire « désordre intérieur » et puis par extension « panique » en arabe.

Mais, en grandissant, la petite fille se calma et devint « brise du soir ». On l'appela alors « le murmure de la lune ». Sur les chemins, le soir pendant les veillées, au bord des rivières, elle recueillait les contes que les gens se racontaient de génération en génération, puis les versait dans des coupes de vin que buvaient les poètes, surtout les plus voyous d'entre eux.

Une fois devenue grande, la fille partit dans la montagne et on ne la revit plus. Une légende naquit entre ces pierres et ces plantes sauvages. La jeune fille était devenue déesse de la solitude. Régnant sur les roches les plus dures, elle barrait, grâce à ses pouvoirs, la route aux épidémies venues de pays infestés et mal aimés.

On raconte aussi que cette femme avait eu trois garçons nés de copulations avec Satan. Parvenus à l'âge adulte, ils firent beaucoup de mal autour d'eux, volèrent, tuèrent, torturèrent, sans jamais être attrapés par la justice. Bien au contraire, leurs affaires prospéraient et ils passaient pour des notables de la ville. Une nuit, leur mère descendit de la montagne et les mangea. Au petit matin, on trouva à la porte principale de la ville le corps enflé d'une jument, quand on l'ouvrit, on y trouva les trois hommes devenus verts et sans yeux...

Imane s'arrêta et, voyant l'air stupéfait du Capitaine, lui dit :

— Ne vous en faites pas, j'invente. Surtout, ne soyez pas effrayé !

— Vous êtes sûre que vous n'avez pas une histoire un peu plus douce à me raconter avant de m'abandonner ?

— Oui, je vous aime.

— Vous appelez ça une histoire douce !

CHAPITRE XXIII

Casablanca, 19 décembre 2002

> « Pourquoi vivent-ils un enfer ? Ils ne parlent pas la même langue. Il leur faut une langue intermédiaire. Ce sont deux magnétophones programmés dans un silence interplanétaire. »
>
> *Scènes de la vie conjugale,*
> Ingmar Bergman

À la demande de son psychiatre, le peintre enregistra sur un magnétophone une liste des raisons qui avaient provoqué son désamour. Il les dicta en plusieurs étapes. Il voulait être exact, dire toute la vérité, telle qu'il la voyait. Il pouvait se tromper, de toute façon cette liste était un exutoire, pas un réquisitoire contre sa femme.

Il appuya sur la touche « enregistrement », et commença par une petite introduction :

Voici la liste des raisons qui se sont imposées à moi pour en arriver à la conclusion que nous ne nous aimions plus depuis longtemps. Je peux avoir tort, ces raisons sont subjectives évidemment et surtout non exhaustives. Bon, allons-y :

Ma femme n'en fait qu'à sa tête.

Ma femme est une crue violente, flot de mots, une tempête éparpillée.

Ma femme est un diamant que personne n'a taillé.

Ma femme croit à ce qu'elle ne voit pas : elle croit aux fantômes, aux maisons hantées, au mauvais œil, aux énergies négatives, aux ondes destructrices.

Ma femme est amoureuse de l'amour et du prince charmant.

Ma femme aime les belles et grosses voitures. Elle ne supporte pas d'être passagère. Elle conduit à gauche (toujours) et a raison contre tous les autres automobilistes.

Ma femme ne fait pas de concession, ne connaît pas de compromis.

Ma femme n'a pas la notion du temps. En revanche, elle a un sens aigu de l'orientation. Le temps, les chiffres...

Ma femme pense être sincère. Elle dit vrai quand elle ment.

Ma femme est une sauvageonne qui sent encore la terre rude et le manque de pain.

Ma femme est une furie quand elle est blessée, un animal dont la blessure devient arme de l'évidence.

Ma femme a une logique qu'aucun

mathématicien n'a prévue. Elle en est l'unique dépositaire et utilisatrice.

Ma femme est capable de s'autodétruire pour démontrer que l'autre est coupable.

Ma femme est persuadée qu'elle est soumise, qu'elle subit des attaques sournoises de ma famille.

Ma femme a le vin gai et délirant. Elle dit n'avoir jamais abusé de l'alcool ni avoir été saoule.

Ma femme croit que la conjugalité exclut les secrets entre époux. Elle pense que c'est une harmonie lente et douce, une fusion totale et sans encombre, une complicité aveugle.

Ma femme a une mémoire très sélective, du charme, une forme originale d'intelligence, une détermination redoutable et une folie calculée pas assez délirante pour trahir cette folie.

Ma femme n'aime pas l'analyse, la remise en question, le doute, l'éventualité d'une erreur.

Ma femme n'est pas une sorcière, mais elle fait confiance à toutes les sorcières du monde, croit plus facilement un charlatan qu'un scientifique.

Ma femme est comme une maison bâtie sans fondations.

Ma femme est adorable avec le monde entier, sauf avec son époux.

Ma femme est le père de son père et la mère de sa mère.

Ma femme appelle un drame une tragédie.

Ma femme rêve de me voir diminué pour que je sois à sa merci.

Ma femme n'a pas le sens de la justice mais se rêve justicière.

Ma femme est d'une jalousie féroce.

Ma femme ne m'a jamais dit merci.

Ma femme ne m'a jamais dit je t'aime.

Ma femme n'a de tendresse que pour ses enfants, ses frères et sœurs et ses parents.

Ma femme pense que les autres couples n'ont pas de problèmes.

Ma femme me contrarie au moins une fois par jour.

Ma femme use de mauvaise foi avec certitude et triomphalisme.

Ma femme confond « vrai » avec « bon » et « faux » avec « mauvais ».

Ma femme ne m'a jamais consulté avant de prendre une décision.

Ma femme prétend qu'elle n'a jamais eu d'amant. Ce dont je doute. Devant elle, je fais mine de la croire : il ne faut pas froisser les femmes infidèles.

Ma femme a cru m'aimer — moi aussi.

Je ne l'aime plus et elle me le rend bien...

Quelques jours après avoir terminé sa liste, juste avant son rendez-vous avec le psychiatre, il écouta l'enregistrement. Le peintre eut le sentiment qu'il avait oublié le principal. Il réenclencha donc l'appareil et dit : « Je suis l'unique responsable de cette défaite. Notre différence n'était pas une simple différence d'âge ou de classe sociale. Notre différence était plus profonde et plus grave : tout au long de notre vie commune, nous n'avons pas vécu la même histoire et jamais nous ne l'avons reconnu. »

CHAPITRE XXIV

Casablanca, 4 janvier 2003

> « Mourir, c'est facile, mais vivre on ne s'en
> sort pas », dit Mme Menu à Julie.
>
> *Liliom*, Fritz Lang

Il n'avait jamais pris l'initiative de quitter une femme. Son épouse serait la première. Il en avait pris la décision ferme. Il avait mis du temps à y parvenir, mais l'attaque cérébrale l'avait finalement plus aidé que n'importe lequel de ses amis ou son psychiatre. Il avait attendu que passe Noël, avait préparé son discours, avait terminé son travail en cours, s'était reposé, puis, un jour où elle semblait plus calme, l'avait convoquée en fin d'après-midi dans son atelier.

Quand il lui annonça sa décision de se séparer d'elle, qu'il lui parla de leur désamour, elle fit mine de ne pas l'avoir entendu et lui demanda où il voulait aller dîner le soir. Il ne répondit pas. Le silence s'installa un long moment. Soudain elle passa à l'attaque : « Mais que deviendrais-tu sans moi? Tu me dois tout, ta carrière, tes succès, ta fortune. Sans moi, tu n'es plus rien, juste une loque, affalée dans un fauteuil. C'est ma présence, l'énergie de ma jeunesse, mon intelligence qui font que tu es connu et cé-lébré, que tes toiles valent des centaines de milliers de dollars. Sans moi, tout ça s'effondrera. Sans compter que je te le ferai payer très cher! Tu n'as pas idée de ce dont je suis capable. Tu as voulu des enfants avec moi, construire une famille, tu vas devoir l'assumer. Je ne lèverai pas le petit doigt pour t'aider, un beau matin et tu te trouveras face à la cruauté faite femme. C'est moi qui t'ai fait, je sais comment te défaire! » Sur ce, elle sortit de l'atelier en claquant la porte. Le peintre n'en fut pas ébranlé. Il tien-drait bon.

Quand elle se rendit compte, quelques jours plus tard, qu'il ne plaisantait pas, que ce n'étaient pas des propos en l'air et qu'il voulait sérieusement la quitter, elle prit les devants et lui remit un soir une lettre d'un avocat qui demandait au peintre de lui indiquer son conseil. Il proposait une procédure de divorce à l'amiable. Connaissant sa femme et l'ayant en-tendue le menacer, il en fut surpris. Il lut et relut la lettre, puis se dit : « Après tout, c'est mieux ainsi, cela facilitera les choses et les fera aller plus vite. »

Il déchanta dans les semaines qui suivirent. Sa femme n'avait absolument pas l'intention d'accepter un compromis. Elle n'avait aucune pitié, malade ou pas, handicapé ou pas, elle avait tranché : cet homme devrait payer l'audace qu'il avait de vouloir la quitter. Le peintre ne trouvait plus le sommeil. Entre lui et elle, la guerre était déclarée et rien ne l'arrêterait. « Divorce à l'amiable »! L'imbécile qui avait écrit ces mots — une de ces formules toutes faites comme il y en a tant — ne pouvait pas imaginer que le mot « amiable » ne signifiait rien pour cette femme.

Des amis proposèrent de lui parler, voulurent la ramener à la raison, car elle fulminait. Ils voulaient les aider à trouver une solution bonne pour tous les deux, sans tout détruire, sans y mêler les enfants. Pauvres amis! Ils passaient des heures à lui parler en pure perte. Elle les écoutait, souriait, les remerciait de leur amitié, de leur geste. Mais elle avait un truc, peut-être de naissance, une sorte de moulinette entre les deux oreilles qui broyait les paroles et les réduisait à l'oubli. Elle promettait parfois d'appeler son avocat, d'annuler la procédure de divorce, puis, en rentrant à la maison, elle prenait les enfants à témoin : « Votre père veut divorcer, il veut nous abandonner, il a trouvé une fille qui lui a mis le grappin dessus, qui nous vole notre argent. Il a pris un avocat et ne veut pas donner un centime pour les courses. Il va encore falloir que je demande aux filles de me prêter de l'argent. »

Et quand un des enfants lui faisait remarquer

que c'était le chauffeur qui faisait les courses depuis toujours et que leur père lui donnait l'argent pour ça, elle éludait : « Je sais, mais là, il ne veut plus... De toute façon, dans l'état où il est, quelle femme voudrait encore de lui, je me le demande ? Une loque, un légume, il n'est bon à rien, il ne peint plus et puis son agent m'a dit qu'il était très inquiet, sa cote a baissé dernièrement ! »

Tout était bon pour arriver à ses fins.

Un matin, après une longue nuit d'insomnie, le peintre trouva enfin le sommeil et fit un joli rêve érotique, ce qui ne lui arrivait plus depuis longtemps. Il était dans une soirée où il faisait la connaissance d'une jeune femme, mignonne, des yeux rieurs, un corps mince, bien proportionné, mariée, deux enfants. Elle était là sans son mari, un jeune cadre au ministère des Sports, parti pour une mission à l'étranger. Au moment de quitter la soirée, elle le rattrapait et lui disait : « Vous êtes en voiture, non, en taxi ou à pied. Moi, j'ai une voiture, je vous propose de vous raccompagner... » Pour la remercier, il lui mettait son feutre sur la tête. Ça lui allait très bien. « Gardez-le » Dans l'ascenseur, elle ouvrait son chemisier et se collait à lui. Arrivés en bas, elle l'attirait dans un coin sombre près des cave et retirait sa jupe. Elle n'avait pas de culotte. L'excitation était à son comble, ils faisaient l'amour debout, le chapeau tombait, roulait par terre, un rat passait dessus. En le voyant, il hurla et se réveilla en sursaut. « Maudit rat ! » s'exclama-t-il.

Qui était cette jeune femme, où l'avait-il vue ? D'où sortent les visages qui peuplent nos rêves ? Elle ressemblait à une comédienne française dont il avait oublié le nom. Peut-être l'avait-il vue dans un film à la télé, peut-être ailleurs. Il sourit mais, en apercevant la lettre froissée qui contenait la demande de divorce à l'amiable, posée sur la table de chevet au milieu d'un tas de boîtes de médicaments, il fit la grimace. Aussitôt, il appela son avocat pour faire le point avec lui et lui demander d'accélérer la procédure.

Quand le peintre fut prêt, lavé et habillé, il appela les Jumeaux pour entamer sa séance de rééducation. Elle consistait maintenant en une alternance de séquences de gymnastique et de marche. Les aides le conduisirent dans une salle de sport et le suivaient à chaque exercice. Comme il avait envie de bavarder, il demanda à l'un d'eux :

— Tu es marié ?

— Oui, monsieur.

— Tu es heureux ?

— Disons que ça va.

Puis il s'adressa à l'autre :

— Et toi, tu es marié ?

— Non, monsieur.

— Pourquoi ?

— Avez-vous constaté comment évoluent les

Marocaines ? Libération, égalité, ce sont elles qui commandent ; je le vois avec mes frères, les pauvres, ils souffrent...

— Mais toutes ne sont pas libérées, et puis c'est bien une femme libérée, elle travaille, elle participe au budget de la famille...

— Un jour, ma mère qui souffrait du fait que mon père ne lui parlait plus lui a demandé de lui faire la conversation ; elle s'ennuyait. Mon père, sans détacher les yeux de la télé, lui a dit : « Demain, demain je te parlerai. » Le lendemain, ma mère, très contente, attendait. Mon père restait silencieux. Elle lui a demandé : « À quoi tu penses ? » Après un silence, il lui a dit : « Je pense à ceci : si j'avais eu le courage de me débarrasser de toi il y a dix-huit ans, il ne me resterait plus que deux ans de taule à tirer ! »

— Mais c'est une histoire horrible !

Le peintre avait toujours été horrifié par les crimes passionnels. Il ne comprenait pas en quoi la mort de l'autre pouvait arranger les choses. Cela, il ne l'avait jamais imaginé. Il avait peur pour sa femme, quand elle tardait et qu'elle était sur les routes, il ne supportait pas de la voir malade, s'occupait d'elle, lui donnait des conseils. Si elle avait été tout le temps malade, peut-être que leur couple aurait été heureux. En vérité, même s'il ne l'aimait plus, il avait une petite tendresse pour elle, une affection qu'il ne s'expliquait pas. Un jour, elle s'était cassé le bras en glissant sur la neige ; ils étaient en Suisse. Il avait couru comme un fou pour chercher les secours, l'avait évidemment accompagnée à la clinique et dormait dans la même chambre sur un lit de camp près d'elle. Pourtant, le matin même, ils avaient eu une dispute où elle avait failli lui jeter le café brûlant au visage. Non, il n'avait jamais voulu lui faire mal, lui nuire, l'empêcher de se réaliser et d'accomplir des choses. Il l'avait aidée à monter un spectacle de musique de son village, lui qui détestait ce folklore. Il lui avait trouvé un producteur et une salle. Durant une année, elle avait représenté plusieurs troupes berbères et elle faisait leur promotion en France, en Belgique et en Suisse. Il avait mis à sa disposition son carnet d'adresses, avait appelé des amis pour l'épauler et assurer le succès de cette initiative. Quand elle travaillait, elle le laissait en paix. Alors il s'était dit : « Il faut qu'elle soit occupée tout le temps. » Après la musique, il lui proposa d'organiser une exposition de l'artisanat de sa région. Ça avait moins bien marché. De nouveau, il fut accablé de reproches. Alors il décida de faire une vente de charité, demanda à quelques amis peintres d'offrir chacun une toile. Ce fut difficile parce qu'il fallait créer une association. Quelqu'un prit cette manifestation sous le label de sa fondation. Elle ramassa de quoi embellir son village, de quoi construire une école et surtout d'améliorer les conditions de vie.

Sa qualité principale, c'était d'être volontaire et sincère ; son défaut, elle n'arrivait pas à aller jusqu'au bout de ce qu'elle entreprenait. Il se fatigua et renonça à l'occuper. Ce fut peut-être une erreur. Un jour, il lui dit : « Tu vois, ma chérie, si tu avais épousé un gars de ton village, un type bien, quelqu'un qui parlerait ta langue et comprendrait tes silences, tu aurais été certainement plus heureuse. »

Cela, il le pensait profondément. À partir de son expérience, il arrêta de faire l'éloge du métissage, il ne croyait plus à l'enrichissement par le contact des différences et pensait que, sans tomber dans l'endogamie stupide, sortir de sa tribu n'est pas une garantie de réussite.

Comme il disait souvent, il n'y a pas de choc des civilisations, il n'y a que le choc des ignorances. Certes, lui ignorait tout de cette culture berbère dont était originaire sa femme. Il ne s'y était jamais intéressé. Elle ne connaissait du Maroc que sa région natale. Le choc ne pouvait qu'être violent et provoquer des dégâts dans le couple et dans les familles. Il n'y avait pas pensé ou avait minimisé les conséquences de son acte. Mais il était amoureux. Et l'amour, aveugle ou lucide, n'est pas coupable de ce que les êtres font par ailleurs.

Le peintre pensait à Imane et cherchait le moyen de la garder auprès de lui définitivement malgré le penchant qu'elle disait avoir pour lui. Sa présence le dégageait du brouillard qui régnait parfois dans son esprit. Il la voyait comme un tableau, ou à la rigueur comme un modèle ne voulant plus quitter l'atelier. Cela lui était d'ailleurs arrivé une fois, à l'époque où il faisait de la peinture figurative, avec une jeune étudiante qui venait poser pour payer ses études. Elle était gracieuse, professionnelle, savait rester immobile et ne parlait pas. Un soir, après la pose, elle lui demanda un verre de vin. Il lui offrit de choisir entre un blanc et un rouge. Le verre bu, elle s'approcha de lui et l'embrassa dans le cou. Il la repoussa doucement. Il avait pour principe de ne jamais toucher ses modèles. Mais la jeune femme s'offrait à lui. Il la repoussa une seconde fois et lui expliqua que la toile n'était pas terminée et que cela ruinerait tout s'il la touchait, c'était un principe pour lui. Elle partit en claquant la porte. Elle ne revint jamais. Un an après, il la rencontra au marché Daguerre, elle était avec un homme plus âgé qu'elle, elle le lui présenta : son mari. Il lui dit :

— Passez à l'atelier, vous savez que vous n'avez jamais pris votre chèque, j'en profiterai pour terminer la toile.

— Je passerai avec plaisir, mais j'appellerai avant.

Le lendemain elle était là.

— Je ne suis plus votre modèle.

— Si, vous l'êtes encore parce que j'ai abandonné la toile, on va la terminer et, si on y arrive, on fêtera ça.

Il acheva son tableau et elle devint sa maîtresse. Cela dura une saison. Elle parlait peu, et il ne lui posait pas de questions. De manière quasi naturelle, un rituel s'était instauré entre eux. Elle venait un après-midi par semaine, l'embrassait et se déshabillait. Parfois il était en plein travail, elle l'attendait au lit, s'il tardait, elle lui disait : « Je commence toute seule. » Quand il avait achevé son travail, il la rejoignait et c'était une bonne heure de plaisir, sans sentimentalité, sans commentaire, juste du plaisir pour le besoin et la joie. Elle ne se lavait jamais chez lui, se rhabillait vite, lui faisait un bisou derrière l'oreille et s'en allait. Il restait là, fatigué mais satisfait. Le soleil était déjà couché. Il prenait une douche et rentrait à la maison. Personne ne pouvait le soupçonner. Tant qu'il faisait l'amour avec sa femme, elle ne se doutait de rien, ou, du moins, ne laissait rien paraître.

Un jour, il reçut la visite de celui qu'elle lui avait présenté comme son mari. C'était un homme fatigué, vieilli avant l'âge. Il s'excusa de passer sans prévenir, puis baissa ses yeux tristes et dit :

— Elle nous a quittés. Je savais qu'elle venait vous voir, elle me racontait vos siestes. J'étais jaloux, mais je m'efforçais de ne rien montrer. Trente ans de différence. C'est beaucoup. À mon âge, je ne pouvais pas poser de conditions. Elle nous a quittés pour une actrice italienne, très moche, maigre comme un clou, sans charme, sans humour. Voilà, je voulais vous le dire, espérant partager avec vous un peu de mon chagrin.

Le peintre lui offrit à boire et lui fit comprendre qu'il ne devait pas avoir de chagrin :

— C'est une fille libre, elle n'en fait qu'à sa tête ; souhaitons qu'elle soit heureuse avec cette femme !

CHAPITRE XXV

Casablanca, 25 janvier 2003

> « Entre un homme rangé et un voyou,
> tu n'hésites pas, tu prends le voyou », dit
> Mme Menu à Julie.
>
> *Liliom,* Fritz Lang

Il avait toujours peur de ce qu'il appelait
« l'enfer ». Il entendait des gens dire que leur vie
conjugale était un enfer, que le divorce était une
catastrophe, que le désamour était une grande
violence faite à l'autre...

Il apprit par hasard, lors d'un dîner, qu'un de
ses amis, qui vivait dans le sud de la France et
qu'il voyait rarement parce qu'il n'aimait pas
bouger de sa ferme — il était musicien —, avait
divorcé. Il l'appela pour en savoir plus.

— Oui, j'ai divorcé, j'ai tout perdu, j'ai tout
donné, je suis sans le sou, mais j'ai gagné
quelque chose qui n'a pas de prix : la liberté. Je
suis fauché mais je respire. D'ailleurs, je fais le
tour des copains pour trouver un petit studio à
Paris. L'argent reviendra. J'ai des concerts pour

l'année qui vient, mais je n'ai plus de maison, plus de bateau, plus de voiture. Elle a demandé un truc compensatoire, je ne savais même pas que ça existait, tu paies, en plus de la pension, une grosse somme pour compenser ce qu'elle perd en notoriété, en standing en se séparant de toi. Et moi, qui se soucie de mon standing?

« Enfin, c'est fini, je vois mon gosse un week-end sur deux, et je revis. L'enfer, je peux t'en parler des heures, il vaut mieux tout perdre et sortir de l'enfer que d'essayer de s'accrocher et continuer à se faire battre; moi, je suis un homme battu. Mais personne ne me prend au sérieux. J'ai reçu des coups physiques et psychologiques et je n'ai pas le droit de me plaindre. Voilà, mon ami, toi qui es peintre, fais-nous une fresque sur les hommes battus, ce serait original! Tiens, maintenant que j'y pense, on n'a jamais vu de film sur les hommes battus; ce serait pas mal de montrer cette réalité dont personne ne parle. Et toi, comment ça va avec ta belle rebelle? »

Le peintre dit qu'il avait décidé de la quitter définitivement. Ils allaient divorcer, eux aussi, mais les avocats n'avaient pas encore trouvé d'accord. En racontant ça, il fut pris d'une soudaine bouffée d'angoisse, il sentait comme une boule au niveau du thorax. Après avoir raccroché, il avala un quart de Lexomil, puis composa le numéro de son avocat. Celui-ci se montra rassurant, lui demanda un peu de patience. Il pensait avoir la situation bien en main.

Mais quelques jours plus tard, sans prévenir, des huissiers envahissaient l'atelier du peintre.

— Nous sommes venus évaluer votre patrimoine d'artiste. Nous sommes dans l'obligation de compter et répertorier toutes les toiles que vous avez ici et ailleurs. Nous sommes diligentés par votre épouse. Sachez cependant que nous avons pour vous beaucoup d'admiration ; vous êtes notre fierté ! Excusez-nous, nous ne faisons que notre travail.

Il les laissa procéder. La plupart des toiles étaient inachevées ou ratées. Il les accompagna à la cave où il y avait des peintures offertes par des amis. Ils notèrent tout et lui promirent de revenir au cas où...

Le soir, il tenta de parler de cette visite avec sa femme. Comme il préparait en urgence une exposition pour sa galerie à Monaco, il se contenta de jouer les offensés et demanda à sa femme de se calmer. Il ne pouvait pas supporter de se disputer encore avec elle.

— Je n'ai pas confiance en toi, je dois prendre des mesures. Demain, si tu t'en vas avec quelqu'un, je me retrouve sans rien, à la rue. Ça, pas question. Je t'ai vu l'autre jour, comment tu bavais devant la fausse blonde que l'un de tes chers amis a épousée malgré leur demi-siècle de différence ! Tout est possible. Alors je prends les devants...

— Ne t'inquiète pas. Laisse-moi peindre, j'ai juste besoin d'avoir la paix pour terminer un

gros boulot. Je travaille beaucoup en ce moment.

— La paix! tu ne l'auras jamais!

Le peintre et sa femme vivaient comme des
ennemis qui s'observent. Dès qu'il s'absentait,
elle fouillait ses affaires et faisait des copies de
tous les papiers qui lui tombaient sous la main.
Elle les transmettait ensuite à son avocat. Pendant ces semaines, l'œuvre du peintre prit
un nouveau tournant, plus cruel, plus profond.
On aurait dit les derniers jours d'un condamné.
Son art grandissait dans l'adversité. Il le savait
et pensait qu'après cette période il lui faudrait prendre des vacances, il irait avec Imane
quelque part, peut-être sur une île. Il n'avait pas
le fantasme de l'île déserte mais pensait qu'une
fois loin il pourrait respirer un peu et réfléchir à
son œuvre. Mais avait-il pour cela besoin d'aller
au bout du monde?

CHAPITRE XXVI

Casablanca, 3 février 2003

> « Il y a des choses qui doivent rester dans
> l'ombre... Nous nous faisons souffrir inutile-
> ment avec ces vérités. »
>
> *Scènes de la vie conjugale,*
> Ingmar Bergman

Imane arriva l'après-midi enveloppée dans
une djellaba bleue. Elle sortait du hammam.
Elle posa ses affaires, lui fit sa piqûre, le massa
longuement. Elle sentait très bon, ce n'était pas
un parfum, c'était l'odeur naturelle de son corps
qui venait de passer quelques heures dans ce
bain où les langues se délient.

— Je vais vous raconter une histoire d'amour,
lui dit elle en rangeant son matériel. Celle-là, je
ne l'ai pas inventée, je viens de l'entendre, aujourd'hui au hammam de mon quartier. Même
si souvent les femmes racontent n'importe quoi
dans ces lieux où la chaleur, la vapeur et la nu-
dité libèrent l'imagination et l'esprit, je pense

que ce que je vais vous raconter a quelque chose de vrai. Prêtez l'oreille et jugez-en par vous-même.

Voici l'histoire de Habiba, la femme qui avait avalé son mari.

Le lendemain de son mariage, Habiba, pour garder son mari éternellement près d'elle, décide de le manger. D'abord elle le renifle, comme fait un chat face à sa proie, ensuite elle le mordille un peu, puis commence à le manger en prenant bien garde à n'éveiller les soupçons de personne.

Le premier jour, elle repère les parties faciles à avaler. Le deuxième, elle l'endort en lui caressant longuement le corps, lui lèche les aisselles et les parties génitales. Malgré les somnifères qu'elle lui a fait boire dans un jus de lait aux amandes, son homme réagit de temps en temps. Il se laisse faire et, les yeux mi-clos, il sourit, son pénis ne débande plus. Habiba est si excitée qu'elle chantonne toute seule de plaisir. Elle jouit de pouvoir faire de son homme ce qu'elle veut, n'en revient pas de sa prouesse.

Ses amies lui avaient raconté bien des horreurs sur leur nuit de noces et elle redoutait la violence de l'acte sexuel dont le déroulement et surtout l'histoire du sang dans les draps la terrifiaient. D'autant que depuis toute petite elle se caressait et qu'on avait découvert lors d'une visite que son hymen était déchiré. Elle avait refusé de le faire recoudre, n'ayant jamais couché avec un homme.

La nuit de son mariage, elle s'offrit à son homme comme une femme traditionnelle, soumise, heureuse de l'être, timide, les yeux baissés, le laissant maître de la situation. En fait, elle avait un plan : elle le mettrait en totale confiance pour préparer le lendemain. Son mari déchira son saroual en satin, lui écarta les jambes et la pénétra sans ménagement. Elle eut mal, l'attira et le garda en elle un bon moment, l'empêchant de bouger. Il éjacula assez vite et se retira fier de lui. Ils n'échangèrent pas un mot. Ça ne se fait pas, en ces circonstances. Quand elle se leva pour aller à la salle de bains, il la vit dans sa splendeur, eut de nouveau une érection, se jeta sur elle, l'attrapa par le bras et la culbuta sur le lit. De nouveau, sans la caresser, sans l'embrasser, il entra en elle et jouit en poussant un râle où elle crut comprendre qu'il remerciait Dieu et sa mère de lui avoir donné cette femme. C'est alors qu'elle mit la poudre blanche dans le grand verre de lait aux amandes qu'il but d'un trait. Quand elle revint, il dormait profondément.

Ce deuxième jour, donc, Habiba observe longuement son mari endormi. L'idée de l'avaler petit à petit l'excite. Son désir pour lui grandit. Elle a des sueurs, tremble. Elle s'approche de son homme, caresse ses bras, puis entame les mains. Elle suce ses doigts un à un, et les croque en jubilant. Le troisième jour, elle

238

s'attaque à ses bras. Le quatrième, elle mange ses pieds et une partie de ses jambes. Le cinquième jour, elle détache la tête et la met dans un vase en cristal, un cadeau de son oncle qui a fait fortune dans les pays du Golfe. Le sixième jour, elle mange le reste en faisant bien attention de ne pas abîmer les parties génitales qu'elle met dans une boîte magique. Le septième jour, il ne reste plus rien de l'homme qu'elle a épousé. Ou plutôt, il lui reste tout entier, rien que pour elle. Habiba n'a même pas grossi. Elle est contente et fière d'elle.

Enfin un mariage réussi. Elle et lui ne font plus qu'un. Personne ne s'est aperçu de rien. La fête battait son plein pendant qu'elle le mangeait, se l'appropriait avec méthode, rigueur, suivant scrupuleusement les conseils que lui avait donnés un jour sa mère, il y avait très longtemps. « Un homme, ma fille, ça se garde, ça ne se partage pas avec une autre. Et pour l'avoir à soi, rien de mieux que le manger! Rien ne sert de lui parler, de le prévenir ou de le menacer : si tu me trompes, je te coupe les couilles, ou si je te vois avec une autre, je vous égorge tous les deux... Il faut agir avant, après il est trop tard, les hommes s'habituent à nous avoir à leur botte. »

Habiba s'était toujours dit : mon homme sera à moi, et je serai à lui. Entre lui et moi, il n'y aura pas de différence. Entre lui et moi, pas un fil de soie ne pourra passer. Nous serons un et cela pour l'éternité. Une union totale, parfaite, insoupçonnable; personne ne pourra la défaire ou l'atteindre. C'est ça l'amour, l'amour fou. C'est ce que les mères apprennent à leurs filles. Les hommes sont rares. Alors il faut tout faire pour qu'ils restent auprès de leur épouse et ne soient pas tentés par d'autres femmes.

Ce n'est pas parce que Habiba a avalé son mari qu'il a disparu de la surface de la terre. Elle le recrache chaque jour pour qu'il vaque à ses occupations, travaille, gagne sa vie, puis rentre à la maison sans regarder ni à droite ni à gauche. Il est téléguidé et obéit à la volonté de sa femme qui lui redonne son apparence humaine quand elle le décide. Lorsqu'il revient, il lui baise la main, lui offre un bouquet de fleurs, et de temps en temps un bijou ou un beau tissu. Il ne rentre jamais les mains vides. Quand il parle, il baisse légèrement les yeux et n'élève jamais la voix. Il ne réclame pas son dîner. Il fait sa prière et attend un signe de son épouse qui est si heureuse de le revoir. Ils mangent sans parler, il lui choisit les bons morceaux et les lui offre. Il le fait avec grâce et délicatesse. Elle apprécie ces gestes et ces silences. Vers la fin du repas, elle sent monter le désir; il suffit d'un regard pour que l'homme se lève et la précède dans la chambre. Il est là, disponible pour sa belle, ne pose pas de question, l'attend et sent, lui aussi, monter un désir fort. La femme ne se donne pas tout de suite; elle aime le faire languir, tourner autour de lui, frôler de *ses doigts son pénis, mesurer la qualité de son érection et s'amuser avec en en faisant son jouet. L'homme lui obéit et lui baise la main, la bouche, le sexe. Il est là pour elle et rien que pour elle. Toute son énergie sexuelle est réservée à sa femme légitime.*

Mais un soir, il est un peu distrait, éjacule avant de la faire jouir. Habiba lui administre une gifle magistrale. Depuis lors, il fait l'amour à Habiba encore plus attentivement, en se consacrant entièrement à elle. Son esprit, qui participe à l'acte sexuel, le stimule et le prépare à l'amour. Il lui fait sentir son parfum, celui de sa chair, de son intimité, celui naturel de ses aisselles, de sa peau et de ses plis. Une fois, il imagine qu'il la retrouve sous une tente, la nuit dans le désert, elle est voilée. Elle rampe sur le tapis tout en perdant son voile et vient chercher avec sa langue ses testicules qu'elle suce et parfois avale au risque de s'étouffer. Une autre fois, il la découvre accroupie en train de faire sa toilette intime. Il la surprend par-derrière, la chevauche. Elle se laisse faire en gémissant comme une femme en manque. Il leur arrive de se mélanger en jouant de leurs membres jusqu'à parvenir à une parfaite concordance. Pendant l'amour, ils se parlent peu, agissent, s'aiment et s'endorment dans les bras l'un de l'autre. Ils sont une seule et même personne. À aucun moment il ne se met en position de la dominer. Il sait qu'elle ne le tolérerait pas. À chaque fois qu'elle le recrache, elle l'instruit de ses désirs et fantasmes. *Dès que Habiba a envie de son mari, celui-ci se réveille et obéit à ses désirs. Parfois Habiba, après l'amour, demande à son mari d'aller dormir dans une autre chambre. Il ne proteste pas, sachant que sa belle a ses raisons. Son homme est à elle, et ça, personne ne pourra le lui enlever.*

Le couple que forment Habiba et son mari est exemplaire. Ses amies l'envient tellement qu'elles lui demandent un jour le secret de leur entente parfaite. Habiba leur répond : « *Il m'aime, c'est ça le secret. Nous nous aimons, c'est tout.* » *Mais ses amies ont beau suivre ce conseil, elles se disputent tout le temps avec leurs maris. Elles sont persuadées qu'ils les trompent, qu'ils jouent l'argent de la famille dans des casinos ou qu'ils vont le gaspiller dans les bars ou avec les prostituées. Elles reviennent voir Habiba et lui demandent d'en dire un peu plus. Elle leur répond alors :* « *Pour garder son mari, il ne faut pas attendre qu'il vous échappe, il faut s'occuper de lui dès le premier soir. Un homme dehors est un homme perdu pour sa femme. Il ne faut jamais le lâcher, pour que même quand il sort il reste à vous et rien qu'à vous.* »

Lamia, une des amies d'Habiba, la soupçonne d'avoir vu un sorcier. « *Pas du tout, proteste Habiba. Les sorciers sont des charlatans. Non, pas besoin d'aller faire des choses absurdes et ridicules. Ma recette est imparable. Elle a fait ses preuves. Ma mère me l'a apprise. Mon père a été l'homme le plus aimant et le plus soumis. Il aimait ma mère et il n'avait pas son mot à dire. J'ai fait exactement ce qu'elle m'a conseillé de faire. Pas de scrupules, pas d'hésitation, c'est lui ou moi, alors il vaut mieux que ce soit moi, n'est-ce pas, mes chéries ? Je suis assez fière de moi.*

« La première nuit est décisive, je vous le dis. Il ne faut pas attendre le lendemain. Dès qu'il est entré dans la dekhchoucha, la chambre nuptiale, malgré sa grande taille et sa corpulence, j'ai vu l'agneau que j'aurais entre les mains. Cet homme serait mien. Mais il était du genre à résister. Je l'ai regardé fixement et j'ai réussi à lui faire baisser les yeux. La suite fut facile. Un homme qui baisse les yeux est un homme qu'il ne reste plus qu'à ramasser. Il est à vous, pour toujours. Pas besoin de potion, ni d'encens, ni d'écriture. C'est juste une question de volonté. Voilà ce que ma mère m'a si bien appris. Seul un jus de lait aux amandes avec un peu de poudre blanche peut aider...

— C'est quoi cette recette ? crie Fatéma. Il faut que tu sois solidaire de notre malheur. Tu ne vas pas être la seule à t'en sortir alors que nous, nous sommes comme des serpillières, à attendre qu'il rentre en espérant qu'il ne sente pas l'alcool et qu'une autre n'ait pas déjà vidé ses couilles et ses poches.

— Je vous l'ai dit et répété, je ne peux rien pour vous, c'est bien trop tard pour faire

quelque chose. Il fallait couper la tête de la vipère le premier jour.

— Mais quelle vipère ? Nous nous sommes mariées avec des hommes, pas avec des serpents !

— Vous êtes perdues, je n'y peux rien... »

Mais ses amies insistent et entourent Habiba. « Tu ne sortiras pas d'ici avant de nous dire ton secret.

— D'accord, puisque vous insistez je vais vous dire ce que vous auriez dû faire. Votre homme, il fallait le manger, oui, l'avaler, l'introduire dans votre corps et le garder pour toujours. C'est ce que j'ai fait et ça m'a réussi. Mais pour vous, je vous l'ai dit, c'est trop tard. Vos maris sont devenus trop coriaces, immangeables, durs à cuire. Il est impossible de revenir en arrière.

— Tu l'as mangé, vraiment mangé ?

— Je l'ai avalé. Oui, entièrement avalé. Il est là, en moi, il ne sort que sur ordre. Je n'avais pas le choix. C'est ça ou accepter de devenir leur chienne, corvéable à merci, toujours disponible pour qu'ils vous labourent quand eux le décident. Et puis avec eux, jamais d'orgasme.

— Et tu comptes avoir des enfants avec lui ?

— Pas maintenant. Pour l'instant, je l'exploite au maximum, puis on verra. Avec la naissance des enfants, il risque de m'échapper. Il faudra alors que je trouve un autre stratagème pour le garder dans cet état de soumission totale. Je demanderai à ma mère, qui demandera à sa mère, il faut que je m'en occupe vite, elle est en train de mourir. »

Quelques jours après, Habiba va voir sa grand-mère. Elle a dépassé les quatre-vingt-dix ans, elle est petite, mince, sèche, l'œil encore vif, elle ne mâche pas ses mots. « Les hommes sont tous des salauds et des lâches, lui dit-elle. Si tu ne les tiens pas, ils te feront les pires misères. Le mariage n'est rien d'autre qu'une déclaration de guerre célébrée en musique, avec de la bonne nourriture, des parfums, des encens, des beaux habits, des promesses, des chants, etc. Pour tenir l'homme, il n'y a qu'un seul moyen : l'avaler. » Elle accompagne le mot avec le geste des doigts réunis dirigés vers la bouche ouverte. « Parfois c'est impossible. Dans ce cas, il ne faut surtout pas renoncer, il y a d'autres méthodes. Ton grand-père, par exemple, était immangeable. Il était dur comme tout, impossible d'avaler quoi que ce soit de son corps. Alors, j'ai fait semblant d'être son esclave pendant de longs mois. Je faisais tout ce qu'il aimait, j'étais à quatre pattes devant lui, je ne refusais rien de ce qu'il me demandait ou de ce que je supposais lui plaire Au bout de quelques années, formé par mes soins, il ne pouvait avoir de plaisir qu'avec moi. C'est ça, ce que j'appelle tenir un homme. Il ne m'a jamais trahie ; je le sais parce que j'avais mes espions que je payais bien. De la boutique à la maison. De la maison à la boutique. Pas la moindre visite chez une de ces femmes infidèles qui trompent leurs maris. Non, lui, il était immunisé. Au moment de sa mort, il a pleuré toute la nuit en me disant que sans moi il serait bien malheureux au paradis. Je ne sais pas si Dieu l'a envoyé au paradis, mais là où il se trouve à présent, je sais qu'il m'attend. Je ne suis pas pressée de le rejoindre, j'ai encore quelques années à vivre et quelques voyages à faire. Dieu lui apprendra sûrement la patience.

« Sache, ma fille, que c'est ainsi qu'on réussit un mariage, pas autrement. Et n'oublie pas, dès que ta vigilance baisse, ton mari en profite. C'est une petite guerre, que l'on gagne en silence, car dès que l'on commence à crier, c'est qu'on est à bout d'arguments, et c'est le début de l'échec. Autour de moi il n'y a que des échecs. Les femmes pleurent, les hommes triomphent. Ce n'est pas juste. Si tout le monde suivait mon exemple, tout cela serait fini pour toujours. »

Habiba a bien écouté sa grand-mère et a retenu la leçon. Au bout d'une année, cependant, elle ressent une sorte de fatigue, de l'ennui. Son mari obéissant a perdu de son attrait. Il suffit à Habiba de faire un signe pour qu'il se mette en position de la satisfaire. Elle commence même à en avoir des nausées. Elle n'est pourtant pas enceinte, c'est la lassitude. Un homme toujours prêt, un homme à sa merci, un homme rien que pour elle, c'est comme un plat sans épices, sans surprise.

Habiba choisit de réagir, de changer quelque

chose dans le monde merveilleux de la femme qui a avalé son mari. Sa mère lui suggère de le vomir un peu. Elle pense qu'il faut passer à une autre étape : lui donner un peu de liberté, le laisser aller ailleurs, peut-être même organiser ses escapades et lui mettre entre les jambes quelque fille qui lui redonne un peu d'élan et d'imagination.

Habiba écoute les conseils de sa mère et vomit à longueur de journée. Le soir, elle se sent plus légère. Au bout de quelques jours, son homme est devant elle, entièrement libre, mais elle ne le regarde pas, il ne l'intéresse plus. Elle se sent mieux, débarrassée de lui. Elle lui dit qu'il peut partir, qu'elle ne le retient plus.

Habiba décide d'avaler un nouvel homme. Elle jette son dévolu sur le mari de sa cousine malade, assurant ainsi l'intérim d'une conjugalité empêchée. Avant de mourir, la cousine dit à Habiba : « Je te préviens, c'est un dur à cuire. Il est brutal. N'essaie pas de l'avaler le premier soir, tu risques une indigestion grave. C'est ça l'origine de la maladie qui me ronge. Je te le confie, mais fais attention à toi ! »

Mais la beauté légendaire de Habiba eut raison de toutes les résistances et prouesses du jeune homme. Elle l'avala et en fit sa chose, tant qu'elle le voulut bien. D'autres femmes suivirent son exemple et c'est ainsi que se constitua la tribu des femmes avaleuses d'hommes. Et jusqu'à ce jour, la paix a toujours régné, dans *cette contrée où les hommes avalés n'ont plus leur mot à dire.*

Après un instant de silence, Imane éclata de rire. Le Capitaine aussi.

— Vous avez vraiment entendu cette histoire au hammam ? lui demanda-t-il. Je pense plutôt qu'elle est de votre cru. Vous devriez l'écrire, la développer et en faire un roman. Je suis sûr que ça aurait du succès.

Imane rêvait depuis toute petite d'écrire des histoires. Elle n'osait pas en parler mais dès qu'elle en avait l'occasion, elle les racontait. La nuit, quand elle ne dormait pas, elle laissait libre cours à son imagination. Elle regardait de sa fenêtre le ciel, comptait les étoiles, nommait les nuages et y voyait des personnages auxquels elle donnait des rôles.

En partant, elle se pencha sur le Capitaine et lui dit :

— Vous dites vrai, je n'ai pas entendu cette histoire au hammam, mais je n'ai pas tout inventé. N'est-ce pas ainsi que procèdent les artistes, les écrivains ? À demain, Capitaine.

Elle laissa derrière elle son parfum, et lui, rêveur, devint mélancolique.

Les sentiments qu'il avait pour cette jeune femme ne ressemblaient en rien à ce qu'il avait connu. Il désirait les autres femmes, faisait tout pour vivre une histoire avec elles, il tombait amoureux quelques jours, parfois des semaines, mais avec Imane, il n'y avait rien de tout cela. Il avait besoin d'elle, pas seulement sur le plan médical. Besoin de la voir, de l'écouter raconter des histoires, se confier à lui. Il ne demandait rien d'autre.

CHAPITRE XXVII

Casablanca, 12 février 2003

> « On pourrait réparer notre mariage, trouver un autre mode de vie commune. Donnemoi une chance. Ne pouvons-nous pas partager cette catastrophe ? »
>
> *Scènes de la vie conjugale,*
> Ingmar Bergman

Quand le peintre reçut enfin la visite de son avocat pour faire le point sur l'avancée du divorce, il était en plein travail. Il peignait une nappe en lin blanc froissée posée sur une table qu'il reproduisait avec une précision et une minutie exceptionnelles. C'était impressionnant.

— Vous pourriez ne pas reproduire les plis avec exactitude, personne ne s'en rendrait compte, puisque le modèle, c'est vous qui l'avez froissé, lui dit l'avocat.

— Effectivement, mais moi, je m'en rendrais compte ; et ça, ce n'est pas permis chez moi ; ce serait tricher, et je n'aurais même pas besoin de modèle. Je pourrais dessiner n'importe quelle nappe, or ce que je peins c'est cette nappe et pas une autre, et elle ne ressemble à aucune autre nappe dans le monde. Et une fois peinte, ce qu'on verra sur la toile, ce ne sera pas une nappe, ce sera au-delà.

— Je comprends. Vous pourriez l'appeler : *Ceci n'est pas une nappe* !

— Ce n'est pas original.

— Excusez mon impertinence.

— Non, c'est normal, vous n'êtes pas le premier à me faire cette remarque. En fait, c'est comme si vous utilisiez dans un procès une plaidoirie qui vous valu l'acquittement dans une autre affaire plus ou moins semblable ; ça ne marcherait pas, n'est-ce pas ?

— Non, en effet.

— Quelles nouvelles ? Je suis prêt à entendre tout, les mauvaises comme les bonnes.

— Eh bien, je crois que, en réalité, votre femme ne veut pas divorcer.

— Il ne manquait plus que ça !

— Vu ce que demande son avocat, elle doit penser que cela produira un tel choc que vous renoncerez à divorcer. Si j'en crois les derniers courriers que j'ai reçus, ses prétentions sont exorbitantes. Elle réclame tout, au nom de vos enfants, tout ce que vous possédez, plus une prestation compensatoire de plusieurs millions de dirhams. Si vous acceptez, vous n'aurez plus qu'à vous procurer une petite tente et chercher un lieu à l'abri du vent où terminer votre vie.

— Vous pensez que j'aurai de quoi m'acheter

cette petite tente et quelques bricoles pour ne pas mourir de froid l'hiver ?

— Je m'en chargerai, si vous préférez ! Mais trêve de plaisanterie, il faut réagir. Je ne vois qu'une solution. Si vous me faites confiance, nous lançons une requête de divorce ici, au Maroc, où vous aurez l'avantage. Il faut faire vite, parce que le premier qui enregistre la requête fait appliquer la loi du pays où elle a été déposée. Il a la priorité. Depuis la nouvelle Moudawana, la juridiction marocaine est reconnue sur le plan international, vous ne risquez rien sur le plan du droit. Ne vous inquiétez pas trop. Vous connaissant, je sais que vous allez proposer à votre femme, à la mère de vos enfants, une pension très confortable ainsi qu'une maison et même une prestation compensatoire conséquente. Le tribunal verra que vos propositions sont plus que convenables.

— Laissez-moi un peu de temps avant de vous répondre. Je dois d'abord achever cette toile. Si j'ai la force d'y travailler toute la journée de demain, je pense qu'elle sera terminée, alors ce sera à Imane, mon infirmière et kiné, de juger si elle est réussie ou non. En fait, ma décision dépendra de cette toile qui, pour la première fois, portera un nom : *Rupture*.

L'avocat ne comprenait pas bien pourquoi le grand peintre se fiait à l'avis d'une simple infirmière, mais il ne laissa rien paraître. Il baissa la voix et murmura :

— Rassurez-moi, entre vous et cette fille, il n'y a rien, j'espère?

— Rien. Elle fait bien son travail et j'ai confiance en son goût parce qu'elle n'est ni historienne ni critique d'art. C'est une fille du peuple, elle est charmante et efficace. Depuis qu'elle s'occupe de ma rééducation, je revis.

— Votre femme est au courant?

— Évidemment, elle a déjà essayé par deux fois de la renvoyer.

Quand il se remit à sa toile, il se sentait plus combatif que jamais, surtout depuis qu'il lui avait trouvé un titre. C'était venu comme ça, sans réfléchir. Cela lui plaisait. Chaque pli était une contrariété qu'il avait vécue. Chaque ombre était un moment de tristesse et de mélancolie. Il projetait sur la toile des choses qu'il était le seul à connaître.

Comme d'habitude, il fit une petite sieste l'après-midi. Il aimait s'assoupir après avoir lu un livre ou un magazine. Soudain, il entendit distinctement quelqu'un qui lui murmurait à l'oreille : « Tu as raté ton mariage... Réussis au moins ton divorce ! » Il se réveilla aussitôt, regarda autour de lui, il n'y avait personne. Il sonna ses aides. Sa jambe gauche lui faisait mal. Il demanda aux Jumeaux de l'installer sur la chaise placée devant le grand chevalet pour reprendre sa toile.

Quand il acheva enfin de peindre la nappe froissée, tard dans l'après-midi du lendemain, il appela Imane pour qu'elle lui donne son avis. Ses beaux yeux étaient si rayonnants lorsqu'ils se posèrent sur la toile qu'il sut immédiatement qu'il avait fait là un chef-d'œuvre. Il se souvint qu'il devait donner une réponse à son avocat. Il l'appela vers dix-neuf heures :

— Allez-y, je vous fais confiance. De toute manière, quoi que je décide, je serai toujours coupable et rien ne me délivrera de cette histoire.

Après le coup de fil à l'avocat, et une fois Imane repartie chez elle, il lui prit soudain l'envie d'écrire une lettre à sa femme, une lettre qu'il ne lui enverrait pas. Il ne savait pas comment la commencer. Devait-il dire « chère... », ou bien juste écrire son prénom, ou un simple « bonjour »... ? Il ne mit rien et entra directement dans le vif du sujet :

Je voudrais que tu saches combien je suis désolé de ce qui nous arrive. Je voudrais m'excuser de te quitter aujourd'hui et te dire que ce n'est ni ma faute ni la tienne. C'est ainsi, nous avons forcé la main au destin. J'ai cru à l'amour, j'y ai tellement cru que je le chargeais de résoudre des problèmes insolubles. Mais, j'ai trop longtemps manqué de courage, de détermination, et nous voilà qui nous déchirons sous le regard ahuri de nos enfants. J'aurais tant aimé que nous trouvions un arrangement sans faire tous ces dégâts, sans laver notre linge sale quasiment en public, puis par avocats interposés.

J'espère qu'au moins nous garderons des relations cordiales, civilisées, parce que nous aurons à nous revoir pour les enfants, et comme tu sais c'est tout ce qui compte dans ma vie et je suis sûr dans la tienne aussi.

Sois raisonnable, je t'en prie, accepte la réalité, reconnais que nous ne nous aimons plus. L'amour n'est pas une décision ou une volonté. Il s'installe comme il nous quitte. Nous n'y pouvons rien...

CHAPITRE XXVIII

Casablanca, 18 février 2003

> « — Fais-moi l'amour au nom de notre amitié.
>
> — Je ne pourrai pas; il vaut mieux que je fasse ma valise. »
>
> *Scènes de la vie conjugale,*
> Ingmar Bergman

Ce matin-là, le peintre s'était réveillé tôt. Imane arrivait en général vers huit heures mais, aujourd'hui, elle était en retard. Il essaya de calmer son impatience en se convainquant qu'elle devait avoir eu un empêchement. Quand elle arriva enfin, deux heures plus tard, il vit tout de suite qu'elle avait pleuré. Elle se mit au travail, sans un mot. Au bout d'un moment, il lui demanda doucement si elle ne voulait pas se confier à lui :

— Nous sommes des amis, nous pouvons nous parler, nous dire ce que nous avons sur le cœur. Que vous arrive-t-il, Imane ?

— Je dois quitter le Maroc, suivre mon fiancé.

— Je pensais que cette histoire était réglée.

— Oui, mais il est revenu à la charge, il a proposé en plus de s'occuper des papiers de mon petit frère pour lui trouver du travail en Belgique. Pour ma famille, c'est important. Mon frère, malgré ses études, ne trouve pas de travail, il faut dire qu'il ne cherche pas vraiment, il est désespéré par la manière dont les gens se conduisent ici, la corruption sévit partout, et sans corruption, rien n'est possible.

— Vous aimez cet homme?

— Je ne sais pas, je le connais à peine. Il est venu dans une voiture neuve, une Mercedes, et vous le savez, ici les Mercedes sont comme un sésame et un symbole de richesse. Je ne veux pas faire de la peine à mes parents et surtout à mon frère qui espère tant sortir de l'impasse.

— Mais vous vous sacrifiez!

Elle baissa les yeux pour éviter de pleurer de nouveau.

Le peintre savait que ce départ allait l'affecter. Il s'était attaché à cette jeune femme à l'imagination débordante, au charme apaisant et aux mains douées pour faire le bien. Il savait qu'en Belgique elle serait malheureuse. Ce fiancé arrivé dans une grosse voiture cachait sûrement un jeu inavouable. Il en avait vu, des filles qui avaient suivi un mari et qui, arrivées sur place, découvraient qu'il avait une autre famille. Elles revenaient ensuite en pleurs chez leurs parents et attendaient qu'un homme veuille bien d'elles. Certaines étaient même tombées sur des trafiquants de hachich qui utilisaient leurs femmes pour faire passer la marchandise.

Le peintre demanda à Imane de promettre de ne pas l'oublier, de venir lui rendre visite et surtout de le tenir au courant. Émue, elle se laissa aller dans ses bras, mit sa tête au creux de son épaule et le serra fort contre elle. Il ne voulait pas se dégager de cette étreinte, cependant il préférait qu'ils maintiennent une distance, car il n'était pas en état de lui proposer quoi que ce fût. Mais ce qui se passait dans son esprit fut contredit par une érection soudaine et ferme. Il en était ravi et en même temps désappointé. Il ne ferait pas l'amour, surtout pas avec Imane, non, il se retenait, essayait de la repousser doucement, mais elle se serrait de plus en plus contre lui, il sentait son corps chaud, ses petits seins sur sa poitrine, sentait le parfum de sa chevelure. Il allait lui parler, puis renonça. Elle était déjà sur lui, prête à le chevaucher. Ils se levèrent, elle l'aida à s'installer sur le lit, ferma à double tour la porte de l'atelier, tira les rideaux, éteignit les lampes, et se glissa près de lui en se débarrassant de sa robe. Elle était nue, chaude, tremblante de désir. Lui, se laissait faire. Elle massa son ventre, puis son bas-ventre, s'empara de son pénis et l'embrassa longuement, elle se mit sur lui et lentement se laissa pénétrer, recommença avec tendresse les mêmes gestes, se pencha sur lui et couvrit son visage avec sa longue chevelure. L'érection se maintint. Quand elle sentait qu'il risquait de mollir, ses lèvres lui redonnaient force et fermeté. Lorsqu'il éjacula, elle cria de plaisir, car elle attendait cet instant depuis longtemps et elle jouit en même temps.

Ils restèrent un bon moment serré l'un contre l'autre, elle, lui caressant le visage, lui, pensant au bonheur qu'il venait de redécouvrir. Il savait néanmoins que cet acte n'allait pas se renouveler, que c'était son cadeau d'adieu. Sans un mot, elle se rhabilla, ramassa ses affaires, se pencha sur lui, l'embrassa longuement. Il sentit ses larmes couler et se mêler aux siennes qu'il tentait de dissimuler.

— Demain, ce sera une autre femme qui viendra s'occuper de vous ; c'est une dame bien, compétente, douce et très professionnelle. C'est moi qui l'ai choisie. Adieu. Je vous écrirai ou, si vous préférez, je vous appellerai de temps en temps.

Elle s'en alla sans se retourner. Lui, prit un somnifère et se coucha sans dîner. Il gardait en lui tous les parfums de ce paradis où il venait de faire une halte sur le long chemin de la convalescence.

CHAPITRE XXIX

Tanger, 23 septembre 2003

M. à sa femme :
« — Je t'ai offert un joli toit...
— Mais il sent la peinture ! Tes tableaux
envahissent l'entrée ; débarrasse-t'en ou je
les fiche aux ordures ; j'en suis capable. Toi
et tes tableaux ! Pose ce journal et va faire la
vaisselle. »

La rue rouge, Fritz Lang

Sur le conseil d'un de ses médecins, il partit,
accompagné des Jumeaux, se reposer quelques
jours dans la maison de son ami Abdelslam, si-
tuée en dehors de Tanger. C'était la fin du mois
de septembre, cela faisait plus de dix mois qu'il
avait dit à sa femme qu'il la quittait.

Quand il pleut à Tanger, le vent d'est se met
de la partie. Il souffle et fait trembler les collines
de la Vieille Montagne. Même quand il s'arrête
de pleuvoir, le vent continue, ébranlant les
arbres les plus hauts, les plus résistants. On dit
qu'il les secoue pour éloigner les maladies et éli-
miner les moustiques. D'autres prétendent qu'il

rend fou et que les fous ont besoin du vent pour s'exciter, chanter, danser et rire.

La maison de son ami tenait bon, même si les portes et fenêtres grinçaient, laissant passer les souffles froids de ce visiteur intempestif. Tout était malmené, et tout se réveillait de la torpeur dans laquelle se complaisaient les gens de la ville. Les amateurs de boissons chaudes s'emmitouflaient dans des djellabas épaisses et buvaient du thé à la menthe ; les pêcheurs ne sortaient pas, le marché au poisson fermait ; les bars se remplissaient de ceux qui attendaient que le vent se fatigue. Quand il s'arrêtait, tout redevenait immobile et l'on entendait le silence, on l'appréciait. Tout se reposait et s'endormait après la tempête. Le peintre aimait ce calme revenu qu'il appelait le silence Mozart.

Le peintre comparait sa femme à ces éléments de la nature. Elle était violente, brutale, menaçante, puis comme par miracle elle se faisait soudain douce, calme, gentille. Le départ définitif d'Imane, au mois de février, l'avait plongé peu à peu dans une étrange mélancolie. « C'est elle, ma dernière femme », se disait-il, persuadé que, diminué comme il était, il ne ferait pas de nouvelles rencontres. Depuis lors, il ne se sentait plus jamais bien. Physiquement, il avait l'impression de redevenir lourd, comme dans les premiers temps de sa convalescence. Son rythme cardiaque s'était ralenti. Il déclinait.

Devant la mer, il se demandait pour la énième

fois comment échapper à l'emprise de sa femme, qui ne voulait pas divorcer et avait réussi à déjouer toutes les stratégies de son avocat. Il aurait beau échafauder des plans pour qu'elle accepte cette séparation, il voyait bien qu'elle ne renoncerait jamais. Elle était infatigable. Il devait changer radicalement de tactique, mais n'avait plus aucune idée, sinon s'enfoncer dans le silence. À Casablanca, quand ses amis venaient le voir, il exigeait de rester seul avec eux. Alors que, devant elle, il ne disait plus un mot, devant ses amis, il retrouvait la parole et leur expliquait qu'il était séquestré. Personne ne le prenait au sérieux. Ses amis essayaient de le rassurer. « Mais qu'est-ce que tu imagines là ? Tu as plutôt de la chance de l'avoir à tes côtés, elle t'est entièrement dévouée. Regarde, elle a maigri, elle est fatiguée. Si tu étais seul, comment ferais-tu ? Tu ne te rends pas compte de ta situation. » Si, il s'en rendait compte et ne rêvait justement que de vivre seul, entouré des personnes dont il appréciait la compagnie et qui l'aidaient vraiment. Mais il n'avait pas la force ni l'envie de raconter à ses amis ses conflits avec sa femme, alors il finissait par hocher la tête et souriait légèrement, comme s'il était d'accord avec eux.

Sa femme écoutait derrière la porte. Quand ça lui chantait, elle surgissait avec des boissons rafraîchissantes, la tête et les yeux baissés, montrant ostensiblement combien cette situation l'accablait. Il lui arrivait même d'essuyer quelques larmes. Certains la plaignaient, d'autres la félicitaient d'être là, sacrifiant sa jeunesse, son temps, pour s'occuper d'un mari impotent, un handicapé au mauvais caractère, un artiste difficile à vivre, un époux qui pensait que son ombre suffisait à satisfaire sa femme.

Depuis qu'il avait demandé le divorce, elle était forte et fragile à la fois. Car elle pleurait vraiment quand elle se retrouvait seule dans leur chambre, loin de lui. Elle constatait que sa vie était un échec, une sorte de gâchis. Elle perdait du poids, se négligeait et ne sortait presque plus. Seule son gourou, Lalla, venait lui rendre visite et l'encourageait à résister à tout prix à son mari, la poussant à se venger de tout ce qu'il lui avait fait subir pendant toutes ces années et d'avoir voulu la quitter. Il y avait dans le regard de Lalla quelque chose de pernicieux, comme si c'était elle la victime. Elle lui parla d'un nouveau sorcier venu du Sénégal, un homme assez jeune qui utilisait des herbes qu'on ne connaissait pas au Maroc. Il avait tellement de succès qu'il fallait attendre des jours avant de le rencontrer.

Malheureusement, il n'était pas question de laisser le peintre seul, ne serait-ce qu'une heure. Lalla était prête à faire le voyage jusqu'à Salé où le sorcier officiait, mais elle refusa. Après tout, elle n'en avait plus besoin. Son mari était là, il ne pouvait plus lui échapper et c'était ça la meilleure manière de le punir. De lui elle obtenait maintenant tout ce qu'elle voulait. Elle n'avait même plus besoin de sa signature pour retirer de l'argent à la banque. Elle avait trafiqué discrètement une procuration lui donnant pratiquement tous les pouvoirs.

Elle avait triomphé de lui, mais cette situation était moins confortable qu'elle ne le croyait. Il était certes tout à elle mais il la trompait avec sa maladie. Il était muet, glacial et la regardait à peine. Son drame se fixait là : quoi qu'elle fasse, il ne lui appartiendrait jamais complètement comme elle en avait rêvé. Il se donnait à son art, à ses amis, à sa famille, à sa maladie, plus jamais à elle. Sa frustration lui faisait mal. À présent, il n'y avait plus rien à sauver, à réparer. C'était la fin, une fin pitoyable pour tous les deux.

Couché sur le côté, la tête tournée vers le jardin de la maison de son ami, il observait durant des heures un malheureux figuier qui ne donnait plus de fruits depuis longtemps. Il fixait cet arbre, trapu, aux branches nues, un arbre gris qu'on aurait dû abattre, et éprouvait un profond chagrin à penser que son destin ressemblait à celui de ce vieil arbre qui ne servait plus à rien. Il se disait : « Si j'en avais encore la force, je le peindrais et l'appellerais "autoportrait". » Des larmes coulaient sur ses joues, mouillant l'oreiller. Il n'arrivait pas à les arrêter. Elles le soulageaient et annonçaient un début de délivrance, en même temps il détestait le contact de sa joue avec le tissu imbibé de larmes ; cela lui rappelait son père à la clinique qui s'était mis à pleurer en silence quand il avait réalisé qu'il allait mourir dans la journée. Il avait compris à la moue du médecin qu'il était foutu et qu'il n'y avait plus rien à faire. Cette scène avait beaucoup affecté le peintre. Voir son père qu'il admirait tant réduit à l'état de vieillard attendant une mort annoncée avait fait gronder en lui une colère sourde. Il s'était penché et avait essuyé les joues de cet homme qui s'en allait en pleurant comme un gamin.

Le personnage de Michel Simon en vieux peintre dépossédé et jeté à la rue dans *La chienne* de Jean Renoir lui revint à l'esprit tandis qu'il contemplait la mer depuis la terrasse de la maison d'Abdelslam. Il avait vu ce film quand il était très jeune et avait trouvé à l'époque cette histoire pathétique. Plus tard, il avait vu aussi la version américaine réalisée en 1945 par Fritz Lang, intitulée *La rue rouge*, avec un acteur qu'il appréciait beaucoup, Edward G. Robinson, mais il ne s'était pas plus intéressé au destin de cet artiste victime de sa passion et de sa naïveté. Pourtant, le parallèle était flagrant. Certes, contrairement au personnage du film, il n'aurait sûrement jamais accepté de peindre les ongles de pied de Kitty, la garce qui volait son talent. Il n'était pas dépossédé de son œuvre, juste empêché de la poursuivre. Il n'était pas non plus devenu ce clochard qui ouvre la portière d'une voiture dont le propriétaire vient d'acquérir une de ses œuvres. Mais, avec sa femme, et dans son fauteuil roulant, il vivait ficelé comme un paquet attendant sa livraison. Impossible désormais de se détacher, de rompre la corde, de libérer ses membres, de se lever pour fuir de cette prison et courir comme un cheval fou.

Cela faisait des mois qu'il n'adressait plus la parole à son ennemie. Désormais, il ne la regarderait même plus. Il l'ignorerait, s'absenterait en fermant les yeux quand elle s'approcherait de lui. Si elle l'interrogeait sur son état, il ne bougerait pas, ne ferait pas un geste, rien, pas même une grimace. Il vivrait dans son monde, totalement recroquevillé sur lui-même, maîtrisant son envie de répondre à sa guerre par une autre guerre. Sa victoire serait totale le jour où, à défaut d'avoir pu la quitter, il ne ressentirait plus ni haine ni mépris pour cette femme. Simplement, elle n'existerait plus.

Une mouche tournait autour de lui. Il leva le bras droit, bougea sa main, fit un petit mouvement. La mouche s'éloigna. Il prit un journal et attendit qu'elle revienne pour tenter de la chasser définitivement.

DEUXIÈME PARTIE

MA VERSION DES FAITS

Réponse à « L'homme qui aimait trop les femmes »

PROLOGUE

Idée fixe, troublante, amusante, diabolique. Je suis une mouche. Nerveuse et décidée. Gourmande et entêtée. Une mouche, ça ne vaut rien. On la chasse sans ménagement, on l'écrase quand on l'attrape. On la méprise, mais on la craint. Pas belle la mouche. Pas de quoi être fière. Pas une reine comme l'abeille. Noire, grise, sans pudeur, sans morale. Elle est libre et se joue de ceux qui lui courent après. Elle se moque de tout. Elle n'a pas de maison, pas de pays. Elle arrive avec le vent mauvais et s'installe sans la permission de personne. Seuls la pluie et le froid la découragent. Elle ose tout. Elle entre dans les salons huppés, dans les mosquées propres, dans les alcôves, dans les lieux intimes et secrets, dans les cabinets de toilette, dans les cuisines, les buanderies, partout où son instinct la guide. Elle dérange la toilette des morts, pique une chair morte puis s'en va vagabonder ailleurs. Elle mord la peau douce des bébés et se goinfre. Elle va partout et rien ne l'arrête. Libre et entêtée. Je me prends pour une mouche ce matin. Ça m'amuse. J'aime bien ce côté sans peur sans honte. Je fais la mouche pour ennuyer mon homme. Je la fais très bien. Quand je me pose sur le bout de son nez et qu'il ne peut pas bouger pour me chasser, je suis contente. Je ris en douce et je m'accroche. Je le chatouille, je le gratouille, je le malmène et j'aime ça. Ma petite vengeance. Enfin, disons : un petit bout de mon programme.

C'est fou ce que les hommes ont peur de la solitude. Quel péché! Moi, la solitude ne me fait pas peur. C'est même moi qui la crée, qui l'invente et la fais régner. Elle ne m'obsède pas. Je suis comme la mouche, j'ai un esprit d'indépendance qui ne souffre pas les compromis. Mon homme me trouvait rigide. Sans doute, mais je n'aime pas ce mot. Ça me rappelle la mort. Quant à la solitude, je m'arrange très bien avec elle. Pas besoin de geindre, de se lamenter auprès des autres qui sont au fond assez contents de vous mépriser. La solitude, c'est moi. C'est la mouche qui prend ses aises et ne bouge plus. Je suis cette solitude qui s'incruste dans la peau de mon homme. J'arrête de l'appeler ainsi. Il n'a jamais été « mon » homme, mais l'homme de toutes les autres à commencer par sa mère et ses deux sœurs, deux sorcières.

Aujourd'hui je suis une mouche. La solitude est là depuis longtemps, depuis son accident. Disons que je la charge un peu, je la dramatise tant que je peux. Je n'ai pas le choix. Je suce le sang au bout de ce gros nez. Je le dérange, je le bouscule, je l'insulte, je crache sur son corps, il ne peut rien faire, il ne peut plus bouger un bras, une main, un doigt. Il est otage *de la maladie et je m'active pour qu'aucun détail ne soit négligé.*

Je ne suis qu'une mouche, une mouche quelconque, stupide et entêtée. Je suis têtue. C'est dans mes gènes. Ma façon d'être. Les choses sont ainsi et pas autrement. C'est idiot, mais c'est ainsi. Il n'y a rien à faire. Mon homme piquait des crises de nerfs à cause de mon entêtement. Le pauvre! Il essayait d'éradiquer cet aspect fondamental de mon tempérament et n'y parvenait pas. J'étais, j'ai toujours été plus forte que lui. Comme la mouche. J'ai des yeux partout, je me méfie de tout le monde, et je ne crois que ce qui m'arrange. C'est ainsi et rien ne me fera changer d'avis. Une mouche, je suis une mouche redoutable.

MA VERSION

Avant de vous livrer ma version des faits, je dois vous prévenir que je suis mauvaise. Je ne suis pas née mauvaise, mais quand on s'attaque à moi, je me défends et par tous les moyens je rends coup pour coup. En réalité, je ne me contente pas de rendre les coups, j'en donne de nouveaux et de plus cruels. C'est ainsi, je ne suis pas gentille, je déteste les gens gentils, ils sont mous, flous et interchangeables. J'aime les relations directes, franches, sans hypocrisie, sans compromis. Oui, je suis rigide. La souplesse, je la laisse aux vipères, aux diplomates. Je n'ai pas honte de dire ce que je fais, car je suis une femme honnête. Je ne mens pas. Je vais droit au but. Je ne louvoie pas. Je suis sortie d'entre les pierres et les piquants. Je suis née sur une terre aride, sans eau, sans ombre. Chez moi, il n'y a pas d'arbre, pas de végétation. Mais il y a des bêtes et des hommes. Des animaux maudits et des femmes résignées. Contre cela je me suis révoltée. À la sécheresse j'ai répondu par la dureté. Les bêtes ne se font pas de politesses, que je sache. Je suis dure parce que les gentils crèvent en se demandant pourquoi les gens sont si méchants avec eux.

Je ne connais pas la peur. Je n'ai jamais eu peur. Je ne connais pas la honte. Celui qui voudrait me faire honte n'est pas né. C'est ainsi. Ni peur, ni honte. Je ne crains personne. Je suis prête à mourir n'importe où, n'importe quand. Je fonce et je ne regarde pas en arrière.

J'ai eu faim, très faim. J'ai eu soif. J'ai eu froid. Personne ne m'a secourue. Très tôt j'ai compris que la vie n'est pas une suite de soirées de gala où tout le monde aime tout le monde.

Je suis droite. Je me tiens droite. Je n'admets pas qu'on essaie de me plier ou de me trahir. La trahison est pour moi la pire des choses. Je suis capable de tuer celui ou celle qui me trahit. C'est ainsi. Je ne cache pas mon jeu. D'ailleurs je n'ai pas de jeu. Je vais jusqu'au bout de ma décision. Je suis de la nuit, du monde cruel où on ne pardonne rien.

Je me demande pourquoi j'ai éprouvé le besoin de vous avertir. Ça ne me ressemble pas. Je ne parle pas. J'agis. Là, j'ai parlé. Au risque de ne pas agir.

Je m'appelle Amina, je suis la femme dont parle cette histoire. Je suis grande, je mesure 1,76 m ; j'ai les cheveux châtains, c'est leur couleur naturelle. J'aime la vie, je suis bien dans ma peau et j'aime rendre service. Je n'ai pas fait d'études mais je suis curieuse et je m'instruis tout le temps, en lisant, en faisant des recherches. Tout cela, je le précise car je veux que vous sachiez qui je suis réellement. Mon époux a tellement triché avec la vérité.

Je viens d'un bled sec, une terre pourrie où rien ne pousse, que des pierres et des herbes sauvages qui piquent. Ce n'est pas un village, pas même un douar, mais un cimetière habité par des gens vivants. La couleur de la poussière est tantôt grise tantôt ocre. Ça dépend des jours. Elle colle sur l'herbe sauvage, sur le visage des gosses, sur les chats et les chiens affamés. Où se trouve mon village indiffère tout le monde. C'est un bled perdu qui n'a pas de nom. Certains l'appellent Bled el Fna, le village du néant. Aucun saint, aucun prophète ne s'y est arrêté. À quoi bon? Pour qui s'arrêterait-il? Pour de misérable paysans, pour des bêtes qui ne trouvent rien à manger? Le néant, oui, le village du néant.

Mon père voulait faire de moi une bergère; je lui ai obéi jusqu'à ce qu'un jour je découvre l'école. Au lieu de ramasser le bois et surveiller les vaches, j'ai suivi mon cousin à l'école qui se trouvait à une heure de marche du village. J'ai couvert ma tête d'un foulard gris et me suis mêlée aux autres enfants. Comme il en manquait toujours, l'instituteur n'a pas fait attention à moi jusqu'à ce que je me dispute avec une voisine qui refusait de me prêter un crayon et une feuille de papier. Je suis violente, je prends ce qu'on ne me donne pas, c'est ainsi. Je lui ai arraché son cartable et me suis servie ; elle a hurlé ; l'instituteur est intervenu et me voilà au piquet pour toute la matinée. Mon père a été mis tenu au courant de mon escapade. Il ne voulait en aucun cas que sa fille se mêle à des garçons dans une école. « À quoi bon apprendre à lire et à écrire ? m'a-t-il dit. Vaut mieux que tu apprennes comment accoucher une vache ou une brebis. » Ma mère n'était pas de son avis, elle voulait que je fasse des études pour que je sorte des ténèbres qui me rendaient parfois si triste. Elle n'avait pas son mot à dire. Mon père était gentil avec elle, mais il lui disait qu'il valait mieux que chacun reste à sa place. Il m'a interdit de retourner à l'école et m'a confiée à son oncle Boualem, un épicier de Marrakech qui m'a exploitée comme une boniche. Boualem était avare, très avare. Il passait ses journées dans son épicerie ; il comptait les boîtes de sardines, les déplaçait, les recomptait. Il ne se lavait pas souvent, se contentant des ablutions avant la prière — sa manière à lui d'être pieux ! Une toilette très superficielle. Ses vêtements sentaient la transpiration. Il était sec, pas un gramme de gras. On dit que les hommes secs vivent longtemps. Ma tante lui criait dessus. Une fois, il l'a frappée de manière féroce. Elle a pleuré. J'ai pleuré. Ce soir-là nous avons été privées de dîner. J'avais tout le temps faim. Une autre fois, je me suis introduite dans l'épicerie, qui communiquait avec la maison, et j'ai volé un pot de confiture. Je n'avais jamais mangé de confiture. Le lendemain, sans même me poser de question, il m'a administré une gifle qui m'a dévissé la tête. Je me suis dit : « C'est le prix du pot volé. »

Le jour où il m'a appris qu'il allait me confier à des étrangers, j'ai eu peur, en même temps j'ai ressenti comme un soulagement. Il m'a déposée devant une villa avec un portail qui s'ouvrait tout seul. Sur une pancarte était écrit : « Chien méchant ». Je me suis avancée doucement, mes affaires froissées dans un sac en plastique. J'ai vu arriver vers moi une dame qui avait du mal à marcher. Elle m'a dit : « Viens, mon petit, viens, je vais te montrer ta chambre. » Au début, je ne comprenais pas ce que je devais faire chez eux ; ils étaient très gentils avec moi, m'avaient acheté des habits neufs (oui, c'était la première fois que je portais des vêtements neufs ; d'habitude, ma mère m'habillait avec de vieux trucs qu'elle récupérait dans la famille) ; ils me donnaient à manger et m'invitaient à m'asseoir avec eux à table ; je ne savais pas comment me conduire, j'avais du mal avec le couteau et la fourchette, je mangeais avec les doigts, cela les choquait. J'ai dû apprendre à couper la viande et à la prendre délicatement avec la fourchette. Ils me parlaient de pays lointains, de voyages ; ils me disaient qu'ils étaient heureux d'être mes nouveaux parents ; je ne comprenais pas tout mais Zanouba, la bonne, me traduisait leurs paroles ; j'ai pleuré, j'ai déchiré ma robe bleue ; ils m'ont acheté d'autres robes et m'ont inscrite dans une école privée où nous n'étions pas nombreux. Ils m'accompagnaient en voiture, me donnaient un goûter enveloppé dans un papier blanc très brillant. À l'école, pas un mot ne sortait de ma bouche. Je faisais des grimaces, des gestes, j'ouvrais grandes mes oreilles et j'apprenais le français. Je retenais tout ; ma mémoire travaillait bien ; le soir, je récitais ce que j'avais appris la journée. Je mélangeais les mots et les choses. Quand j'avais trop envie de revoir mes parents, j'allais me blottir dans les bras de Zanouba qui me disait des mots gentils et me consolait. J'avais de la chance, me répétait-elle. Oui, de la chance d'être séparée de mes parents, de mes frères et sœurs. Moi, je ne regrettais pas le bled, mais je n'arrivais pas à oublier ma grand-mère. Mon retard scolaire compliquait les choses. Le couple français payait un jeune homme pour réviser avec moi ce qu'on m'enseignait à l'école. Il était beau. Je crois que je suis tombée amoureuse de lui. C'était un élève du secondaire. Je n'osais pas le regarder en face. Je dois admettre qu'il m'a bien aidée. J'ai appris à lire et à écrire avec lui. À partir de ce moment-là, tout a changé dans ma vie. Un jour, du sang a coulé dans ma culotte. J'ai eu honte. Heureusement, Zanouba m'a tout expliqué et s'est occupée de mon hygiène. J'étais amoureuse et je faisais soudain attention à ma manière de m'habiller. Je voulais attirer l'attention du jeune homme. Mais à l'approche de l'été, il est parti et je ne l'ai plus revu.

En trois ans, j'ai vu mes parents deux fois. Ils étaient venus m'apporter ma part d'huile et de miel que les cousins distribuaient au village.

Un jour, mes nouveaux parents m'ont expliqué qu'ils devaient repartir en France. Nous sommes allés au bled; je me sentais étrange et étrangère dans ce village où il n'y avait pas d'eau. Les enfants jouaient avec un chat mort et étaient couverts de mouches. Leur nez coulait et personne ne s'occupait d'eux. Mon père est venu à ma rencontre, je pensais qu'il allait m'embrasser comme le faisaient mes parents étrangers, mais c'est moi qui ai dû baiser le dos de sa main épaisse et qui sentait la terre sèche. Il m'a dit, sans me regarder directement : « Ma fille, on se retrouvera bientôt. » Puis il m'a parlé d'un voyage et de papiers à signer. J'ai vu des liasses de billets passer des mains du Français à celles de mon père. J'ai soudain compris ce qui se passait. Mon père m'avait vendue ! Quelle horreur ! Je me suis mise à pleurer. La dame m'a consolée. Elle m'a dit que mon père resterait toujours mon père. Ils n'avaient pas pu m'adopter, c'est pourquoi ils avaient besoin d'une lettre de mon père pour que je puisse partir avec eux. C'est ainsi que j'ai reçu mon premier passeport; il était vert; le type de la wilaya m'a dit sur un ton menaçant : « Attention, c'est un objet précieux, si tu le perds, on ne t'en donnera pas un autre, tu resteras sans passeport toute ta vie et tu ne pourras aller nulle part. » Alors que je sortais du bureau, il m'a rattrapée et m'a glissé à l'oreille : « Tu as de la chance que des Français s'occupent de toi, alors ne nous fais pas honte. N'oublie pas qu'avec le petit carnet vert tu représentes le Maroc ! » Il se trompait, je ne représentais personne, pas même ma mère qui me regardait m'éloigner sans réagir, peut-être pleurait-elle elle aussi. J'ai fermé les yeux et décidé de ne plus jamais repenser à ce bled de malheur.

Quelques semaines après, je suis partie avec les Français en bateau jusqu'à Marseille. Durant le voyage, ils ne se parlaient pas ; la mauvaise humeur régnait ; la femme pleurait en cachette. Elle m'a dit qu'elle n'avait pas envie de quitter ce pays magnifique mais que son mari devait rentrer pour s'occuper de ses parents malades et très âgés. Je me suis dit que c'était un bon fils. Mais il y avait autre chose qui n'allait pas dans ce couple qui n'avait jamais réussi à avoir d'enfants. Je sentais les choses et je n'arrivais pas à les nommer. Ils se disputaient pour un rien. La femme voulait commander, le mari protestait et moi je regardais ces scènes et pensais à mes parents qui n'élevaient jamais la voix.

Nous nous sommes installés dans un appartement pas très grand. Les voisins, des Arméniens, sont venus nous souhaiter la bienvenue en nous offrant des gâteaux à la pâte d'amande. Ils avaient une fille très belle, grande, brune, qui à dix-sept ans paraissait en avoir plus de vingt. Elle est rapidement devenue mon amie. Elle m'invitait souvent chez elle pour me montrer des photos qu'on faisait d'elle. Elle voulait devenir actrice. « Et les études ? lui ai-je demandé. — Pas besoin, pour jouer la comédie ! » m'a-t-elle répondu, hilare. Elle faisait des défilés de mode et avait pas mal de succès. Comme nous faisions la même taille, elle m'a dit : « Tu sais, si tes parents sont d'accord, tu devrais tenter ta chance. En ce moment on recherche les filles typées comme nous, c'est notre tour de devenir célèbres. Ne coupe surtout pas tes cheveux, laisse les pousser au contraire et fais-les gonfler comme une lionne. » J'ai trouvé ça marrant. J'aimais mes cheveux et j'en prenais soin, le henné leur donnait une belle couleur rouge avec des reflets marron. Ma copine s'est déshabillée, m'a demandé d'en faire autant et s'est mise à comparer nos mensurations, taille, poitrine, hanches… Elle a affirmé que si seulement je voulais m'en donner la peine, je ferais un malheur dans la mode.

J'allais au lycée et je travaillais sérieusement. Mes parents marocains ne me donnaient plus aucun signe de vie. Les Français, eux, avaient souvent la nostalgie du Maroc. Puis ils se sont perdus dans une histoire d'héritage compliquée après le décès des parents de mon père français. La plupart du temps, ils me laissaient assez libre et me faisaient une confiance absolue. J'en profitais pour accompagner mon amie arménienne à ses défilés. C'est comme ça qu'un type aux cheveux teints en rouge m'a demandé de marcher devant lui comme si j'avais une jarre pleine d'eau sur la tête. J'ai fait un effort d'imagination et j'ai marché avec précaution. Il a crié : « Attention, la jarre va tomber et se briser en mille morceaux ! ». J'ai repris mon souffle et marché normalement. Une femme m'a prise par la main, m'a déshabillé et m'a dit d'enfiler une robe bizarre où il y avait des trous ; en fait elle était transparente. Je ne voulais pas porter ce truc qui me dénudait. Alors elle m'a donné une autre robe plus présentable et m'a dit de faire le tour de la salle.

À dix-sept ans et demi, en quelques instants seulement, j'étais devenue mannequin ! Un travail plus qu'agréable d'où je repartais à chaque fois les bras chargés de cadeaux. Mes parents fermaient les yeux. À une seule condition, que je ne rate pas mon bac. Je n'ai pas écouté leur avertissement et en juin j'ai été renvoyée à la séance de rattrapage. Une gifle. Jamais je ne m'étais perçue comme une élève en difficulté. Je ne me rendais pas compte des lacunes parfois énormes que j'accumulais. J'avais un tel orgueil que j'étais convaincue que je saurais en un rien de temps compenser mon retard. Après tout, ce n'était pas ma faute si j'avais eu une scolarité chaotique et perturbée. Je ne savais plus qui j'étais : la fille de Lahbib Wakrine ou bien celle de M. et Mme Lefranc ? Arabe ou berbère ? Française ou belge ? Mme Lefranc avait des origines flamandes...

Je me suis présentée au rattrapage, j'ai eu

mon bac de justesse. Mes parents français ne m'ont rien dit. Inscrite en fac, je n'y mettais guère les pieds. Je préférais me perdre dans des choses beaucoup plus futiles et enchaînais défilés et shootings. J'étais majeure et je ne voyais pas le temps passer.

Et puis, ma copine arménienne a rencontré, je ne sais pas trop comment, un producteur qui l'a embobinée et lui a fait tourner des scènes osées dans des films qu'on ne voyait pas dans les grandes salles de Marseille. Elle s'est disputée avec ses parents et a disparu. Cette issue dramatique m'a tirée de mon rêve éveillé. J'ai plaqué ce sale milieu pour me mettre à étudier sérieusement l'histoire de l'art.

Mais soudain, du jour au lendemain, je me suis retrouvée toute seule. Mes parents français s'étaient séparés, sans que j'y prenne garde, j'étais si peu à la maison, il faut dire. Ils ont partagé tous les objets; j'étais au milieu. Mme Lefranc m'a demandé si je voulais partir avec elle ou rester avec son ex-mari. J'étais embarrassée. Le hasard a bien fait les choses. Un décret a autorisé le regroupement familial. Mon père, qui s'était installé à Clermont-Ferrand, a décidé de ramener auprès de lui sa femme et ses deux autres enfants. Oubliant mes tristesses d'antan et la douleur que j'avais ressentie d'être abandonnée, j'ai soudain eu envie de les rejoindre. L'adoption avortée n'avait été qu'une parenthèse qui m'avait permis de suivre une scolarité plus ou moins normale. Mes parents étaient toujours mes parents. Je m'appelais Amina Wakrine même si les Lefranc m'appelaient Nathalie. Je n'ai jamais su, d'ailleurs, pourquoi ils avaient choisi ce prénom. À l'école, tout le monde m'appelait Natha. Le type aux cheveux rouges, quant à lui, voulait m'appeler Kika. Pourquoi pas ? Je changeais peut-être de prénom tout le temps, mais j'étais restée la même, la fille de mes parents.

En arrivant à Clermont, j'ai eu une crise de panique. Cette ville m'est apparue semblable à une prison. Laide, grise, étouffante. Envie de fuir, de la quitter et de ne plus y retourner. Devant mon désarroi, mon père a eu la sagesse de ne rien dire et a accepté que je parte à Paris poursuivre les études que j'avais commencées à Marseille. Il m'a ouvert un compte en banque et y a déposé une partie de l'argent que les Français lui avaient donné. C'était une somme importante, d'autant qu'elle était augmentée des mandats que Mme Lefranc m'envoyait depuis le divorce. Ce départ pour Paris fut un tournant pour moi. J'étais enfin indépendante, libérée de mes remords à l'égard de mes parents. J'étais bien décidée à en tirer le meilleur parti possible. Loin de moi l'idée du grand ratage qui m'attendait avec le peintre, des années plus tard.

À Paris, je l'avoue, j'ai très vite eu des amoureux, des flirts. Mais je restais chaste, je voulais arriver vierge au mariage. Allez savoir pourquoi une fille rebelle comme moi, qui avait connu des moments difficiles dans la vie, tenait tant à garder cet hymen intact. La tradition, les coutumes étaient plus fortes que moi.

De tout cela, mon futur mari n'a jamais rien su. Je n'ai pas voulu le lui raconter et lui me posait rarement des questions sur cette période de ma vie. Peut-être considérait-il que tout ce qui s'était passé avant notre rencontre appartenait à la préhistoire, à la *jahilia* (l'ignorance), comme on dit pour les siècles qui ont précédé l'arrivée de l'islam?

J'ai revu une seule fois Mme Lefranc. Elle était dans une maison pour personnes âgées. En fait, elle n'était pas très vieille mais n'avait personne pour s'occuper d'elle ou lui tenir compagnie. Elle m'a serrée dans ses bras et j'ai senti qu'elle pleurait. Quand je suis partie, elle m'a confié une petite valise. Elle m'a dit : « Tu l'ouvriras le jour de ton mariage. » Je n'ai pas pu résister. À peine rentrée chez moi, je l'ai ouverte. J'ai été impressionnée : elle contenait des bijoux, des photos, un carnet avec des adresses dont certaines étaient biffées, une robe marocaine qu'elle avait dû acheter à la kissaria de Rabat, et enfin une lettre fermée à remettre à Maître Antoine, notaire, 2 *bis* rue Lamiral, etc. Je ne l'ai pas décachetée. Je l'ai toujours dans un dossier. Un jour, j'irai voir Maître Antoine...

LE MANUSCRIT SECRET

Vous vous demandez comment j'ai pris connaissance de l'existence du manuscrit que vous venez de lire et auquel je vais répondre point par point? En le volant. Oui, en le volant. Je savais que son meilleur ami, écrivain à ses heures, préparait quelque chose. Mais je me doutais bien qu'ils cacheraient le fruit de leur travail. Alors je les ai patiemment espionnés, en m'arrangeant pour qu'ils ne s'aperçoivent de rien. Voici comment ils s'y prenaient. Pendant environ six mois, son ami lui a rendu visite discrètement très tôt le matin. Ils parlaient longtemps ensemble, puis l'autre ouvrait son ordinateur portable où il mettait en forme leur conversation. Quand il était satisfait du résultat, il imprimait aussitôt les pages de cette curieuse biographie et les portait dans le coffre de l'atelier, dont je n'avais évidemment ni la combinaison ni la clé. Il y a un mois, j'ai profité du jour où mon mari devait se rendre à la clinique pour des examens, et j'ai appelé un serrurier qui m'a ouvert le coffre. Normal, je suis chez moi, aucun serrurier ne refuserait d'ouvrir un coffre dont on a perdu la clé ou oublié le code. J'ai pris tout ce que j'y ai trouvé, une vraie razzia. Avant de s'en aller, le serrurier m'a dit de choisir mon code. Je suis maintenant la seule à pouvoir l'utiliser. Le manuscrit était dans une chemise sur laquelle était écrit en rouge « confidentiel »; je me suis régalée. J'ai tout lu et annoté en une nuit. J'étais folle de rage mais mon désir de vengeance prenait pour la première fois toute sa légitimité. Son ami n'est plus revenu. Je crois qu'il est tombé gravement malade. Mes prières ont porté leurs fruits.

Quand mon mari s'est rendu compte de ce que j'avais fait, il n'a pas réagi. J'ai cru l'entendre protester tout seul. Je suis arrivée avec une tisane, il a refusé de la prendre d'un signe des yeux, puis m'a fait comprendre qu'il fallait le laisser. En sortant, j'ai fait tomber exprès un pot de peinture sur une toile inachevée. J'avoue avoir regretté ce geste mesquin. J'ai gâché une œuvre qui aurait pu un jour me rapporter pas mal d'argent. Mais passons. On ne fait pas toujours ce qu'on devrait faire. Chez moi, l'instinct prend souvent le pas sur la raison.

Foulane possédait une collection de manuscrits arabes rares. Il en était fier, les montrait aux visiteurs et en parlait avec éloquence. J'ai profité d'une matinée où il était parti à la clinique pour un contrôle et je les ai volés. Je les ai mis chez Lalla, qui possède un grand coffre.

Un jour ou l'autre, je les utiliserai comme monnaie d'échange. Je me suis arrangée pour qu'il constate leur disparition, ce qui l'a mis dans tout ses états. Il est devenu rouge, tout son corps tremblait comme s'il était secoué par une crise d'épilepsie. Je me suis mise devant lui, tout en savourant cette victoire, je lui ai dit :

— À présent, tu vas payer. Je ne te lâcherai jamais. Ce n'est qu'un avant-goût de ma vengeance. Tu ne reverras jamais tes chers trésors. Le jour où j'y mettrai le feu, je t'emmènerai assister à leur destruction ! Tu seras coincé dans ton fauteuil et tu ne pourras rien faire.

Je vais prendre les choses dans l'ordre, comme dans un rapport de police. Pas d'état d'âme, pas de sentiment et pas de cadeau. La lecture de ce texte m'a donné une énergie que je n'aurais pas soupçonné avoir. La guerre me va bien. Je me sens vivre. Je tue et je ne cesse d'aiguiser mes armes. C'est une lutte à mort. Normal, après voir lu tout ce qu'il a fait et dit, je n'ai plus aucun scrupule pour hâter sa mise à mort. Je ne suis pas très cultivée, je n'ai pas de grands diplômes, je ne suis pas sophistiquée, je suis nature, directe, sincère. Je déteste l'hypocrisie. Je n'enveloppe pas les choses dans du velours ou de la soie. Je laisse ça à sa famille. Venons-en aux faits.

J'espère que vous avez remarqué qu'à aucun moment je ne suis nommée par mon prénom ou mon nom dans ce manuscrit. Pour lui, je ne suis rien, du vent, de la buée sur une vitre, rien, pas même un fantôme. Son père déjà avant lui ne nommait jamais sa femme. Il l'appelait juste « femme » et elle accourait. Eh bien, moi, je vais faire de même. Dorénavant, j'appellerai mon mari « Foulane », c'est par ce mot qu'en arabe on désigne un « individu quelconque ». Je sais, c'est un peu méprisant, disons péjoratif. « Foulane », c'est n'importe qui, le premier venu, un homme parmi tant d'autres, sans qualité particulière. Quand on parle vite on avale le « ou » et on dit « Flane », celui dont on ne connaît ni le nom ni les origines. Et pourtant, ce sont ses origines qui ont tout fait rater. Il parlait souvent de l'importance des racines, il disait en prenant la pose du philosophe : « Nos racines nous suivent partout ; elles nous révèlent, nous dévoilent et trahissent tous nos efforts pour paraître ce que nous ne sommes pas. » Un jour, j'ai compris que derrière ce charabia il disait du mal de mes origines paysannes : fille d'immigrés pauvres et analphabètes. Il n'aimait pas les pauvres. Il faisait l'aumône et avait souvent l'air dégoûté. Il donnait de l'argent à son chauffeur qui devait aller au cimetière où sont enterrés ses parents et distribuer de l'argent aux mendiants. Le vendredi, il demandait à la cuisinière de préparer un grand plat de couscous pour l'envoyer à des nécessiteux. Il s'acquittait ainsi de son devoir de bon musulman. Après ça, il avait bonne conscience pour peindre des toiles où il imitait

des photos qu'il nommait sans honte « Bidonville I » puis « Bidonville II », etc.

Ce roman — les pages que j'ai lues forment
apparemment un roman, du moins c'est ce que
lui ou son ami, le scribe, a écrit sur la première
page sous ce titre ridicule, *L'homme qui aimait
trop les femmes* —, ce roman, oui, qu'espérait-il
en faire ? Le publier ? Mais à quoi bon ? Qui lirait
ce tissu de mensonges, ce grand n'importe quoi ?
Tout y est falsification, en commençant par le
titre, un grossier pastiche du film de Truffaut,
L'homme qui aimait les femmes. Foulane y a juste
mis son grain de sel en ajoutant le « trop », pour
faire son malin. Quant à son ami, c'est loin
d'être un grand écrivain. Ses livres, il les publie
à compte d'auteur, personne ne les achète, et il
les entasse dans son garage. Leur manuscrit
n'est qu'une longue suite de contrevérités et
d'allégations plus inadmissibles les unes que les
autres. Quand on arrive à la dernière page, on a,
n'est-ce pas, la conviction que je suis entièrement responsable de son accident cérébral.
C'est horrible d'insinuer une telle énormité.
C'est irresponsable et criminel, non ? Je suis ma-
ligne, peut-être intelligente, bien qu'il n'ait jamais voulu le reconnaître, mais criminelle, non,
certainement pas !
Quand je l'ai rencontré, il souffrait déjà de
migraines, de tension artérielle aiguë, de tachy-
cardie et d'autres problèmes d'ordre nerveux.
C'est héréditaire, je n'y suis pour rien. Vous

avez remarqué qu'avant de raconter la scène qui a précédé son accident vasculaire — scène qui n'a existé que dans son imagination d'artiste grisé par le succès, je le précise — il me consacre quelques belles pages, jusqu'à dire qu'il m'aime. N'en croyez surtout rien, il était incapable du moindre compliment, pas un mot gentil le matin, pas un geste de tendresse au coucher, rien, il vivait dans son monde et je devais exister dans son ombre, me faire toute petite dans son ombre. Ah, cette ombre omniprésente, pesante, noire, elle me suivait partout, me harcelait, se penchait sur moi et me glaçait; elle me figeait dans mon coin. Une ombre ne parle pas. Elle plane, menace et vous écrase. Le matin, je me levais épuisée, vidée; l'ombre m'avait persécutée toute la nuit. Je n'avais personne à qui me confier, et puis qui m'aurait crue? Frappée par une ombre! Les gens m'auraient prise pour une folle, ce qui l'aurait bien arrangé. Dire un mot doux devait lui coûter. Alors il s'abstenait, se fermait sur lui-même, et quand il voulait faire l'amour, il tendait la main pour gratter mon genou. C'était le signal, sa façon tendre de demander, pour me préparer à le recevoir comme si j'étais là à sa disposition, toujours prête, tout le temps disponible, car Foulane devait se dépêcher de crainte que son érection ne ramollisse. Oui, il était pressé d'accomplir son devoir hygiénique. Il me pénétrait en forçant un peu, allait et venait en moi telle une mécanique programmée pour une poignée de minutes, pour ensuite s'essouffler comme un jouet dont les piles sont mortes.

Il ne m'a jamais offert de roses, par exemple. Des fleurs c'est simple, ça fait plaisir, ça dit quelque chose. Lui, pas de fleurs. Ce n'était pas son langage. Pas la moindre attention. De temps en temps, en rentrant de voyage, comme pour se faire pardonner, il m'offrait un bijou, un collier ou une montre. Mais il s'arrangeait d'une façon ou d'une autre pour que j'en connaisse le prix. Il était ainsi, mesquin, petit. Il vivait dans son monde, dans sa bulle d'artiste à succès, sauf qu'il oublie de dire que le succès est arrivé à partir du moment où nous nous sommes rencontrés. Il n'a jamais admis que sa vie et sa carrière ont prospéré avec notre mariage. Je lui ai apporté la stabilité, l'inspiration et je prétends même être pour beaucoup dans le changement radical de son style. Avant notre rencontre, ses toiles relevaient d'un réalisme plat, sans âme, sans imagination. Il recopiait ce qu'il voyait. C'était de la photographie améliorée. Mais, comme vous le savez, il ne fallait surtout pas le lui dire, sinon il devenait furieux. Avec moi, il a osé s'éloigner de ce style et de ses techniques. Ses toiles sont devenues vivantes, folles, riches, humaines. Jamais il n'a eu l'honnêteté de reconnaître ce que ma présence lui apportait, ce que ma sensibilité lui offrait. Quand nous habitions Paris, je m'occupais de la maison, des enfants, de tout; lui, il s'enfermait dans son atelier qui se trouvait dans un autre quartier. Atelier? Oui et non. J'ai toujours su qu'il utilisait ce lieu pour recevoir des femmes, des putes, ou des jeunes filles innocentes qui se pâmaient devant ses toiles. Un jour, je lui ai demandé : « Pourquoi as-tu installé un lit dans ton atelier ? — Évidemment, pour que l'artiste se repose », m'a-t-il répondu. Mais il ne se reposait pas seul. Il avait toujours parmi ses connaissances une ou deux femmes prêtes à sauter dans un taxi et le rejoindre pour faire ensemble ce qu'il appelait la sieste. Tout cela je le savais et je faisais un effort surhumain pour ne pas passer et provoquer le scandale que toute épouse normale aurait provoqué. J'étais une gourde, une naïve. Je n'avais pas peur de ce que j'allais découvrir, je n'ai jamais peur, c'est un sentiment que je ne connais pas. Non, je ne voulais tout simplement pas le déranger ; oui, j'avais cette attention, je savais qu'il travaillait beaucoup et je ne voulais pas envahir son atelier parce que je savais que ma colère serait terrible et difficilement maîtrisable. Mais un jour, alors qu'il était en voyage, je me suis aperçue qu'il avait oublié les clés dans son cartable. Je n'ai pu résister à la tentation d'aller visiter cet antre où il me trompait à longueur d'année. J'ai ouvert, j'étais mal à l'aise, je tremblais un peu, je me préparais à recevoir en pleine figure les éclaboussures d'une réalité que je me refusais de voir. Le lit était défait, une toile à peine entamée, sur la petite table une bouteille de vin à moitié vide, deux verres dont l'un portait une empreinte de rouge à lèvres. Bref, du classique, banal, de l'adultère dans toute sa splendeur avec en prime un flacon de mon propre parfum dont il devait asperger sa victime, dans le but de rester en territoire connu. Je suis allée directement à la poubelle, mon instinct me guidait, et j'ai trouvé deux préservatifs pleins de sperme. L'imbécile, au lieu de les jeter dans la cuvette des toilettes ou de les emporter dans du papier pour les balancer hors de l'atelier, il laissait derrière lui des preuves irréfutables. J'aurais voulu en recueillir un peu dans un flacon pour le donner à un de mes sorciers, mais comment faire ? Du sperme de Monsieur ! Idéal pour une potion qui rend impuissant. J'ai ensuite ouvert ses tiroirs. Des lettres d'amour quasi pornographiques, des photos de toutes sortes, des cadeaux, des fleurs séchées entre deux feuilles avec les empreintes d'une bouche en cul de poule, et parfumée au Chanel n° 5. Je me suis assise dans son fauteuil, j'ai allumé une cigarette, j'ai ouvert une bouteille de vin (bien meilleure que ce qu'il rapportait à la maison), et je me suis mise à réfléchir. Je ne pouvais pas faire comme si cette visite et ces découvertes n'avaient pas eu lieu, je n'allais pas lui pardonner, oublier ce que j'avais vu et accepter de vivre avec un homme qui menait sa vraie vie dans ce trou pourri. Réagir. Calmement. Réagir afin de mettre un terme à cette situation anormale. Il se moquait de moi, et cela depuis le premier jour. Je le savais, mais là toutes ces preuves me donnaient envie de vomir. Il fallait que je passe à l'action au plus vite. Je me disais : « Pour une fois, je vais me conduire de manière planifiée et rationnelle. Le vin est bon, je suis calme, je dois décider très exactement ce que je vais entreprendre. Je le vois déjà revenir, avec son sourire en coin, sa bedaine en avant, son air canaille, sa superbe, et j'ai envie de lui crever les yeux ou, mieux, lui couper les mains, comme on fait aux voleurs en Arabie Saoudite. Un peintre sans mains, pas mal ! Non, il vaut mieux s'attaquer à ses parties génitales. Il n'y a pas grand-chose à couper, mais il faut qu'il ait mal. Bon, arrêtons de délirer, je ne vais pas faire couler le sang. La meilleure chose à faire est de garder le silence sur ce que je viens de découvrir, pour mieux le détruire quand j'en aurai créé les conditions. Je ne sais pas si j'arriverai à me taire. J'ai le sang chaud. Mais une chose est sûre, il ne me touchera plus. Dans un premier temps, je vais lui coller la peur au ventre ; il vivra avec cette peur qui le rongera de l'intérieur, il aura une vie pleine de trous causés par la peur. J'ai passé les dix premières années de mon existence à me guérir de la peur ; c'était une question de vie ou de mort, alors la peur, ça me connaît, c'est même ma spécialité. J'ai éprouvé la sécheresse, la soif, la faim, la survie dans la canicule, la survie dans le froid glacial, la survie en me battant avec les vipères, les scorpions, les hyènes... je n'avais pas le choix. Ma peur, je l'ai domptée et je sais maintenant la transmettre aux animaux comme aux humains. »

J'ai ramassé tout ce que j'ai trouvé et me suis adressée à un avocat pour lui demander si c'était suffisant pour pouvoir demander le divorce. J'ai appelé aussi ma mère qui a proposé de faire le voyage jusqu'au sud du Maroc pour parler avec l'un de nos ancêtres au pouvoir extraordinaire. « Lui saura comment punir Foulane. Dans notre famille, c'est la solidarité qui prime. » Tout le monde a été averti. Il fallait laver l'affront, la honte. Il fallait qu'il paye. Un de mes frères a proposé de lacérer ses toiles, l'autre de lui envoyer deux voyous pour lui donner une leçon. J'ai dit non. Cette affaire devait être traitée par moi et rien que moi !

À son retour de voyage, Foulane a fait mine d'être fatigué, ah, sa fameuse migraine. Je lui ai demandé où il avait été, il m'a répondu : « Tu sais très bien, à Francfort, pour discuter avec la galerie Impact de la prochaine expo. Ç'a été très dur, la ville n'est pas belle, les gens sont gentils mais j'ai fait vite parce que j'avais envie de rentrer chez nous. Bon, qu'est-ce qu'il y a à dîner ? »

Sans hésiter je lui ai répondu : « Des capotes anglaises à la sauce blanche pourrie, avec des cheveux d'ange mélangés à de la sueur et quelques gouttes de Chanel n° 5. »

Il n'a pas ri. Il est resté figé dans son fauteuil. Il a ramassé un magazine qui traînait par terre et s'est mis à le feuilleter. Là, je lui ai lancé un grand verre d'eau à la tête, j'aurais préféré un verre de vinaigre, mais c'est tout ce que j'avais sous la main. Je déteste qu'on ne réagisse pas. Il s'est levé, s'est essuyé le visage en gardant son calme et a quitté la maison. Cinq minutes après il est revenu, toujours calme et silencieux, a pris quelques affaires de rechange, les a fourrées dans la valise qu'il n'avait pas encore défaite et est reparti.

Plus tard, je l'ai appelé à son atelier, je l'ai insulté, j'étais en larmes, et je l'ai menacé de le poursuivre en justice. En fait, je disais n'importe quoi. J'avais mal, très mal. La trahison est une chose terrible, une humiliation insupportable. Inacceptable. Les enfants m'ont entendue crier et pleurer. Ils sont venus dans mon lit et ont dormi à mes côtés en murmurant : « Maman, nous t'aimons. »

Il vécut trois mois dans son atelier, son bordel pour être précise. Il reçut une lettre de mon avocat destinée à lui faire peur. Ça aussi, il se garde bien de le raconter dans son manuscrit. Et puis un jour, parce que je l'aimais encore, oui, je l'avoue, j'ai craqué et j'ai débarqué dans son refuge et me suis glissée dans le lit. Je me souviens très bien, il regardait un film à la télé, il ne me repoussa pas, nous fîmes l'amour sans prononcer un mot, et le lendemain je l'avais récupéré, il revenait à la maison, et tout recommençait entre nous. Grave erreur. Ma mère me désapprouva. Elle dut repartir au fin fond du Maroc suspendre les démarches du grand ancêtre. Il valait mieux récupérer ce mari en bon état, me dit-elle.

Je pensais que Foulane avait compris, qu'il allait dorénavant se conduire correctement. Il reprit très vite ses habitudes de célibataire, sans se soucier de ce que je pouvais ressentir. Il voyageait, sortait le soir pour des dîners « de travail »; il rentrait tard, et je sentais sur lui le parfum d'autres femmes. Je ne disais rien, j'avalais des couleuvres. Je regardais mes enfants et je pleurais en silence. Quand il couchait avec une autre femme, il se précipitait toujours à la salle de bains et prenait une douche. Normalement, il se douchait le matin comme tout le monde. Quand j'essayais de m'approcher de lui, il ne bandait pas. Toute son énergie avait été pompée par une autre. Il avait les couilles ramollies, la quéquette en piteux état. Il était vidé, complètement vidé. C'était inadmissible! J'ai supporté cela durant des années. J'étais incapable d'en faire autant. Ma morale, mes principes, mon éducation ne me permettaient pas de le tromper. Chez nous, une femme qui trompe son mari n'a plus aucun droit, elle est mal vue même si elle est victime d'un époux violent et menteur. Tout le monde connaissait au village l'histoire de Fatna, l'unique femme de la tribu qui avait osé avoir un amant. Elle fut expulsée du village. Elle vécut quelques années en mendiant dans les rues de Marrakech, jusqu'à ce qu'elle se jette sous les roues d'un autobus pas loin de la place Jamaa el

Fna. Pauvre Fatna! Que Dieu ait son âme et lui pardonne!

J'aurais voulu moi aussi avoir des aventures, multiplier les amants, mais à aucun moment mon âme, mon orgueil, ma fierté ne me l'ont permis. Mes copines m'y encourageaient, m'incitaient à me venger, à lui rendre chaque trahison au quintuple, mais je résistais. Je n'étais même pas attirée par d'autres hommes. J'aimais mon mari et je ne voulais pas me donner à quelqu'un d'autre. Des hommes beaux, intéressants, libres, généreux me faisaient la cour. Je les rejetais, les repoussais tout en étant fière de susciter tant d'attraction. On me disait : « Tu es très séduisante, tu es belle, et ton mari te délaisse, c'est un crime punissable par l'amour, l'amour ailleurs. »

Je l'aimais et ne le lui montrais pas; question de pudeur. Mes parents ne se sont jamais embrassés devant nous, ne se disaient pas des mots tendres. Alors c'est quoi cet amour? Il a été le premier homme dans ma vie; je ne compte pas la période marseillaise où je ne me sentais pas moi-même. Avant, j'avais flirté avec des copains, sans plus. Lui, m'intimidait, me dominait. Il fallait inverser le rapport, alors j'ai osé le défier, le faire tomber de sa position. Ce que j'aimais chez lui, c'était sa maturité, son expérience, sa notoriété. Je le voulais à moi toute seule, c'est normal, aucune femme n'accepte de partager son homme, pour moi une femme qui couche avec un homme marié est une perverse, une putain, une traînée. Je les reconnais, et je les méprise. Il m'est arrivé d'échafauder contre ce genre de femmes des plans avec la rigueur d'un serial killer, préparant avec minutie les différentes étapes du crime. Oui, je prendrais mon temps, je les ferais tomber dans un piège et les défigurerais l'une après l'autre. J'adorais imaginer la scène jusque dans les moindres détails, comment les approcher, comment les mettre en confiance et surtout comment ne laisser aucune trace, le crime parfait. Une femme serial killer ! J'en ai rêvé, mais bien sûr je ne suis jamais passée à l'acte.

Vous ne me croirez pas, mais je n'ai jamais trompé Foulane. Ça, il le sait, et il est étrange que dans son « roman » il laisse planer le doute sur ma fidélité. Quel culot de me soupçonner ! Il est vrai que je sortais beaucoup avec mes copines, et que, comme il voyageait en permanence, j'avais tout loisir de le tromper. Mais jamais je n'ai franchi cette frontière. Aujourd'hui, j'avoue que je le regrette. J'ai été une pauvre idiote, attachée à des principes qui me pénalisaient. Je pensais à Fatna, mais nous n'étions pas dans le village de la vertu. À l'époque, nous vivions à Paris, nous avions une vie sociale, nous sortions souvent, lui était en vue, moi, je le suivais, j'étais la jolie chose qui l'accompagnait. Lors d'une réception à l'Élysée, il ne trouva rien de mieux que de me tourner le dos juste au moment où il parlait avec le président. Contre toute attente, François Mitterrand interrompit soudain leur conversation et s'adressa à moi en me faisant un grand sourire. Il me demanda d'où je venais, ce que je faisais comme études. Quand je lui appris que j'étais l'épouse de l'artiste avec lequel il venait de parler, il me dit : « Oh! Je comprends à présent, vous êtes sa muse! » Oui, c'était cela. J'étais sa muse, son esclave, sa chose, sa jolie petite chose qu'il exhibait dans les réceptions. Au début, cela me gênait, ensuite j'ai pris l'habitude. Personne ne pouvait me donner de complexes. Je savais qui j'étais et ce que je valais. Pas besoin de faire semblant, de faire l'hypocrite comme ses belles-sœurs, toutes refaites, mal dans leur peau, grosses, grasses, sans charme. Je les voyais se pavaner dans les mariages, et moi, isolée dans mon coin, j'étais l'étrangère, la vilaine graine dont il fallait se méfier. J'étais la mauvaise tache dans l'air limpide d'une société rompue à l'hypocrisie et au paraître.

La liste des humiliations que j'ai subies est longue. Je vous dis tout, je n'invente pas, je ne fais pas du roman, moi. Je vide mon sac, il était plein et commençait à puer. Lui, il aime arranger les choses, surtout pas de scandale, pas de bruit, on se calme et on devient souple. « Un œil qui voit et l'autre qui ne voit pas », comme dit Foulane. Mais j'ai toujours eu les yeux grands ouverts. Je ne suis pas souple, je ne le serai jamais. C'est quoi, être souple : tout accepter et baisser la tête? Non, ça jamais!

NOTRE MARIAGE

Revenons au début. Notre mariage. Quel désastre! Ah, ce vendredi d'avril, je m'en souviendrai toute ma vie. Toutes les mariées se souviennent de ce jour avec bonheur, sauf moi. Ce vendredi restera éternellement un jour noir, un jour triste, un jour où j'ai tant pleuré. Les jeunes mariées pleurent par tradition parce qu'elles quittent leur famille pour entrer dans une autre, moi je pleurais parce que je quittais ma famille pour une descente aux enfers insoupçonnable.

Je vous dresse le décor.

Mes parents avaient loué une maison de fête dans les environs de Casablanca. Cela leur avait coûté très cher. Ils voulaient faire bonne figure devant la belle-famille dont les racines citadines les intimidaient. Les gens de Fès se croient supérieurs à tous les autres Marocains. Ils regardent le reste du Maroc de haut, comme s'il n'y avait que leur culture, comme si leurs traditions devaient être adoptées par tout le monde, comme si tout le Maroc devait cuisiner comme eux, s'habiller comme eux, parler comme eux. Leur intolérance est naturelle, leur mépris affiché; ils ne sont pas méchants, juste cyniques. Mes parents ne voulaient pas de ce mariage pour toutes ces raisons. Mon père, qui parlait peu, a dit à ma mère qui me l'a répété : « Nous ne sommes pas pour eux, et ils ne sont pas pour nous. » Il a ajouté : « Je ne suis pas certain que notre fille sera heureuse dans cette famille, que le mari soit plus vieux qu'elle, à la limite, ça passe, mais sa famille me fait peur, je ne saurai jamais comment les recevoir ni comment me conduire, ce sont des gens d'un autre monde et nous, nous sommes des gens simples, sans prétention. C'est à se demander si nous croyons au même Dieu! Voilà, dis-lui qu'elle fait comme elle le sent. Dis-lui que je suis triste. »

Je me souviens de cette discussion avec ma mère, je ne pouvais pas être en désaccord absolu avec elle parce que je savais qu'elle avait un peu raison. Mais c'était trop tard : j'étais amoureuse. C'est quoi être amoureuse pour une gamine qui s'est très tôt frottée à toutes les formes de la misère? Je pensais à lui comme si je vivais un conte de fées moderne. Je biffais les défauts qui m'apparaissaient; je croyais qu'il allait être à la hauteur. En fait, l'amour est une invention romanesque. J'avais lu plusieurs romans dont l'intrigue se passait au dix-neuvième siècle en Écosse. Je rêvais de ces paysages pluvieux, de ces personnages délicats, de ces déclarations pleines de poésie et de promesses. Je me prenais pour une de ces héroïnes et j'y croyais. Le passage à la réalité a été dur. Très dur.

Je me souviens, un jour, avant qu'on ne se fiance, il m'attendait dans son appartement de la rue Lhomond à Paris. J'avais pris le train et, arrivée à la gare Saint-Lazare, j'ai senti une boule énorme peser sur ma poitrine. Pour la première fois de ma vie j'ai eu peur. Je suis entrée dans un café, j'ai demandé un thé et je suis restée des heures à fumer, seule, à penser et à dérouler le film de ma vie future. J'avais une certaine capacité à prédire mon avenir. Même amoureuse, je ne me faisais pas d'illusions. Je voyais sa famille ne rater aucune occasion pour me rappeler mes origines et mon inadéquation dans ce tableau familial. Je savais qu'il n'allait pas me défendre, qu'il était acquis aux idées de sa famille. Je voyais bien que je faisais une erreur, mais je me disais bêtement que s'il était écrit que je devais l'épouser, je l'épouserais. J'étais jeune, très jeune, sans expérience avec les hommes, j'avais aussi lu des romans français et je m'identifiais à ces personnages de la petite-bourgeoisie de province et je simulais, comme eux, une vie intérieure intense.

Foulane m'attendait, je ne l'ai pas appelé pour le prévenir de mon retard, je n'avais pas envie d'aller à ce rendez-vous, je savais que si je franchissais ce pas, j'étais perdue. Quand mon paquet de cigarettes a été vide, je me suis levée, j'ai regardé les horaires de retour, il n'y avait pas de train avant 22 h 10, il était 20 heures. Je me suis mise à marcher, j'ai pris le bus 21, je suis descendue boulevard Saint-Michel et me suis dirigée vers son appartement.

Il faisait froid, je portais un manteau léger, je grelottais. Il m'a enlacée, m'a embrassée, m'a réchauffée, a cuisiné un poisson délicieux et puis nous avons fait l'amour. C'était la première fois que je me donnais à lui. Au milieu de la nuit, j'ai voulu fumer, il est sorti en voiture et est allé m'acheter des cigarettes. Il en a profité pour rapporter des brioches pour le matin. Le lendemain, j'avais cours à l'université. Je suis arrivée en retard, le professeur de philo m'a gardée après le cours. Il m'a fait comprendre qu'il apprécierait beaucoup que j'accepte de dîner avec lui, n'importe quel jour de la semaine, sauf le samedi et le dimanche, jour où il recevait ses enfants, car il était divorcé. Par défi et par curiosité, j'ai accepté de le voir un vendredi. Son plan était clair, il voulait que je devienne sa maîtresse. Il était bel homme, intelligent et assez séduisant. J'ai repoussé ses avances répétées, puis je me suis levée pour partir, prétextant l'horaire de mon train. Il m'a attrapé la main, l'a baisée et m'a dit : « Ne t'en fais pas, je te conduis. » J'avais beau lui expliquer que c'était loin, trente kilomètres de Paris, il insistait, comptant sur ce trajet pour tenter de me convaincre de renoncer à ce mariage. Tout le monde savait que j'allais me marier avec un artiste très connu. Un journal l'avait même annoncé.

Un mois plus tard, Foulane a débarqué à Clermont-Ferrand chez mes parents, accompagné de six de ses amis les plus proches, pour faire officiellement la demande en mariage. C'était un samedi, mon père ne travaillait pas. Les choses se sont bien passées, je dirais mieux que la cérémonie du mariage. Ses amis ont découvert ce qu'est une habitation d'immigrés. Ils ont bien vu que nous étions des gens modestes. Cela n'avait jamais été un problème entre Foulane et moi. Il savait d'où je venais mais moi je ne savais pas d'où il venait ni ce qu'il avait vécu avant de me rencontrer.

Une semaine après, il m'a présentée à ses parents dans un grand restaurant parisien. Il leur avait envoyé des billets d'avion, avait téléphoné à un ami du consulat de France à Casablanca, amateur de sa peinture, qui avait pu leur faire un visa très rapidement. J'ai entendu sa mère dire dans mon dos : « Ça ne peut pas être elle, non, pas cette gamine, quand même... elle n'est même pas blanche... ». J'ai fait semblant de ne pas avoir entendu. J'ai la peau mate, qui prend bien le soleil. J'ai souri. Son père était plus sympathique. Tout de suite, il m'a posé des questions sur mon village, sur les biens qu'avait mon père, sur nos traditions. Il m'a même dit : « C'est vrai ce qu'on raconte, que vous êtes très forts en sorcellerie ? » J'ai ri et répondu : « Je n'en sais rien. » Au fond, lui aussi désapprouvait ce mariage. Je le voyais dans ses yeux, sur son visage ; ce genre de choses ne se cache pas. Je ne sais pas s'il parlait de moi mais je l'ai entendu dire plusieurs fois « *media mujer* » (moitié de femme, en espagnol), expression qu'il utilisait pour évoquer la petite taille de sa femme. Une autre fois, j'ai entendu le mot « *khanfoucha* » (scarabée, en arabe), m'était-il destiné ? J'étais tombée dans une famille de dingues ! Des gens qui parlaient par insinuations, par métaphores. Je n'étais pas habituée à ce genre de plaisanteries. Mes parents n'insultaient personne, ne médisaient de personne. Les femmes qui travaillaient chez ma belle-mère m'ont prisent à part pour me prévenir que ce serait difficile, c'était une sorte de complicité de classe. L'une d'elles m'a dit : « Tu sais, ma petite, les Fassis ne nous aiment pas ; il n'y a rien à faire, ils se croient supérieurs et n'ont aucune considération pour les autres ! Alors méfie-toi, ton mari est bon, c'est un brave type, mais ses belles-sœurs, elles, sont terribles ! »

J'aurais pu faire machine arrière, annuler et repartir chez moi. Tout était possible. Je n'arrive pas à comprendre ce qui m'a vraiment décidée à tenter cette aventure périlleuse. L'amour, bien sûr. Mais je me demande encore aujourd'hui si je l'ai aimé sincèrement. Il me plaisait, je le trouvais séduisant, charismatique, et puis c'était un artiste, j'ai toujours voulu côtoyer ce monde magique, celui des musiciens, des écrivains, des peintres. Rien à voir avec le milieu artificiel de la mode. C'était comme un rêve. Malgré ces signes inquiétants, j'ai persisté dans mon choix et foncé tête baissée vers le mariage.

À l'époque, Foulane était tout doux, tout miel, attentif, gai, amoureux. Il voulait me faire plaisir, courait à l'autre bout de la ville m'acheter un cadeau. Il avait mis un terme à sa vie de célibataire, de tombeur. Dans son appartement, il en restait quelques traces encore. Un soutien-gorge, une chemise de nuit, des chaussures de marque. J'ai profité de la première occasion pour tout jeter dans la poubelle des voisins. Foulane ne s'est même pas rendu compte que ces objets avaient disparu. En tout cas, il ne m'en a jamais rien dit.

Dans un tiroir, j'ai trouvé des centaines de photos, certaines de ses travaux, d'autres de lui dans les bras de femmes : des blondes, des rousses, des brunes, des grandes, des petites, des Arabes, des Nordiques... Je me suis dit : « Dans quel pétrin me suis-je fourrée ? Pourquoi moi ? Qu'ai-je de plus que les autres ? Ah, j'ai compris, le mec, arrivé à la quarantaine, doit se ranger, obéir à sa mère et faire des enfants, voilà, je serai une mère porteuse. Jusqu'à ce qu'il me balance pour une autre, plus jeune. »

Mes parents suivirent la tradition. Le mariage eut lieu dans la salle de fête. En arrivant, en retard évidemment, sa famille fut choquée, les femmes en particulier. Comment était-ce possible que leur fils chéri, l'artiste en vue, se marie dans une salle louée comme font les immigrés de retour au pays ? Elles se regardèrent avec cette complicité dont je serais longtemps une victime désignée, firent la moue, puis passèrent saluer ma mère et mes tantes. Les hommes se mirent de l'autre côté, là où les *adoules* devaient écrire l'acte. Foulane s'était habillé en djellaba blanche, avec des babouches qui lui sortaient des pieds, il était gêné, mal à l'aise. Il sentait que la mayonnaise ne prendrait jamais entre ces deux mondes. Il était désolé, désolé que sa famille soit raciste, désolé que ma famille soit si peu éduquée, désolé que j'appartienne à cette tribu où l'on n'avait pas appris les bonnes manières de Fès, car à leurs yeux nos bonnes manières n'étaient pas de bonnes manières.

J'avoue que les robes des femmes de sa famille — sa mère, ses sœurs, sa tante, ses belles-sœurs, ses cousines — étaient très belles, riches et rares. Celles que nous portions ne pouvaient pas les concurrencer. Nous étions modestes et nous étions fières. De quoi avoir honte ? D'être ce que nous étions ? Jamais. Je crois qu'il n'a jamais compris ce trait de caractère de notre tribu. Nous sommes pétris d'orgueil. Nous avons notre dignité et notre fierté. Leur apparat ne nous tourne pas la tête.

Arriva le moment de l'écriture de l'acte. Je devais dire « oui » puis signer. Nous étions dans deux salles différentes. Une porte nous séparait. Je serrais le bras de ma mère au point de lui faire mal, je pleurais comme une petite fille à qui on a volé sa poupée. J'ai vu le père de Foulane grimacer comme pour signifier son désaccord. Un de ses amis le retenait par la manche de sa djellaba pour qu'il ne fasse pas de scandale. J'aurais tant aimé que son père fît ce scandale; il m'aurait sauvée, et je pense sincèrement qu'il aurait sauvé aussi son fils.

Je me suis mouchée, j'ai essuyé mes larmes et j'ai dit un petit « oui » à voix basse; j'ai dû répéter, puis je me suis couvert la tête et j'ai signé l'acte de mon esclavage, ma séquestration, mon humiliation.

Les hommes ont prié pour que ce garçon et cette fille soient bénis par Dieu et par son Prophète, pour qu'ils restent dans le droit chemin de l'islam, qu'ils aient la foi, l'âme lavée de toute impureté, et qu'ils soient dignes du bonheur que Dieu leur réserve!

Ils ont levé leurs mains jointes vers le ciel, ont récité des versets du Coran, puis se sont salués avant de souhaiter aux parents respectifs une vie heureuse et prospère.

L'orchestre de notre village joua une grande partie de notre patrimoine musical. Les gens de ma famille chantaient et dansaient. Ceux de sa famille étaient coincés dans leurs beaux habits. Sa tante me fit signe de venir et me demanda : « Pourquoi jouent-ils la même chose depuis le début? » Comment lui expliquer que les musiciens avaient joué au moins vingt chansons différentes? Ensuite, elle me donna l'ordre de m'asseoir à côté d'elle et me dit : « Sais-tu avec qui tu as la chance de te marier? Sais-tu dans quelle famille tu vas entrer? Pourquoi ne parles-tu pas bien l'arabe, c'est quoi cet accent? Tu es marocaine ou à moitié française? Bon, il faudra que tu viennes chez moi à Fès, je t'apprendrai la cuisine, comment te tenir et comment répondre quand on te parle. »

J'étais pétrifiée. J'ai éclaté de rire, un rire nerveux. J'ai ri aux larmes et je ne savais plus si c'étaient celles du bonheur ou celles du regret. Colère rentrée. Fureur maîtrisée. Je ne répondais pas, je baissais les yeux et je fixais le sol comme une folle, une égarée.

Le dîner fut servi tard. Les femmes n'ont pas aimé notre cuisine. Les plats à peine entamés retournaient à la cuisine. Les hommes mangeaient normalement. Mon père, qui n'avait pas eu le temps de se changer, était très fatigué. Ma mère, la pauvre, était malheureuse. Mes tantes me regardaient avec une insistance qui voulait dire « bien fait pour toi! ». De loin, j'observais mon mari et remarquais sa tristesse. Il ne souriait pas, ne mangeait pas. Il avait peut-être envie de prendre la fuite. Il nous aurait rendu service.

Vers quatre heures du matin, il m'a enlevée, comme c'est la coutume. Son ami nous a déposés à notre hôtel. La chambre était mal faite. Il n'y avait ni fleurs ni chocolats, ni petit billet de félicitations. Cette fois, ce n'était pas la faute de Foulane mais bien de l'hôtel qui ne méritait pas ses cinq étoiles. Notre nuit de noces commençait sous de mauvais augures. Il y avait même des mégots dans la cuvette des toilettes. À qui s'adresser à cette heure-ci? Le lendemain, il a écrit au directeur de l'hôtel une lettre enragée de protestation. La fête était finie. En fait il n'y avait jamais eu de fête, juste une cérémonie pour se débarrasser de cette obligation.

Un ami photographe avait passé la soirée et la nuit à nous prendre en photo. Mon mari en fit agrandir certaines. On les accrocha dans le salon de notre premier appartement à Paris. Les gens qui nous rendaient visite s'extasiaient : « Oh! On dirait *Les mille et une nuits*! Qu'elle est belle, la mariée! Qu'elle est jeune! Vous êtes sublime, ma chérie, ce dut être une cérémonie magnifique, pourquoi ne pas nous avoir invités? Quel dommage! Un grand mariage marocain! Quelle fête! Et tout ce bonheur dans vos yeux! »

Tout le monde ne sait pas lire une photo. Que de fois j'ai eu envie de leur dire : « Mais vous vous trompez complètement! Ce n'était pas une fête, mais une corvée, un malaise généralisé, une soirée où personne n'était content, où personne n'estimait être à sa place, où on célébrait avec tambour et flûte berbère une grave erreur, une monstrueuse erreur. Ce que vous voyez dans nos yeux, c'est une immense tristesse, un regret profond, une fatalité qui nous écrase. »

Nous avons toujours donné l'impression d'être un couple heureux. Ceux qui ne nous connaissaient pas bien pensaient que nous étions un couple modèle. J'ai souffert de cette image qui ne correspondait pas à la réalité. Mon mari avait pris l'habitude de me faire taire quand je parlais à table avec des invités. Il se permettait ce qu'il n'aurait jamais fait avec une autre. Un jour, alors que je recevais ses nièces et leurs maris, il a eu l'insolence de traduire en bon français mes paroles, disant qu'il sous-titrait mes dires! Les gens riaient, ça les amusait de voir comment il me traitait, et moi comme une idiote je me laissais faire.

Une autre fois, devant un peintre anglais représenté par la même galerie que lui, il s'est permis de dire qu'il ne voyageait jamais avec moi parce qu'il aimait se déplacer sans bagages, librement, sans être encombré d'une femme qui lui poserait, inévitablement, mille problèmes. Le peintre n'a pas compris pourquoi il parlait ainsi de moi. Comme il le faisait sur le ton de la comédie, il s'est contenté de rire poliment. Une autre fois, devant un ami musicien qui était venu nous annoncer son mariage, il a fait des plaisanteries stupides sur le mariage, reprenant à son compte les sombres aphorismes de Schopenhauer.

Non seulement il me manquait de respect en public, mais il n'a jamais pris ma défense quand sa famille m'attaquait. Peut-être même qu'il en rajoutait, nourrissant leur rejet, pour ne pas dire leur haine.

Ainsi notre mariage avait mal commencé, a mal continué et s'est mal terminé.

L'ARGENT

Voilà un sujet compliqué, douloureux. Dès que je parle d'argent, Foulane se met en colère. Le réflexe typique des radins.

Avec le temps et l'expérience, je peux vous affirmer que cet artiste qui gagne beaucoup d'argent est avare. Avant, je disais « économe ». Aujourd'hui, je dis « avare ». J'ai passé ma vie à économiser, à chercher les choses les moins chères, j'attendais la période des soldes pour habiller les enfants. On avait bien un compte joint, mais il ne l'approvisionnait pas ou peu. J'étais toujours à découvert. Il aimait brandir la lettre de la banque où on lui annonçait que le compte était vide ou dans le rouge. « Voilà, tes dépenses vont nous ruiner ! » Quelles dépenses ? Juste le nécessaire, rien de superflu, rien de luxueux. Mes amies achetaient des habits de marque, au prix fort, moi, je me débrouillais en allant dans les braderies. Je n'ai jamais porté de robe signée, ni de bijoux de valeur.

Chaque fois qu'on partait en voyage, il me

donnait une petite somme en me disant, comme s'il parlait à un de ses enfants : « Fais attention ! » Lui ne payait rien puisqu'il était tout le temps invité. Mais il m'interdisait de me servir au minibar, de peur de devoir payer les extras. Mesquin, en plus. Quand on quittait l'hôtel, il me faisait sa fameuse scène parce que j'avais trop de bagages. J'avais beau lui expliquer que lorsqu'on a des enfants il faut bien les habiller, il me répondait : « Arrête avec ça, veux-tu, je sais parfaitement que tes valises sont encore une fois pleines de cadeaux pour ta famille, j'en ai marre ! »

Foulane n'est pas un homme généreux. Je dis ça et vous n'allez pas me croire parce qu'il s'est arrangé pour avoir la réputation inverse. Il compte tout. Rien n'est dépensé au hasard. Dans son cœur il a une calculatrice. Rien ne lui échappe. Il m'accuse une consommatrice compulsive, quelqu'un qui ne fait pas de différence entre les billets, qui croit qu'une carte de crédit est un puits d'argent sans fond, que de toute façon, ayant peu travaillé, je ne connais pas la valeur de l'argent et surtout que je n'ai jamais appris à compter.

Il pense aussi que si j'avais épousé un homme de ma condition, quelqu'un d'aussi pauvre que moi, j'aurais été plus heureuse, plus épanouie. Qu'est-ce qu'il en sait ?

Que de fois il est parti en voyage sans laisser d'argent. J'ai dû m'adresser à un de nos amis pour qu'il me prête de quoi faire les courses et nourrir les enfants.

Il a des comptes en banque un peu partout. Il s'est arrangé pour que le produit de la vente de ses toiles soit versé sur des comptes qui m'échappent. J'ai un jour découvert par hasard qu'il avait un compte à Gibraltar. Une négligence de sa part, le reçu d'un virement. Je l'ai photocopié et l'ai gardé, comme j'ai déjà mis de côté relevés de banque, chéquiers, factures, et autres bordereaux d'encaissement. J'ai aussi photocopié tous les documents concernant ses biens acquis en France, au Maroc, en Italie et en Espagne. Je le soupçonne même d'avoir acheté quelque chose à New York, mais je n'ai pas de preuves. Mon conseil m'a demandé de tout réunir dans un dossier au cas où ça sentirait le brûlé. Il me suffira d'une lettre au fisc marocain et Foulane plongera pour des années. J'ai découvert un autre coffre dont je n'avais pas la combinaison. J'ai fait revenir le serrurier et lui ai dit que le code ne fonctionnait pas. Il l'a ouvert en une demi-heure. J'y ai trouvé d'innombrables choses qu'il tenait cachées, de l'argent, des bijoux, des documents d'achat et de vente, des boîtes de préservatifs et même des médicaments pour bander. J'étais ébahie. J'ai tout vidé et tout planqué. Comment vivre à côté d'un homme qui a tant de secrets ? Comment avaler cette double ou triple vie ? Côté trahison conjugale, j'étais servie depuis longtemps, il ne manquait plus que de découvrir le secret de ses activités économiques. N'ayant jamais eu confiance en lui, j'ai commencé très tôt à mettre de l'argent de côté sur un plan épargne. Je le savais capable de me quitter et de me laisser sans le sou. Alors j'inventais des travaux à faire dans la maison, des choses à acheter pour les enfants, et là-dessus je prenais une part que je plaçais sur le compte épargne. Un jour, il a refusé de m'acheter un bijou dont j'avais envie. Le soir même, il donnait à sa sœur aînée une grosse somme pour qu'elle se fasse refaire les seins et les fesses. J'appris aussi qu'il avait cédé sa part d'héritage à son jeune frère, marié avec une sorcière qui me détestait et qui avait cherché à me nuire par tous les moyens y compris en me lançant un mauvais sort. Mon taleb me l'a confirmé. Des années après, Foulane aidait encore son frère et ses sœurs, cette fois pour acheter un splendide appartement sur la côte méditerranéenne.

L'avarice de Foulane était dirigée uniquement contre moi et ma famille. Je dois reconnaître qu'avec les enfants il ne comptait pas ; mais un jour, notre plus jeune fils lui dit : « Papa, on est riches, on pourrait s'offrir plein de choses, pourquoi tu te prives ? Regarde mes copains, leurs pères sont moins riches que toi et ils ont les derniers jeux électroniques ! » Je sais que par principe, et là-dessus j'ai toujours été d'accord avec lui, il était opposé à ce que nos enfants soient esclaves de ces machines virtuelles, mais ce n'était pas qu'une question de principe...

L'argent a été la source de nos principaux conflits. Un jour, j'ai eu envie de lui voler une toile et de la vendre. Malheureusement, aucune n'était achevée. Je le soupçonnais de ne pas les terminer exprès et de ne les signer qu'à la dernière minute. Il prenait ses précautions. Je me comparais à d'autres femmes de notre entourage, notamment l'épouse d'un musicien espagnol qui lui avait délégué tout ce qui touchait à l'argent, aux contrats, aux ventes, aux royalties. Comme il nous dit un jour : « Je donne des concerts et elle ramasse le pognon ! » Nous avions un autre ami, écrivain célèbre et riche ; lui aussi confiait tout à son épouse ; il n'avait jamais d'argent sur lui ; c'était toujours sa femme qui réglait les additions.

Moi, au début, je ne voulais pas m'occuper de ses affaires, je voulais juste ne pas être reléguée au dernier rang, sur un strapontin, comme si je n'étais rien, comme si je ne comptais pas pour lui. Mais il faisait davantage confiance à son agent (qui le volait) qu'à son épouse. Je voyais ainsi le patrimoine de mes enfants partir en fumée. Il fallait réagir, arrêter l'hémorragie. Sa famille, son agent et ses amis vivaient quasiment sur notre dos. C'était pour moi inadmissible. C'est que Foulane est faible, naïf, et s'est toujours fait avoir par le premier venu. Que de fois je l'ai mis en garde contre un de ses soi-disant amis qui le flattait, le séduisait par des paroles et des gestes dont il ne voyait pas l'intention cachée, l'objectif inavouable. Il s'est fait ainsi voler non seulement des tableaux mais aussi de l'argent par l'un d'entre eux — ce petit homme qu'il dit voir en hallucination dans son manuscrit —, qui s'est révélé par la suite être un spécialiste en escroquerie internationale, un type fourbe, malin, au rire hystérique et aux yeux brillants, parfois rougis par l'envie et la jalousie. Car ce type avait des prétentions artistiques, il peignait et personne n'achetait ses croûtes. Alors il a ouvert une galerie à Casablanca, il a exposé Foulane et a tout vendu. Juste après, il a déposé le bilan et mon mari s'est trouvé volé dans les règles de l'art. Cette histoire a même été relatée dans la presse, mais l'escroc avait changé de métier et avait ouvert une agence de voyages spécialisée dans le pèlerinage à La Mecque et la Omra, petit pèlerinage au cours de l'année. Il vendait aux pauvres un voyage organisé et, une fois sur place, les gens découvraient qu'ils avaient été trompés, rien de ce qu'on leur avait promis ne les attendait. À leur retour, impossible de réclamer, ils trouvaient l'agence soit fermée soit occupée par une boucherie ou une épicerie. Cet escroc était son ami, et il ne se rendait pas compte qu'il était en train de préparer son coup. Dire que c'est mon mari qui lui a avancé l'argent pour ouvrir sa galerie. J'ai toujours été méfiante à l'égard de ce type, mais Foulane ne m'écoutait pas, il disait : « Tu es jalouse de mes amis, tu cherches à me séparer d'eux », etc.

Voilà pourquoi l'argent créait des disputes entre nous ; un jour, je lui ai dit : « Tu as un sérieux problème avec l'argent, tu devrais te faire soigner. »

Il m'a répondu par une phrase qui m'a fait pleurer longtemps : « Je préfère que cet argent aille dans la poche de mes amis plutôt que dans celle de ta famille ! »

Comme si ma famille avait besoin de son fric. Quelle honte ! Là, j'ai compris définitivement qu'il était malade et que sa famille — je veux dire : moi et ses enfants — passait après les amis, les frères et sœurs, les nièces et neveux, les cousins et cousines.

Quand j'ai demandé le divorce, il y a quelques mois, il est vrai que j'étais décidée à me venger, à récupérer le maximum pour mes enfants avant que la première femme venue ne nous dépouille de tout. Il est incapable de gérer la fortune de la famille, c'est pourquoi j'ai voulu prendre les choses en main, une bonne fois pour toutes.

Ah, j'oubliais un détail : quand il m'offrait un cadeau, c'était rarement lui qui l'avait payé. La ceinture en or que nombre d'épouses marocaines possèdent, il ne me l'a pas achetée, c'est sa mère qui m'a donné la sienne. Je voulais une ceinture moderne, choisie par moi, pour ma taille et pour mes robes. Non, lui, a demandé à sa mère de m'offrir la sienne vu qu'elle ne la mettait plus depuis qu'elle était malade et n'assistait plus aux mariages et autres festivités. Je ne l'ai jamais portée. Nous ne sommes jamais partis en voyage de noces. Toujours à cause de l'argent. Il disait que puisque nous avions la chance d'être souvent invités à l'étranger, il fallait considérer que c'était un voyage de noces permanent. Il lui arrivait même de prendre un billet en classe affaires pour ses fesses douillettes, et nous, moi et les enfants, nous voyagions en classe économique parce qu'il ne voulait pas mettre le prix pour nous offrir le même confort. Il disait que de toute façon, puisque nous étions dans le même avion, nous arriverions à la même destination. « Vous êtes jeunes, moi je ne le suis plus. » Il ne disait jamais « je suis vieux » ou « âgé », il était coquet et superstitieux.

Quand mes parents ont occupé l'une de nos anciennes maisons qui était fermée, il a voulu leur faire payer un loyer. Quelle honte ! Quel manque de respect ! Demander à mes pauvres parents de l'argent alors qu'il gagnait des millions. Ils nous rendaient service en habitant une maison qui aurait perdu de sa valeur si elle était restée inoccupée, et lui réclamait des sous à un travailleur immigré dont le salaire dépassait à peine le Smic.

Au restaurant, il m'empêchait de boire du vin, il prétextait que ça allait encourager mon alcoolisme naissant. En réalité, il faisait encore des économies. En outre, en bon Marocain convaincu de la supériorité de l'homme sur la femme, il ne supportait pas de me voir boire, pensant que c'était là un signe de désobéissance, un geste de libération. Alors j'exagérais juste ce qu'il fallait pour le mettre mal à l'aise, et faire apparaître son vrai visage, celui d'un ayatollah qui s'habille à l'européenne.

Avec le personnel, il était très généreux, les payait mieux que tout le monde, leur offrait des cadeaux, allant jusqu'à acheter le mouton de l'Aïd Kébir à notre gardien. Avec moi, il calculait. Aucune de mes amies n'a ces problèmes d'argent avec son mari. Je suis mal tombée. Mais c'est mon destin. Il me fallait toujours demander; en fait, il s'arrangeait pour que je sois dépendante de lui, de sa générosité, comme si j'étais une étrangère ou un de ses enfants. Il notait tout dans un carnet et chaque fois que je réclamais de l'argent il le sortait, et me lançait : « Le mois dernier tu as dépensé tant... C'est trop, beaucoup trop, d'autant plus que tu ne manques de rien... » Un jour, je lui ai arraché ce carnet des mains et l'ai déchiré avant de le jeter à la poubelle. Il m'a regardée, atterré, comme si je venais de détruire des billets de banque.

Je n'ai jamais voulu lui faciliter les choses; je m'entêtais à le contrarier, je choisissais les moments les plus délicats, par exemple quand il travaillait, je surgissais dans son atelier et je réclamais de l'argent; pour avoir la paix, il signait un chèque. Un jour, il a oublié d'y écrire la somme. J'avais entre les mains un chèque en blanc. J'étais folle de joie. Je pouvais dévaliser son compte. Je faisais des projets. J'ai couru à la banque et demandai à la fille au guichet si son compte était approvisionné. Elle m'a répondu que je pouvais retirer jusqu'à cent mille dirhams. Je suis repartie de là le sac rempli de billets. Je me sentais légère car mon sac était lourd de pognon, de son pognon ! J'ai offert à mes parents le voyage à La Mecque et me suis acheté une belle montre et quelques autres bricoles.

Il m'est arrivé aussi de convoquer le tapissier, de lui commander des tissus très chers et lui demander d'envoyer la facture à mon mari. C'était un tapissier doué mais qui pratiquait des prix exorbitants. Mon mari le détestait pour cette raison, mais finissait par régler les sommes réclamées.

Malgré sa méfiance à l'égard des marchands de toutes sortes, un des cousins de Foulane réussit à l'escroquer. Il avait trouvé un collectionneur mexicain qui voulait lui acheter une de ses plus belles œuvres. Le Mexicain avait même donné une avance en guise de garantie. Le cousin emporta la toile, le Mexicain paya, et Foulane ne revit plus jamais le cousin ! Astucieuse, la combine ! Foulane se méfiait de ma famille, mais se faisait rouler par la sienne... Voilà la vérité.

LE SEXE

Avez-vous remarqué que Foulane ne parle presque jamais de notre sexualité ? Si vous lui demandiez pourquoi, il vous dirait que c'est par pudeur. Pourtant, quand il peint une femme toute nue, parfois dans des positions équivoques, la pudeur ne le préoccupe pas du tout. C'est uniquement quand il s'agit de notre vie sexuelle qu'il est silencieux. Dans son manuscrit, il dresse la liste de ses conquêtes, décrivant les femmes avec maints détails, passant pour un Casanova ou un Don Juan de province, et puis soudain il se plaint du coup de vieux qu'a pris sa libido, soi-disant à cause de moi et de l'accident.

Il préfère ne rien dire sur ce qui se passait ou plutôt ne se passait pas dans notre intimité. Nous faisions rarement l'amour, il était brutal, pressé d'en finir, éjaculait sans même se demander si j'avais joui. Il pouvait s'écouler un mois sans qu'il me touche. Il faut dire que moi non plus je n'avais pas envie de lui. On se couchait en se disant bonsoir, lui lisait un livre ou regardait un film, se levait plusieurs fois la nuit, mangeait un fruit ou un yogourt, allumait la lampe, pestait parce qu'il ne trouvait pas le sommeil, changeait de position puis, comble d'indélicatesse, se mettait à écouter la radio. Je m'en allais dormir avec les enfants, le laissant seul à ses insomnies. Le matin, il se réveillait de mauvaise humeur, buvait son café sans dire un mot, sans esquisser un sourire, prenait la voiture et partait à son atelier où, disait-il, il avait la paix.

Je sais que cette paix était accompagnée, qu'il profitait de ces moments où j'étais loin, occupée avec les enfants, pour s'envoyer en l'air avec des filles de rue. Le soir, il rentrait, le visage fatigué. Je savais par intuition qu'il avait fait l'amour, alors que j'aurais pu croire qu'il souffrait d'impuissance sexuelle. Mais non, il réservait son énergie, ses désirs à d'autres, à des femmes peut-être mariées, peut-être célibataires, mais qui toutes espéraient un jour lui mettre le grappin dessus.

Ça s'est même mal fini, au moins une fois, avec une Marocaine qui faisait l'École des beaux-arts à Paris. Elle était venue le voir pour des conseils, elle lui était vaguement apparentée du côté de sa mère, une arrière-petite-cousine. Elle avait à peine vingt-deux ans et était encore vierge. Deux mois après leur rendez-vous, la voilà enceinte. Pour sauver les apparences, elle dut immédiatement avorter, et afin de dissimuler la chose, faire recoudre son hymen dans une clinique spécialisée. Foulane me raconta l'affaire, mais se garda bien de me dire que c'était lui le responsable. « Je dois l'aider, me dit-il l'air sincère, parce que ses parents sont très traditionalistes, ils réagiront mal, son copain qui l'a engrossée n'a pas un sou et de toute façon il a pris la fuite... »

Foulane a tout payé. Elle est sortie de la clinique ni vu ni connu. J'ai attendu un bon mois, je l'ai appelée et suis allée la voir, j'ai apporté une bouteille de vin, je savais qu'elle adorait le vin rouge. Nous avons bu, et une fois désinhibée, elle est passée aux aveux, me racontant tout dans les détails comment il la prenait, comment il lui montrait des positions qui favorisaientt l'orgasme, comment elle le suçait, lui léchait les pieds, et j'imagine le cul aussi. Elle m'a même dit qu'ils ont fait l'amour à trois avec une Italienne de passage, une journaliste venue pour la Foire d'art contemporain.

Au moment de m'en aller, je l'ai remerciée et lui ai demandé si elle pouvait me rendre un service : « La prochaine fois que tu as rendez-vous avec lui, préviens-moi. »

Hélas, il n'y eut pas de prochaine fois. Foulane avait rompu avec elle et ne répondait plus à ses appels. J'aurais voulu le surprendre et le confondre. Mais avais-je besoin d'autres preuves ?

Quelle femme admettrait pareille situation ? Avec l'épouse, il prétend avoir la migraine, avec les autres, il multiplie les performances !

Il est vrai qu'un jour je lui ai envoyé un mes-

sage où je lui disais que j'étais *frustrée financièrement et sexuellement*. Il n'a jamais répondu.

Mes amies me racontaient souvent leurs nuits
avec leur homme et moi je restais silencieuse,
n'osant dire la vérité. Je refoulais ma frustration
et j'avais honte. Mon amie Hafsa se faisait épiler
par son mari ; il paraît que c'est très excitant.
Maria se laissait embrasser longtemps sur tout
le corps. Khadija s'habillait avec de la lingerie
fine et coquine et jouait l'étrangère que son mari
séduisait ; la plupart faisaient l'amour plusieurs
fois par semaine. Moi, j'ai toujours dû attendre
que Monsieur ait envie. Si seulement il avait
pris son temps et s'était occupé vraiment de
moi !
Heureusement que j'ai rencontré Lalla, ma
voisine, celle qu'il déteste et qu'il a essayé d'éloigner de moi. Lalla m'a sauvée. Elle m'a ouvert
les yeux ; elle m'a donné les armes pour me défendre ; c'est une femme exceptionnelle, saine,
désintéressée, généreuse, belle, bonne, une âme
d'artiste, qui refuse les compromissions, ce qui
est loin d'être le cas de Foulane.
Lalla m'a parlé de la sexualité, m'a expliqué
qu'une femme de mon âge a le droit absolu
d'être satisfaite au moins une fois par jour. Je
n'en espérais pas tant, mais elle avait raison, il
fallait que je me débarrasse de ce monstre d'égoïsme, ce pervers qui avait failli me rendre folle.
Je comprends que Foulane n'aime pas Lalla.
Elle m'a aidée à découvrir son jeu, il cherchait à

me déstabiliser pour se débarrasser de moi et refaire sa vie en gardant tout.

Je dois à Lalla le début de ma libération. Il a été jaloux, très jaloux. Il criait, hurlait, soi-disant parce qu'il m'aimait! Quel hypocrite! L'unique chose qui l'a intéressé toute sa vie c'est son ego, et quand quelqu'un m'aide à ouvrir les yeux, il ne peut pas le supporter. Il pensait avoir épousé une petite bergère qui ne dit mot, qui baisse les yeux et avale les couleuvres! Eh bien non! Il s'est trompé, il ne savait pas ce que la petite paysanne lui réservait.

Quant à ma sexualité, je suis encore jeune, on me dit que je suis belle et séduisante, j'espère rencontrer enfin l'homme qui me vengera de toutes ces frustrations, de ces humiliations et de ce manque de respect permanent.

LA JALOUSIE

Oui, je l'avoue, je suis jalouse, très jalouse. Je
n'ai jamais été jalouse de mes amies, seulement
de Foulane. Il avait une façon vicieuse de provoquer en moi ce qu'il y a de pire, ce sentiment
affreux mais légitime qui rend les couples fous.
Sa perversité se manifestait de manière sour-
noise, évidemment. Devant des invités, il se
mettait à faire des compliments à des femmes
mal coiffées, mal habillées, juste pour m'éner-
ver. Il s'intéressait à ce qu'elles faisaient, à leurs
enfants, posait des questions sur leurs lectures,
sur leurs loisirs. Il utilisait un ton mielleux que
je détestais. Je me retenais. Je ne disais rien. Un
jour, nous étions invités chez des gens du show-
biz. Il y avait une petite starlette avec un décol-
leté scandaleux. Les yeux de Foulane n'ont pas
quitté sa poitrine et il lui a parlé toute la soirée.
Je l'ai même surpris en train d'enregistrer son
numéro de téléphone. Je l'ai laissé faire. Le soir,
j'ai volé son portable et j'ai effacé tous les pré-
noms de femmes en commençant par celui de la

starlette qui se faisait appeler Mariline, avec un « i », disait-elle. Le lendemain, il m'a fait une scène, parlant de respect, de confidentialité de ses affaires, m'assénant une leçon de morale au goût de vomi nauséabond. En fait, ma jalousie n'exprimait pas une tendresse refoulée ou un amour à conquérir. Non, c'était une réaction contre ses tentatives de me rabaisser en public.

Une autre fois, sa Russe ou sa Polonaise, je ne sais si elle était peintre ou musicienne, en tout cas elle se prétendait artiste, appelle à la maison. Elle me dit avec son accent horrible : « Ze voudrai vonir voire les zenfa de mon ancien amant, tou sais, ze l'ai connou il y a longtemps... » Quel culot! Je lui ai raccroché au nez. Le soir, Foulane a commenté, laconique : « Ne fais pas attention, c'est une cinglée! » C'est ainsi qu'il traite les femmes qu'il prétend avoir aimées!

Un jour, il m'a demandé de l'aider à choisir un collier qu'il voulait offrir à la femme de son galeriste. C'était un geste sympathique parce que chaque fois qu'ils venaient nous voir ils nous apportaient quelque chose. Nous avons acheté un superbe collier berbère ancien en corail et argent. Je l'ai enveloppé dans un papier cadeau. Quelques mois plus tard, voilà que je le retrouve au cou d'une directrice de galerie à Madrid, une jolie femme qui était certainement sa maîtresse. Quand je lui ai posé la question, il s'est mis à bafouiller, comme un menteur pris sur le fait. Il arrivait de temps en temps que des femmes téléphonent à la maison. Je leur donnais le numéro de l'atelier. Souvent, après un moment d'étonnement, elles me disaient : « Mais vous n'êtes pas sa secrétaire ? son assistante ? » Alors je hurlais : « Je suis sa femme !! » Elles raccrochaient et lui ne me donnait aucune explication. Il avait toujours la même phrase : « Je ne suis pas responsable des lettres ou des appels que je reçois. » Puis il continuait : « Si tu veux cultiver ta jalousie maladive, il vaut mieux être jalouse de ce qui est important, pas des choses insignifiantes dont je n'ai que faire ! » C'est quoi, « ce qui est important » ? Une relation sérieuse, un amour fort, une entente parfaite ? Il avouait sans rien dévoiler. J'appelle ça de la mauvaise foi et j'ai horreur de la mauvaise foi.

Foulane avait l'art de savoir m'atteindre dans mon orgueil, il allait chercher les blessures enfouies au fond de mon enfance et y retournait le couteau pour me faire mal, très mal ; il se moquait de mon expérience de mannequin, disait qu'une grande taille n'était pas la garantie du talent ; il utilisait mes confidences pour me blesser, pour me rappeler ma condition de fille d'immigrés analphabètes. Dire qu'il a peint une fresque dédiée aux immigrés ! Quel cabotin, quel usurpateur ! Il l'offrit à la ville de Saint-Denis qui, quelques mois après, lui acheta deux grandes toiles pour les mettre dans le bureau du maire et dans l'entrée de la mairie.

J'ai été jalouse de certains de ses amis. Foulane était toujours disponible pour eux. Disponible et généreux. Il y avait deux exilés politiques chiliens véritablement inséparables. Leurs épouses ne voyaient rien à y redire, elles acceptaient la situation : l'ami d'abord, l'épouse, la famille après. Foulane, je ne sais pourquoi, les admirait, parlait d'eux en bavant. J'ai soupçonné une relation homosexuelle, mais ce n'était pas du tout ça. Les deux Chiliens s'aimaient d'amitié et ne laissaient pas de place à autre chose. Un jour, lors d'un dîner chez nous à Paris, l'un d'eux s'est permis de me faire une remarque : « Prends soin de notre ami Foulane, c'est un grand artiste, il faut être gentille avec lui, nous tenons beaucoup à lui, et nous révérons son immense talent ! » Je n'ai pas pu me retenir, mon côté sauvage a surgi et je l'ai giflé ; il en est resté bouché bée ; le dîner s'est arrêté là et je ne les ai jamais revus. Évidemment Foulane m'a passé un savon, m'a traitée de tous les noms ; notre dispute a pris des proportions inédites.

Voilà, ma jalousie n'était rien d'autre que de la colère, de la contrariété poussée à l'extrême. Rien de plus. Aujourd'hui, dans son coin, diminué, Foulane ne peut plus m'atteindre. Pour se lever, pour s'asseoir, pour manger, même pour chier, il a besoin de moi. Foulane est à ma merci. Ma jalousie n'a plus de raison d'être.

L'ERREUR

Cette nuit passée dehors, racontée dans le manuscrit de Foulane, je m'en souviens moi aussi. Des copines que j'avais vues l'après-midi m'avaient trouvé mauvaise mine, triste, pas heureuse. Elles ont décidé de me sortir. Nous sommes allées dîner dans un bon restaurant et ensuite nous avons terminé la nuit dans une boîte à la mode. J'ai dansé comme une folle, j'ai même flirté avec un blond, et le matin j'ai pris soin d'acheter des croissants et je suis rentrée à la maison. Foulane m'attendait, les clés de la voiture à la main, m'a demandé où j'étais. J'ai répondu : « En boîte. » Il a claqué la porte et est parti en dévalant les escaliers. Ce n'est que plus tard que j'appris qu'il s'était présenté chez mes parents pour se plaindre comme cela se faisait dans les familles traditionnelles. La fille, même mariée, reste une mineure ; les parents, alliés du mari, peuvent la punir, la frapper, l'enfermer ! Mais il est tombé sur un os. Mes parents ont plus confiance en moi qu'en lui. Ils ne le crurent pas, bredouillèrent quelques phrases et m'appelèrent discrètement pour m'informer de sa visite intempestive. Ils ne l'aimaient pas, le trouvaient arrogant, méprisant. Ils savaient qu'il ne me rendait pas heureuse, mais chez nous, on ne divorce pas, c'est une tradition. Ma mère m'a suggéré plusieurs fois de confier son cas à Hajja Saadia; elle était capable de provoquer le bien comme elle pouvait faire le malheur de quelqu'un. J'ai refusé. Pas ça. Pas encore. Combien de fois avais-je dilué un produit dans son café pour lui ôter toute volonté! Une recette à base, paraît-il, de cervelle de hyène en poudre mélangée avec d'autres condiments importés d'Afrique et même du Brésil...

Il est vrai que, ce jour-là, je n'aurais pas dû rentrer à la maison; mais il y avait notre enfant de six mois, je ne pouvais pas partir et le laisser. Après cet épisode, j'ai eu de nombreuses fois l'envie de le quitter, mais à chaque fois je révisais ma position et me disais : « Il va changer, c'est un vieux célibataire qui ne connaît pas la vie à deux et ses obligations, il va se réveiller et prendre ses responsabilités, il va comprendre qu'il n'est plus seul, qu'il a fondé une famille et qu'il faut qu'il l'assume. » Je lui accordais un délai, une chance pour qu'il renonce à ses manies, à ses vieilles habitudes d'homme solitaire.

Peu après, il obtint un Grand Prix international de peinture, suivi de voyages et d'expositions. Il m'a emmenée avec lui partout, en

Égypte, au Brésil, en Italie, aux États-Unis, au Mexique, en Russie, etc. J'aimais ces voyages, j'aimais les grands hôtels, la bonne cuisine, et découvrir les bijoux et les tissus des pays d'Orient. Quand on voyageait, j'avoue que les choses allaient mieux entre nous, même du côté sexuel. Mais dès qu'on revenait à la maison, il tirait la gueule et passait un temps fou dans son atelier où il avait du mal à travailler parce que tous ces déplacements le perturbaient.

Puis vint la fin des années quatre-vingt-dix et ses hospitalisations successives qui devaient le conduire lentement mais sûrement à son AVC. Il m'énervait parce qu'il était très inquiet, pâle, angoissé, stressé. Je n'étais pas tendre avec lui, je pensais bien faire, je pensais l'aider à être fort pour affronter la douleur, d'autant plus que les analyses n'étaient pas alarmantes. Il passait des nuits blanches et m'empêchait de dormir comme si j'étais responsable du parasite qu'il avait attrapé en Chine où il n'a pas voulu que je l'accompagne. Juste punition! Pendant son séjour à l'hôpital, je lui faisais porter à manger, je m'occupais de son courrier, j'annulais pour lui ses rendez-vous et ses invitations. Son agent américain vint lui rendre visite. En fait, il n'avait pas peur pour son poulain, bien au contraire, il calculait : si Foulane disparaissait brutalement, sa cote grimperait d'un coup. Muni d'une boîte de chocolats achetés à l'aéroport, il se présenta au chevet du malade. Une fois informé sur l'état de sa santé, il reprit immédiatement l'avion pour aller faire tranquillement son rapport aux patrons de galeries avec lesquels il travaillait.

Foulane était tout content que l'agent se soit déplacé de New York juste pour le voir. Quand j'ai émis des doutes sur les raisons de sa visite, il s'est mis en colère, lui qui était sous oxygène. Trois jours après sa sortie, il perdit un de ses grands amis, un de ceux qui l'accompagnaient le jour où il était allé demander ma main. Il était mort brutalement d'une maladie rare. Cela l'affecta beaucoup, lui qui venait de frôler la mort. Foulane s'étonna que je ne partage pas sa peine. Mais je ne suis pas du genre à en rajouter, à dire des mots gentils, à faire des gestes tendres, etc. Je suis comme ça ; mon père a cessé de m'embrasser à trois ou quatre ans.

Durant des mois, j'ai supporté un malade imaginaire qui marchait comme un vieillard, qui refusait de sortir le soir, qui passait son temps à gribouiller sur un carnet ; il ne peignait plus. Son galeriste l'a appelé et lui a envoyé une avance sur la prochaine exposition. Comme il adore l'argent, il s'est remis au travail ; plus de maladie, plus de lassitude. Il se levait tôt et partait dans son atelier. Le soir, il me parlait de ce qu'il faisait. Je me disais encore de l'argent qui va nous passer sous le nez. Je savais qu'il voulait aider quelqu'un de sa famille dont l'affaire avait périclité. J'ai appelé le galeriste américain et lui ai demandé que dorénavant les royalties me soient versées. Il m'a répondu tout net : « Nous avons l'ordre précis et écrit de Foulane de ne rien vous verser de son vivant. »

Je suis restée ébahie, j'ai bafouillé des excuses et me suis mise à pleurer.

Mon erreur est d'avoir pensé qu'on peut changer les êtres. Personne ne change et surtout pas un homme qui a déjà fait sa vie. Je suis arrivée au moment où il s'est arrêté de s'amuser et a décidé de prendre une femme parce que l'angoisse du temps et de la mort commençait à l'envahir. J'ai été la petite fleur qui allait prendre le relais des autres, sauf que moi c'est ma jeunesse et mon innocence qu'il a prises.

Nous n'étions pas faits pour nous rencontrer. C'est là mon erreur, notre erreur.

BELLE-FAMILLE

L'indifférence de Foulane et la guerre que sa famille menait contre moi avaient pour but de me rendre folle. Il m'arrivait de me réveiller la nuit, tremblante, en sueur, glacée, alors que la chambre était chauffée. C'étaient les signes du mauvais sort qu'on m'avait jeté. Il disait qu'il ne croyait pas à ces choses-là, peut-être, mais j'ai la preuve que des femmes de sa famille ont utilisé la sorcellerie à mon encontre. Mon taleb m'a tout dit, tout raconté, je sais ce qu'elles voulaient faire, où et quand. D'abord elles ont essayé d'agir sur notre couple, en vue d'une séparation. Mon homme ne me touchait plus, ne couchait plus avec moi. Ensuite il est devenu insensible à ma présence, il était même allergique à ma peau. À mes côtés, il n'avait aucun désir. Ce n'était pas normal. J'ai su plus tard qu'elles avaient pu opérer en récupérant une touffe de mes cheveux et mes serviettes hygiéniques. Je souffrais, j'avais des angoisses soudaines, je tournais en rond dans la maison, j'étais incapable d'appeler au secours, je perdais mes forces, ma santé. Pendant ce temps-là, Foulane travaillait, sortait, voyageait. Il avait la paix.

J'ai suivi les indications du taleb et j'ai fait un grand ménage dans la maison. Mes amies m'ont aidée et nous avons trouvé plein de petits paquets enveloppés dans du papier aluminium dans les coins de chaque chambre, sous les lits, dans les toilettes. La maison était infestée par des trucs destinés à me rendre malade.

J'ai su ce jour-là que j'étais menacée, sous surveillance, et qu'il fallait absolument riposter pour me protéger. Mon taleb n'était pas assez compétent pour ça. Il m'a parlé d'une femme à Marrakech, une vieille dame très puissante qui saurait agir. Il m'a dit aussi qu'il fallait tout de suite sacrifier un animal devant la porte de la maison, et brûler des encens protecteurs.

Je suis allée à Marrakech ; j'ai attendu des jours avant d'obtenir un rendez-vous avec Wallada (on l'appelait ainsi parce qu'elle avait été dans sa jeunesse sage-femme). Dès qu'elle m'a aperçue, elle m'a dit : « Ma pauvre fille, heureusement que tu es venue me voir ; bon, assieds-toi là, devant moi, et donne-moi de quoi ouvrir la séance. » J'ai sorti un billet de deux cents dirhams et l'ai posé près d'elle. C'est une femme très forte, elle n'est pas voyante, mais sait lire sur les visages et dans les lignes de la main. Elle m'a tout raconté dans le détail ; on aurait dit qu'elle avait vécu avec nous ; elle savait tout, décrivait les personnes malveillantes. J'étais impressionnée par son talent, car, en me fixant, en me dévisageant, elle découvrait ce qu'il y avait derrière ma souffrance. Wallada était une femme de la campagne, elle ne savait pas lire, mais écrivait en revanche des signes incompréhensibles aux pouvoirs magiques. Pendant qu'elle me parlait, je l'ai vue à l'œuvre. Elle trempait un roseau dans de l'encre sépia et dessinait ses signes plus mystérieux les uns que les autres qui serviraient à ma contre-attaque.

Ça m'avait coûté mille dirhams, mais j'étais soulagée, je repartais avec des armes pour détruire tout ce que les belles-sœurs de Foulane avaient osé me faire. Depuis, j'ai fait une croix sur toute la famille de mon mari. Quand je les vois par hasard, je suis polie, je leur fais des salamalecs hypocrites. La femme de Marrakech et mon taleb ont continué de travailler pour assurer ma protection. Je reste très vigilante. Je porte toujours sur moi les écritures du taleb. Une fois tous les six mois le taleb fait fondre du bronze dans une casserole, le mélange avec de l'eau où des herbes de plusieurs provenances ont bouilli, et me remet une bouteille de ce liquide jaunâtre que je verse sur mon corps avant de me doucher. Dans les pires moments de leur action, je devenais quasi folle, je me sentais cernée par le Mal, par une grande volonté de me nuire, de me détruire. Je lisais dans les yeux de Zoulekha, sa belle-sœur la plus envieuse, la plus méchante, toute la haine du monde. On aurait dit qu'elle envoyait des flammes pour brûler tout ce que j'entreprenais. Un jour, elle m'a offert une bague en or et argent. Quand le taleb l'a vue, il m'a ordonné de la retirer et de la lui rendre. C'était une bague piégée, pleine de sorcellerie qui avait pour effet d'annuler les protections qu'il me préparait. Lorsque je la lui ai rendue, elle a fait semblant d'être surprise; je lui ai dit qu'elle me faisait mal au doigt et que j'étais allergique à l'or. Elle a souri et a fait la moue comme pour me dire : tu ne perds rien pour attendre.

Voilà comment j'ai résisté de toutes mes forces à sa famille.

Oui, Foulane a raison de raconter que ma famille venait me voir souvent, c'était ma protection, mon soutien. Oui, des jeunes filles de ma tribu sont venues habiter chez nous pour m'aider à m'occuper des enfants. Oui, j'ai toujours donné la priorité à ma famille. Non, je n'aime personne de sa famille. J'ai mes raisons et lui ne veut pas le comprendre. Je refuse d'être envahie par ses nièces et neveux tous très mal élevés et qui me manquent de respect. Un jour, alors que j'hébergeais une de ses nombreuses nièces, une fille stupide, obèse, et qui avait raté ses études, j'ai refusé qu'elle traîne dans la maison. Je lui ai demandé de se rendre utile, et de m'aider à nettoyer la chambre des enfants. Elle a refusé. Je l'ai mise à la porte. Elle m'a répondu : « Tu n'as pas le droit, je suis ici chez moi, dans la maison de mon oncle, je ne sors pas. » J'ai jeté ses affaires dans la rue et elle est partie pleurer dans les bras de son oncle. Le soir, Foulane me maudissait.

Sa famille m'a toujours détestée. Mais peu m'importe, finalement. Ça ne me touche pas ; c'est lui qui ne veut pas voir la vraie nature des membres de sa famille. Il ne me croit pas quand je lui dis ce que j'ai trouvé en faisant le grand ménage. Il m'a dit : « Tu inventes tout, tu es malade. »

NOS AMIS

Nous n'avions pas les mêmes amis, non seulement pour des raisons de générations, mais aussi de classes sociales. Les miens sont presque tous issus du milieu immigré. Les siens sont des intellectuels, des artistes internationaux, des écrivains, des politiques, tous très imbus d'eux-mêmes. Ils me regardent soit avec condescendance, soit avec cette gentillesse avec laquelle on traite les enfants qui se mêlent aux grandes personnes.

Je me souviens, tout au début de notre rencontre, d'une Algérienne ou d'une Tunisienne, laide et vulgaire, mariée à un Français beaucoup plus âgé qu'elle, qui m'a dit en faisant une moue qui la rendait encore plus hideuse : « Tu as gagné le gros lot !

— Quelle idiote ! » lui ai-je répondu.

Le gros lot ! Oui, un gros lot d'ennuis et de mépris.

J'ai toujours eu des intuitions concernant les gens qui tournaient autour de lui. Mais il les a toujours défendus contre moi, les a préférés à moi. Quand il se faisait avoir, il venait se plaindre et là je l'envoyais balader avec un grand plaisir.

Au bout de toutes ces années de mariage, nous avons réussi à avoir quelques amis communs. Ils ne sont pas nombreux, mais je ne suis pas toujours à l'aise avec eux, car ils sont pleins d'admiration pour le grand peintre que le roi a décoré après lui avoir acheté au prix fort une dizaine de toiles. Ce qui me gêne, c'est que personne ne sait que j'ai toujours été là, derrière lui, à le pousser à travailler, à lui préparer le terrain pour qu'il puisse peindre en toute tranquillité sans s'occuper d'aucun problème matériel.

J'ai élevé les enfants toute seule. Je leur expliquais que leur père devait travailler et qu'il ne fallait pas le déranger. Je lui épargnais tous les tracas. C'est pour cela que j'affirme, face à ses amis, les vrais et les faux, que je suis pour beaucoup dans sa réussite, que ma part est hélas invisible, c'est le lot des femmes des hommes célèbres, des artistes notamment.

N'ayant pas les mêmes amis, je lui ai imposé qu'il me laisse sortir avec mes copines et copains de temps en temps. En général, nous restions entre filles, c'était plus amusant, on bavardait, on disait des bêtises, on se laissait aller à des plaisanteries faciles, bref, on s'éclatait et on ne voyait pas le temps passer. Mais Foulane ne cessait de m'appeler pour que je rentre. Je lui demandais de me ficher la paix : « Je rentrerai quand je rentrerai. » Il détestait cette expression. Quand j'arrivais, il ne dormait pas et me rendait responsable de son insomnie. Ensuite, il prétextait que je sentais l'alcool pour aller coucher au salon.

Ses amis intervenaient souvent dans nos histoires. Ils m'appelaient, me demandant de passer les voir parce qu'ils avaient des choses importantes à me dire. Ils me faisaient la morale : « Tu te rends compte de la chance que tu as de vivre avec un si grand artiste, c'est un homme admiré, jalousé, il faut lui faciliter la vie, ne l'ennuie pas avec des histoires ; il déprime facilement, il ne demande qu'une chose, un peu de paix pour travailler. Tu comprends, ta famille qui l'envahit, il ne le supporte plus. »

Une fois, j'ai hurlé, en guise de réponse. Je ne voulais plus qu'on se mêle de notre vie.

Ensuite, ce fut à son tour de me faire la leçon : « Comment as-tu pu traiter de la sorte mes amis, des gens qui m'aident, des amis d'enfance, de jeunesse ? »

Le malentendu était complet, que ce soit avec lui ou avec eux.

Jusqu'au jour où ma rencontre avec Lalla a changé la donne. La jalousie de Foulane à son endroit le rongeait, le rendait furieux, méchant, violent. À table, il ne parlait pas, donnait des ordres de la main. Tout ça parce que j'avais enfin trouvé quelqu'un qui me comprenait, qui m'aidait à supporter tout ce que je subissais de sa part, de la part de sa famille, de la part de ses amis. J'en avais assez d'être considérée comme une mère porteuse. Je voulais me réaliser, exister, faire des choses et prendre ma revanche sur toutes les défaites de ma vie. En rencontrant Lalla, j'ai tout de suite eu le sentiment étrange d'être en présence d'une âme sœur, complice, qui lisait tout ce qu'il y avait dans mon cœur, dans ma conscience. Elle a une douceur naturelle qui lui vient de son expérience acquise en Inde quand elle suivait les cours d'un maître dont j'ai oublié le nom. Elle m'a donné à lire ses livres. Nous en avons longuement discuté. Elle m'ouvrait les yeux et la voie, reconnaissait en moi un être sensible, avec des potentialités formidables, que mon mari avait toujours étouffées. Elle m'aidait à mettre le doigt sur les blessures, les failles de notre couple. Elle avait une vision large et riche de la vie. De nouveaux horizons s'ouvraient à moi. Avec elle, je me sentais comme une enfant qu'on emmenait à l'école de la vie. Je pris conscience du temps perdu à vouloir arranger les choses. Lalla m'a tendu la main. Cela, je ne l'oublierai jamais. Enfin quelqu'un qui s'intéressait à moi sans rien me demander en retour. Je passais des heures chez elle, nous parlions, nous nous assoupissions. Foulane a tout de suite parlé d'homosexualité à propos de notre relation. Les hommes sont fous ! Dès que deux femmes se retrouvent, ils pensent que c'est une affaire de cul. Non, Lalla n'est pas lesbienne. Elle aime les hommes et le dit. Je crois même qu'elle a des amants, mais de cela nous ne parlons jamais. Elle a une réputation qui ne correspond en rien à ce qu'elle est vraiment. Les gens sont jaloux de sa liberté, de sa beauté et de sa générosité. C'est une femme qui passe son temps à s'occuper des autres.

La jalousie de Foulane, il est vrai, était compréhensible. Je passais plus de temps avec Lalla qu'avec lui et les enfants. Normal, puisque dès qu'on se retrouvait il se mettait à hurler et insulter Lalla, ce que je ne supportais pas. Il était comme tous ces bourgeois qui rôdaient autour de nous et qui avaient des préjugés contre cette femme courageuse, qui a osé répudier son mari parce qu'il ne la satisfaisait pas, parce qu'il était souvent absent. Cela s'est passé calmement, sans cris, sans crise. Ils sont restés amis. Moi aussi, j'aurais aimé arriver à cette solution. Mais mon mari est un pervers qui se complaît dans les conflits, veut tout contrôler, tout régler de façon égocentrique. Lalla a tout compris. Mieux qu'un psy, elle a percé le secret de notre erreur fondamentale, celle d'avoir persévéré dans cette relation alors qu'elle était vouée à l'échec dès le jour du mariage.

Je n'étais pas la seule à trouver Lalla merveilleuse. Il y avait cinq autres femmes, toutes déçues par la conjugalité, blessées par le machisme de leurs maris, mal vues par la société petite-bourgeoise de Casablanca. Nous nous retrouvions et nous échangions nos expériences et tâchions de les analyser. Lalla faisait brûler de l'encens, nous faisait écouter une jolie musique indienne, et nous nous contemplions dans cette amitié chaude et belle.

Lalla, fille d'une grande famille de la lignée du Prophète, avait le don de savoir parler et de toucher nos sens. Nous l'entourions et l'écoutions en silence, buvions ses paroles avec délice. Nous étions pénétrées par l'évidence qui se dégageait de ses dires :

Nous sommes là pour permettre à nos énergies de se rencontrer, de fusionner, de donner le meilleur de l'âme à notre âme collective pour que nous marchions main dans la main sur la voie de la sagesse primale, celle de notre humanité touchée par la grâce de nos esprits qui ne seront plus tourmentés. Nous sommes là dans notre pureté pour ne plus supporter le poids de l'égoïsme des autres, ceux qui voient en nous des terres à labourer, des ventres porteurs, des êtres inférieurs, soumis et résignés. Mes sœurs, le temps de notre liberté est arrivé et nous devons écouter son rythme, son chant ; nous sommes énergies, nos ondes positives éloignent de nous celles négatives qui partent des yeux de nos adversaires. Nous ne sommes pas des objets de leur désir, nous ne sommes plus des objets, nous sommes des énergies vives, qui cheminent vers les cimes des montagnes les plus hautes, là où l'air est pur, pur comme notre cœur, comme notre esprit. Nous sommes sur la voie, nous ne serons plus soumises à l'homme qui se croit fort, nous ne serons plus humiliées par ses prétentions, par ses ambitions qui nous sacrifient et nous piétinent. La liberté de notre énergie première est entre nos mains, la sensualité de notre énergie est entre nos mains, la beauté de l'évidence est entre nos mains, alors prenons-les et en avant pour éradiquer la peur, la honte, la soumission, la résignation, le conformisme. Nos énergies se rencontrent, se parlent et s'allient dans un mouvement libérateur. Oui, nous sommes devenues libres, définitivement libres. Marchons sans nous retourner, car ces hommes qui nous exploitent savent que maintenant nous sommes plus fortes qu'eux, décidées à prendre notre destin, notre vie et nos énergies en main.

Allons escalader la montagne de nos énergies positives. Laissons-leur les négatives. Ils se voileront la face avec. Nous, nous n'avons plus rien à faire avec ceux qui marchent sur notre ombre en vue de nous faire trébucher et tomber. Nous ne sommes pas folles, nous sommes sagesse, philosophie, guidées par l'écho de notre cri primal, de notre sortie à la lumière, nous sommes limpidité, clarté, mer insondable, nous puisons notre énergie dans le feu de la vie, dans l'arbre et la forêt de la vie. Nous sommes fortes, unies, et plus jamais nous ne serons des victimes.

Il y a là toute la vérité. Et cette vérité m'a aidée à me libérer de cet homme, prince de tous les égoïsmes. Cela, je le dois à Lalla, la seule amie qui sera toujours à mes côtés quand j'aurai besoin de quelqu'un pour me soutenir. Merci, Lalla. Merci de m'avoir sauvée et ouvert les yeux.

MON MARI EST...

Lui a trouvé mille et une raisons à notre désamour, voyez plutôt les miennes :

Mon mari a beaucoup de qualités, mais je n'ai connu que ses défauts.

Mon mari est au fond de lui un vieux célibataire, maniaque et égoïste.

Mon mari mange vite et ça m'énerve.

Mon mari se présente à l'aéroport trois heures avant le départ.

Mon mari est colérique et nerveux quand il est avec moi, mais très aimable avec les autres.

Mon mari est impatient.

Mon mari ronfle et bouge tout le temps quand il dort.

Mon mari n'aime pas conduire et ne supporte pas ma façon de conduire.

Mon mari n'aime pas les gens, il préfère la solitude.

Mon mari est naïf, faible et sans autorité.

Mon mari est un pigeon. Ses meilleurs amis l'ont tous trahi (que de femmes l'ont dépouillé avec le sourire, et ses agents l'ont volé).

Mon mari déteste le sport, ne fait pas de gymnastique et a du ventre.

Mon mari aime le cinéma en noir et blanc; il a la manie de citer des morceaux de dialogue des films qu'il aime, et ça m'énerve.

Mon mari est un faux-jeton (j'adore cette expression qui le caractérise si bien et qui le met hors de lui).

Mon mari est un perdant, quand il gagne c'est par hasard.

Mon mari n'aime pas se battre, il dit ne pas aimer les conflits.

Mon mari est un père (très souvent) absent.

Mon mari n'a aucune folie, aucune fantaisie (sa peinture le prouve assez).

Mon mari n'a jamais fumé de hachich ni bu de vodka.

Mon mari n'a jamais été saoul, n'a jamais perdu la tête.

Mon mari me persécute quand je bois un verre ou fume une cigarette.

Mon mari est un Arabe, avec les défauts et atavismes des Arabes.

Mon mari chante faux.

Mon mari ne croit pas aux esprits, à

l'âme, aux énergies qui passent par les ondes.

Mon mari n'est pas généreux, quand il offre une toile, elle est petite et non signée.

Mon mari est hypocondriaque.

Mon mari est machiste sans force.

Mon mari est comme un arbre, mais dont le tronc serait creux, mort.

Mon mari est si maladroit qu'une de mes amies tient un registre de ses gaffes.

Mon mari fait semblant de lire quand il ne peint pas (il s'assoupit en lisant).

Mon mari aime faire la sieste en regardant un vieux film qu'il a déjà vu plusieurs fois.

Mon mari ne sait pas mentir.

Mon mari est un traître de mauvaise qualité.

Mon mari n'est pas un mari.

Mon mari dit aimer trop les femmes, c'est faux, il n'est même pas capable d'aimer sa femme.

LA HAINE

Il paraît que pour haïr quelqu'un il faut l'avoir beaucoup aimé. C'est peut-être mon cas. J'ai aimé Foulane, mais à mon corps défendant. Ma mère me disait : « Ma petite, l'amour ça vient avec le temps, quand j'ai connu ton père, c'était le soir de mes noces ; j'ai appris à vivre avec lui, à le découvrir, et petit à petit, nous nous sommes rendu compte que nous étions faits l'un pour l'autre. Alors, patience, ma fille, l'amour c'est la vie, et il vaut mieux que la vie soit calme et agréable. » Comme toutes les filles de mon âge j'y ai cru. Je l'idéalisais, je le voyais comme un seigneur, un prince, un homme solide sur lequel je pouvais compter, sur lequel je pouvais m'appuyer. Au début, nous avons vécu des moments agréables. Il s'occupait de moi, était attentif, surtout quand je suis tombée enceinte. Il a été merveilleux. Ce sont les meilleurs souvenirs de notre histoire. Il était fidèle, ne me quittait pas une minute, faisait les courses, quand la femme de ménage ne venait pas, il faisait la vaisselle, portait le linge au pressing, passait l'aspirateur, pendant que je ne bougeais pas. Je le voyais faire et me disais : « Tout de même, un grand artiste en train de laver le sol, il faudrait prendre une photo de lui avec son tablier et l'envoyer à un journal. » Je plaisantais. Il était un autre. En fait, je comprendrais plus tard qu'il me traitait avec cette délicatesse parce que j'étais pour lui et pour sa famille une mère porteuse. Sa famille d'ailleurs me regardait comme une étrangère. On m'a rapporté que sa belle-sœur avait déclaré : « Il faut lui donner son salaire et qu'elle s'en aille, nous nous occuperons très bien du petit. » J'ai eu envie d'aller lui jeter du vitriol sur le visage. Mais je me suis calmée. Je me disais : « Ça va passer. » Je ne me disais pas : « Ça va changer. » Non, je savais que jamais ça ne changerait. Il était consentant, il ne me défendait pas. Ça, j'en suis certaine.

Aujourd'hui, j'avoue que je le déteste. Je ne lui veux pas seulement du mal, je veux quelque chose de plus; mais je ne suis calme que lorsqu'il n'est pas là; dès que je suis en sa présence, malgré ce qu'il est devenu, je sens mes nerfs s'échauffer. Il m'a dit un jour : « La haine est un sentiment facile; l'amour c'est plus compliqué, il faut vaincre ses défenses et se laisser aller. » Tout ça, c'est du bla-bla. Il a toujours eu recours à ce genre d'explications pour me rabaisser, comme s'il voulait me rappeler que lui a fait des études de philosophie et moi pas. C'est comme pour l'histoire de cette nappe brodée qu'il avait voulu m'imposer dans le salon sur la table ronde. Je ne suis pas aussi bête qu'il le croit. Si je l'ai retirée, c'est parce qu'une pièce d'artisanat aussi rare et précieuse devait être encadrée et non pas servir à couvrir une table et risquer d'être salie ou déchirée. Qu'il aille plutôt voir dans le grand coffre de notre chambre, il verra que je l'ai rangée le plus soigneusement du monde.

Il m'est arrivé de vouloir qu'il disparaisse. On éprouve tous, un jour ou l'autre, ce genre de désirs, ne serait-ce que quelques secondes. Pendant une soirée où il n'avait pas arrêté de tourner autour d'une blonde à la beauté provocante, soudain je n'ai plus pu le supporter. J'ai pris mon sac et j'ai quitté la fête. Il m'a suivie jusqu'au parking, s'est accroché à la poignée de la portière, mais j'ai démarré en trombe. Il est tombé, je n'ai pas fait marche arrière, j'ai continué ma route. S'il y avait eu une voiture derrière nous, elle l'aurait écrasé. Il s'est relevé, le visage en sang; en fait, rien de grave, juste des égratignures, je l'ai su après. Je me souviens encore des moindres détails de cette soirée. Il m'en a voulu longtemps et m'a reproché de ne pas lui avoir porté secours et de l'avoir laissé rentrer seul. Mais après ce qu'il m'avait fait endurer, je n'allais pas lui ouvrir la portière et discuter avec lui comme si de rien n'était. C'est un peu le même sentiment que j'ai ressenti quand je n'ai pas voulu faire le taxi à son retour de Chine. Je voulais le punir d'avoir refusé de m'emmener avec lui. Je le soupçonne d'être parti avec une autre. Alors malade ou pas, je n'avais pas à faire le chauffeur.

Je l'admets, je suis violente. Il le sait, alors pourquoi ses provocations incessantes?

Il me reproche de ne pas l'admirer. Il a raison. Comment admirer un peintre qui est aussi un homme au comportement mesquin, un mari médiocre? L'artiste, je n'en voulais pas; car il ne me servait à rien. Être la femme de Foulane, c'est peut-être une chance aux yeux des autres, mais pour moi c'est un calvaire. Il s'identifiait à Picasso et à sa conduite grossière avec ses conquêtes. On avait même vu ensemble un film qui l'évoquait publiquement. Je n'admire pas Foulane, je le hais, et j'avoue que son état d'homme diminué ne me fait pas pitié. Je le regarde et je vois en lui avant tout le traître et le monstre qui a exploité mes jeunes années et puis m'a abandonnée. Il dit que tout cela est ma faute. C'est facile de me rendre responsable de son attaque. Le médecin l'avait prévenu, il fallait faire un régime, ne plus boire autant et arrêter de fumer. Il a continué à vivre comme s'il avait toujours trente ans. Il a toujours été stressé, hyper inquiet, très angoissé quand nous partions en voyage. Il arrivait à l'aéroport très en avance, détestait prendre des bagages, ne supportait pas d'attendre dans la file, se précipitait pour s'installer dans l'avion comme si quelqu'un allait lui piquer son siège. Son stress, il l'avait bien avant de me connaître. Donc, le stress, plus l'absence d'hygiène de vie, plus les soirées arrosées avec ses amies, plus les sorties avec ses copains qui l'adoraient parce que c'était toujours lui qui réglait l'addition, le tout a abouti à son accident cérébral. J'aurais bien aimé y être pour quelque chose, je crois que ma volonté a précipité les choses. Il a un peu récupéré, soi-disant grâce à Imane qui se présentait comme son infirmière alors qu'elle couchait avec lui malgré son état. Je devinais ce qu'ils faisaient en mon absence. Lalla a tout lu sur le visage d'Imane. C'était une jeune ambitieuse qui cherchait à profiter d'un homme affaibli. Je me suis occupée personnellement de son cas. À l'heure qu'il est, elle doit le regretter amèrement.

Je ne lâcherai pas Foulane. Je ne le laisserai jamais en paix. Il faut qu'il assume ses responsabilités. Je me moque de sa santé, de ses humeurs, de ses états d'âme. Tant que ma vengeance n'aura pas été assouvie, je ne cesserai pas de le détester. Je referai ma vie un jour, mais pas avant qu'il ait payé. Tant qu'il n'aura pas regretté ce qu'il m'a fait, tant qu'il ne se sera pas excusé devant tout le monde, je ne lâcherai pas ! Je suis trop fière, trop orgueilleuse pour abandonner. Je suis remplie de haine, et si vous me secouez, il tombera de moi des gouttes de poison.

Je déteste son odeur.
Je déteste son allure.
Je déteste son haleine.

Je déteste sa bouche.

Je déteste son sourire narquois.

Je déteste sa mauvaise foi.

Je déteste ses amis.

Je déteste sa manière de manger vite et en se salissant.

Je déteste son stress et ses angoisses.

Je déteste ses insomnies qui dérangent mon sommeil.

Je déteste sa faiblesse et son absence de réaction.

Je déteste son rire gras.

Je déteste son whisky single malt.

Je déteste ses cigares cubains qu'il garde avec soin.

Je déteste sa collection de montres de luxe.

Je déteste sa façon de faire l'amour.

Je déteste ses silences lourds.

Je déteste son indifférence.

Je déteste son rapport hypocrite à la religion.

Je déteste ses longues absences.

Je déteste son égocentrisme.

Je déteste ses bourrelets autour de la taille.

Je déteste sa passion pour le cinéma.

Je déteste le jazz qu'il écoute en mettant le volume à fond.

Je déteste toutes les femmes qu'il a connues avant moi.

Je déteste et méprise toutes les femmes qu'il a aimées en dehors de moi.

Je déteste sa violence muette.

Je déteste ses tics (quand il est contrarié, il se mord la lèvre inférieure).

Je déteste ses coups de téléphone pour me rassurer juste avant de s'envoyer en l'air avec une autre (il appelle sur le fixe pour s'assurer que je suis bien à la maison).

Je déteste son atelier, sa peinture, son lit, son canapé, son pyjama, ses brosses à dents, son peigne, son rasoir, je déteste toutes ses trousses de toilette, tous ses bagages, en particulier la petite valise en cuir dont il ne se sépare jamais.

Je rêve de le détruire, de le voir à ma merci, à genoux, dépouillé de tout, nu, prêt à glisser dans le linceul que je lui ai offert pour notre anniversaire de mariage.

Il m'arrive à moi aussi d'avoir des insomnies. Ce n'est pas le monopole de l'artiste. Alors je déroule ma vie et je remets les choses en place. Ensuite je m'amuse à imaginer les différentes façons de l'atteindre, de lui faire mal. Mon besoin de vengeance reste vif et redouble de férocité les nuits blanches :

— Brûler sa collection de manuscrits anciens que j'ai volés dans son atelier. Je sais, c'est un geste criminel, mais si ça le fait souffrir, c'est l'essentiel pour moi.

— Mettre au point un plan de harcèlement

de ses maîtresses dont j'ai pu trouver les coor-
données et le tenir au courant de mes actions et
des réactions de ces rivales qui ont bousillé ma
vie.

— Profiter d'un moment d'inattention et lui
faire signer une procuration (déjà rédigée) qui
me permettrait de transférer ses avoirs sur mon
compte bancaire. Comme il adore l'argent, il
deviendra fou.

— Faire venir des experts médicaux pour le
déclarer inapte et irresponsable afin de la placer
sous ma tutelle.

— Il pissera quand je l'aurai décidé. Il aura
beau m'appeler, je ne viendrai pas l'accompagner aux toilettes. J'aime l'idée qu'il sente
l'urine chaude le long de ses jambes. Il sera ainsi
humilié.

J'ai d'autres idées. Mais je compte procéder
par étapes. Pas de précipitation, pas d'improvi-
sation.

L'AMOUR

Il m'arrive encore de me poser la question :
ai-je aimé cet homme ? Peut-être l'ai-je mal
aimé, mais aujourd'hui, après avoir vidé mon
sac, après avoir parlé et réfléchi, je peux dire
que je n'ai été animée que par l'amour. Pas
n'importe quel amour. Ni de raison ni de folie.
Quelque chose de différent. Je devais l'aimer
parce que je ne pouvais pas faire autrement. Je
viens de loin, d'un monde que peu de gens
connaissent. Un jour, lors d'une cérémonie de
fiançailles dans ma famille, je m'ennuyais. Je
regardais autour de moi et tout me paraissait étranger par rapport à la vie que je menais
avec Foulane. J'avais l'impression d'être loin
de ces gens-là, de ces femmes satisfaites, de ces
hommes heureux et rassasiés, de ces enfants
abandonnés à eux-mêmes dans une cour pleine
de poussière et de saleté. Je me mis à fixer ma
tante dont la fille venait d'accoucher et me demandai : « Y a-t-il de l'amour entre elle et son
mari ? » Je les observai, chacun dans leur coin,

elle, absorbée par les préparatifs du déjeuner, lui, en train de jouer aux cartes avec d'autres hommes. L'amour, le vrai, le grand, celui qui emporte tout sur son passage, je ne le voyais nulle part autour de moi, et sûrement pas dans cette maison au bled où tout était à sa place, bien rangé. Pas la moindre trace de conflit... Les femmes dans leur rôle, les hommes dans le leur. La tradition et la nature faisaient leur travail. Et moi je me sentais de trop dans cette assemblée où il y avait de la joie et du bonheur. Il ne fallait surtout rien déranger dans tout cela. Je me suis mise de côté et j'ai observé le bonheur évoluer selon un rythme et un rituel qui ne me parlaient pas. J'étais devenue une étrangère sur ma terre natale. Pourtant mon père m'a dit bien des fois que nos racines ne nous quittent jamais. Oui, mais les miennes ne m'ont pas suivie, je dirais même qu'elles m'ont abandonnée ; il m'arrivait de les chercher et je ne trouvais que les traces ridicules d'une paysannerie pauvre et fruste.

L'amour, je l'ai appris dans les romans, et dans certains films que j'ai vus à Marseille. Je m'identifiais à l'héroïne, je me voyais triomphante, heureuse dans les bras de l'acteur principal. Je ne faisais pas bien la différence entre l'amour joué et l'amour vécu.

À dix-huit ans, je me demandais encore : qui aimer ? vers qui me tourner ? Autour de moi, personne ne m'attirait. J'étais prête à tomber amoureuse et j'attendais que l'homme, mon homme apparaisse comme sur une scène de théâtre. Je l'espérais, je le dessinais, je l'inventais, je lui donnais de grands yeux bleus, une grande taille, de l'élégance, de la beauté et de la bonté aussi. J'étais disponible. Je faisais péniblement mes études et j'attendais que mes nuits fussent visitées par mon amoureux.

Le jour où j'ai rencontré Foulane, j'étais distraite, je regardais ailleurs, ce fut lui qui m'attira vers lui et me posa un tas de questions sur mes origines, ma vie, mon avenir. Il prit ma main droite et fit semblant d'en lire les lignes, ensuite la gauche pour faire de même. Il me dit des choses justes. Il avait des intuitions fortes. Il me parla longuement du Maroc, de la France, de l'art et de son envie de prendre des vacances, de longues vacances. Je le trouvais beau et en même temps il y avait quelque chose en lui qui me dérangeait. Il regardait les autres femmes tout en me parlant. Son œil se promenait dans cette salle d'exposition et se posait sur les corps des femmes. Je remarquai que certaines d'entre elles le regardaient aussi. Je me suis dit : « C'est un séducteur, laisse tomber. » Voilà qu'il me demandait un numéro de téléphone où me joindre parce qu'il avait quelque chose d'important à me montrer. Quand je voulus en savoir plus, il m'avoua qu'il souhaitait faire mon portrait et que c'était ainsi qu'il attirait les femmes dans son atelier. Je ne savais pas s'il plaisantait ou s'il était sérieux. Je refusai poliment et le hasard fit que nos chemins se croisèrent de nouveau un soir chez mon professeur d'histoire de l'art moderne. Il ne me lâcha pas de toute la soirée. Il me raccompagna jusqu'à chez moi, dans le petit studio que j'habitais en banlieue.

L'amour était né. Son image ne me quittait pas et je me surpris plusieurs fois à espérer un signe de lui, un coup de téléphone, une carte postale ou une visite à l'improviste.

Voilà, j'ai vidé mon sac. Contrairement à lui,
j'ai été brève et directe. De toute façon, je sais
que c'est sa version que vous croirez, pas la
mienne, car c'est son œuvre qui survivra, et pas
notre misérable histoire d'amour. Moi, je ne
suis qu'une paysanne débarquée dans sa vie et
pour qui tout a été bouleversé. Il ne m'a pas
rendue heureuse et je crois pourtant avoir fait
beaucoup d'efforts pour que la vie lui soit
agréable. Je regrette aujourd'hui d'avoir trop
souvent fermé les yeux. Aujourd'hui, assis dans
son fauteuil, la moitié de son corps immobilisé,
Foulane me fait pitié. La pitié, ce n'est pas très
bon comme sentiment, pourtant, je n'ai pas
envie de le voir debout en bonne santé, prêt
à recommencer ses trahisons. Dorénavant je
m'occuperai de lui, je serai son infirmière, sa
petite maman, son épouse, son amie peut-être.
J'arrête la procédure de divorce. Je vais changer
de tactique et aussi de comportement, il sera
surpris et vous verrez qu'il ne pourra plus se

passer de moi. Je vais l'aimer comme au premier jour, l'aimer et le garder pour moi. Je vais me débarrasser de mes pulsions les plus méchantes ; je renonce à la vengeance ; je vais faire le bien, je vais me mettre à sa disposition. Je ne me poserai plus la question de savoir si je l'aime ou non, je sais que lui est incapable d'aimer, de donner, de recevoir aussi. Je ne suis pas une ogresse, même si tout ce qu'il raconte me désigne comme celle par qui la maladie et la mort arrivent.

Mon premier geste pour lui sera d'aller lui porter un bouillon, puis de le masser longuement comme le faisait sa belle Imane. À l'heure qu'il est, elle vit à des kilomètres d'ici. Je suis allée la voir, un jour, début août, je lui ai apporté un cadeau, une jolie robe que je ne porte plus, je me suis invitée chez elle dans le minuscule appartement du quartier populaire où elle vit avec sa maman et son frère. Je lui ai parlé franchement, je lui ai dit : « Voilà, je veux m'occuper de mon mari, il a besoin de moi, je voudrais tant qu'il guérisse, qu'il se remette à peindre grâce à moi sa femme. C'est un grand artiste, alors je vous en prie, ne vous occupez plus de lui, je sens que cela le perturbe, sa tension est redevenue irrégulière, c'est dangereux. Je sais que c'est presque un service que je vous demande là, alors je vous propose un marché : je vous procure un visa pour votre frère afin qu'il puisse passer en Espagne, et puis vous, je vous paye jusqu'à votre départ en Belgique. Les choses sont très simples, vous m'apprenez comment on fait une piqûre et un peu de kiné, c'est tout. Il faudra aussi que vous l'apaisiez en lui expliquant que vous allez vous marier et que votre fiancé arrive bientôt pour les préparatifs. Je m'occupe de vos papiers, je pense que ça ne devrait pas être compliqué puisque votre situation relève du regroupement familial. Quant à votre frère, ça sera facile, je connais très bien le consul d'Espagne, Javier ne me refuse rien. C'est un ami de mon mari aussi. »

Imane a d'abord été choquée par ma visite et mes propos, mais elle avait le cœur pur et trouvait légitime qu'une épouse s'occupe de son mari malade. Elle m'a dit que Foulane était pour elle comme un oncle ou un père, qu'elle n'avait jamais rien accompli d'autre que son travail et qu'elle était amoureuse de son fiancé. J'ai fait semblant d'acquiescer, et j'ai abordé les questions pratiques. Elle m'a montré comment faire des piqûres, m'a expliqué aussi les techniques du massage et les façons de procéder pour que les muscles reprennent de la vitalité. J'ai passé un après-midi très instructif. Elle m'a donné le passeport d'Aziz, son frère, et son dossier à elle pour la Belgique qui avait été refusé par le consulat. Nous nous sommes embrassées et je suis partie, fière de moi.

Mon stratagème est maintenant au point, le piège va se refermer sur lui. Je n'ai plus qu'à présenter à Foulane, avec douceur et tendresse, comment je conçois sa nouvelle vie. Pour cela, j'ai eu besoin de répéter. Lalla m'a aidée. Elle faisait le mari, je jouais mon propre rôle. C'était amusant. À un moment, nous avons éclaté de rire. Elle m'a même dit qu'avec ce plan nous gagnerions plus sûrement qu'avec les encens du taleb de la montagne. Nous avons ouvert une bonne bouteille pour fêter l'événement.

Ainsi je serai à son service jour et nuit. Je vais lui proposer de faire la paix, au nom des enfants. C'est le meilleur moyen pour qu'il ne m'échappe plus jamais, qu'il soit enfin l'homme dont je rêvais. Je le soignerai, lui serai utile au point de devenir indispensable. Je l'aimerai tel qu'il est ; je ne chercherai plus à le changer. Je ne suis pas un monstre ; j'ai des sentiments ; je suis un peu sauvage, un peu brutale, c'est mon côté « nature » ; je hais les simagrées, l'hypocrisie si fréquente dans sa famille. Je vais l'aimer, lui donner ce que je n'ai pas pu lui offrir durant ces années de malentendus, je vais l'admirer, moi qui faisais des efforts pour ne pas lui montrer combien j'étais fière de lui. Je veux qu'il sache que je l'aime, qu'il se rende compte que je ne suis pas son ennemie mais l'unique femme qui l'aime, surtout maintenant qu'il est infirme, maintenant que sa vie est bloquée par la maladie et ses conséquences. Je me suis renseignée sur son accident, il paraît qu'il s'en remettra, c'est ce qu'on m'a affirmé. Mais aura-t-il la pleine possession de ses moyens ? Pourra-t-il peindre aussi magistralement qu'avant ? Aucun médecin ne sait le dire précisément. On ne peut que constater ses progrès et se féliciter qu'il ait repris le pinceau. Je le garderai, plus aucune autre femme ne s'approchera de lui, je serai là et il ne bougera plus de son fauteuil. Les Jumeaux, comme il les appelle, m'aideront quand il s'agira de le transporter à la salle de bains ou de le sortir. Mais c'est moi qui dorénavant ferai sa toilette, je veux le voir entre mes mains, pareil à un enfant, impuissant, il ne pourra pas râler, ni proférer des menaces et des insultes comme avant. Je serai hors d'atteinte. Je dormirai à ses côtés, je lui préparerai sa tisane, je lui donnerai ses médicaments et même ses somnifères pour qu'il dorme longtemps. Le temps est venu de lui prouver que je suis une femme bonne, désintéressée, prête à sacrifier une seconde fois sa jeunesse ou ce qu'il en reste pour qu'il vive bien. Je serai attentive et plus jamais je ne le laisserai seul. J'ai parlé avec ses médecins qui ont trouvé l'idée bonne. Après tout, nous sommes mariés pour le meilleur et pour le pire, comme dit la formule chrétienne. Chez nous, on dit qu'il faut s'entraider et s'assister mutuellement en cas de maladie. Je fais les deux.

Je prends le pouvoir, mais je le ferai avec une douceur qui l'étonnera, qui le rendra plus facile à manier. J'ai déjà mis de l'ordre dans ses affaires. Aucun document, aucune signature ne passera sans mon accord. J'ai caché certaines toiles dans la cave et j'ai la clé de la porte plus la combinaison des cadenas. Fini, les cadeaux aux uns et aux autres. J'ai appelé son agent qui a tout de suite lâché que sa cote avait augmenté depuis son accident et qu'il valait mieux ne rien vendre pour le moment. Il m'a expliqué que moins il y a de toiles en circulation, plus ça leur donne de valeur, la rareté fait monter les prix. Donc, la peinture, quoi qu'en pense Foulane, c'est fini. De toute façon, il ne pourra plus jamais être en mesure d'exécuter ces grandes toiles qui se vendaient si cher. Fini. Basta! Maintenant, il est ma chose et cette chose j'en fais ce que je veux. Cette chose je la veux apaisée, je la veux conciliante, je dirais presque heureuse.

Un détail important, il faut encore que je vérifie qu'il n'a pas des enfants ailleurs. J'ai trouvé dans son coffre la photo d'un petit garçon dans les bras d'une femme blonde...

La gentille épouse qui reçoit des claques, c'est du passé. Moi, Amina, en cette nuit du 1er au 2 octobre 2003 où j'ai rédigé cette réponse à son manuscrit, j'ai décidé d'aimer mon mari dans l'état où il se trouve. Mes sentiments ne se perdront plus désormais dans des ruelles sans issue. C'est une décision mûrement réfléchie, que je dois en grande partie à Lalla. L'idée de le récupérer vient d'elle. Elle est géniale. Sans elle, je serais toujours en train de me morfondre et de pleurer dans mon coin. Elle m'a même suggéré de lui amener de temps en temps une femme, si ça lui fait plaisir; je ne sais pas si j'en serai capable. Non, il ne faut pas exagérer. Telle sera ma vengeance, elle passera par le chemin du bien, de la bonté et de la générosité. Elle sera amour et rédemption. Je vais le combler d'un amour infini, beau et profond, un amour qui le laissera rêveur et l'enveloppera dans une douceur dont il n'a pas idée. Je me ferai toute petite, je demanderai pardon, je m'arrangerai pour lui obéir et même anticiper ses désirs au point où il ne pourra pas douter de ma bonne foi, de ma volonté de régler le moindre de ses problèmes et de lui être soumise. Oui, je me soumettrai, je me résignerai, et j'espère pouvoir ainsi creuser durablement mon sillon auprès de lui. Je rends grâce au hasard qui me permet de retrouver ma place, celle que je n'aurais jamais dû perdre. Foulane n'en reviendra pas quand il comprendra. Je ferai tout pour qu'il soit ma chose, mon objet, mon malade, totalement, entièrement dépendant de moi et rien que de moi. Je savoure ces moments à venir. Je me réjouis de cette aubaine. Enfin libre, enfin j'existerai.

PREMIÈRE PARTIE

L'HOMME QUI AIMAIT TROP LES FEMMES

DEUXIÈME PARTIE

MA VERSION DES FAITS

Réponse à « L'homme qui aimait trop les femmes »

DU MÊME AUTEUR

Aux Éditions Gallimard

PARTIR, 2006 (Folio n° 4525)

GIACOMETTI. LA RUE D'UN SEUL suivi de VISITE FANTÔME DE L'ATELIER, 2006

LE DISCOURS DU CHAMEAU suivi de JÉNINE ET AUTRES POÈMES, 2007 (Poésie/Gallimard n° 427)

SUR MA MÈRE, 2008 (Folio n° 4923)

AU PAYS, 2009 (Folio n° 5145)

MARABOUTS, MAROC, 2009, avec des photographies d'Antonio Cores et Beatriz del Rio et des dessins de Claudio Bravo

LETTRE À DELACROIX, 2010 (Folio n° 5086) précédemment paru en 2005 dans *Delacroix au Maroc* aux Éditions F.M.R.

JEAN GENET, MENTEUR SUBLIME, 2010 (Folio n° 5547)

BECKETT ET GENET, UN THÉ À TANGER, 2010

HARROUDA, *nouvelle édition précédée d'une note de l'auteur*, 2010 (première édition 1973, Éditions Denoël, repris en Folio n° 1981; avec des illustrations de Baudoin, Bibliothèque Futuropolis, 1991)

L'ÉTINCELLE. RÉVOLTES DANS LES PAYS ARABES, 2011

PAR LE FEU, 2011

QUE LA BLESSURE SE FERME, 2012

LE BONHEUR CONJUGAL, 2012 (Folio n° 5688)

LETTRE À MATISSE ET AUTRES ÉCRITS SUR L'ART (Folio n° 5656)

Aux Éditions Denoël

LA RÉCLUSION SOLITAIRE, 1976 (Points-Seuil)

Aux Éditions du Seuil

LA PLUS HAUTE DES SOLITUDES, 1977 (Points-Seuil)

MOHA LE FOU, MOHA LE SAGE, 1978 (Points-Seuil). Prix des Bibliothécaires de France, prix Radio-Monte-Carlo, 1979

LA PRIÈRE DE L'ABSENT, 1981 (Points-Seuil)

L'ÉCRIVAIN PUBLIC, 1983 (Points-Seuil)

HOSPITALITÉ FRANÇAISE, 1984, nouvelle édition en 1997 (Points-Seuil)

L'ENFANT DE SABLE, 1985 (Points-Seuil)

LA NUIT SACRÉE, 1987 (Points-Seuil). Prix Goncourt

JOUR DE SILENCE À TANGER, 1990 (Points-Seuil)

LES YEUX BAISSÉS, 1991 (Points-Seuil)

LA REMONTÉE DES CENDRES, suivi de NON IDENTI-FIÉS, édition bilingue, version arabe de Kadhim Jihad, 1991 (Points-Seuil)

L'ANGE AVEUGLE, 1992 (Points-Seuil)

L'HOMME ROMPU, 1994 (Points-Seuil)

ÉLOGE DE L'AMITIÉ, Arléa, 1994; réédition sous le titre ÉLOGE DE L'AMITIÉ, OMBRES DE LA TRAHISON (Points-Seuil)

POÉSIE COMPLÈTE, 1995

LE PREMIER AMOUR EST TOUJOURS LE DERNIER, 1995 (Points-Seuil)

LA NUIT DE L'ERREUR, 1997 (Points-Seuil)

LE RACISME EXPLIQUÉ À MA FILLE, 1998; nouvelle édition, 2009

L'AUBERGE DES PAUVRES, 1999 (Points-Seuil)

CETTE AVEUGLANTE ABSENCE DE LUMIÈRE, 2001 (Points-Seuil). Prix Impac 2004

L'ISLAM EXPLIQUÉ AUX ENFANTS, 2002

AMOURS SORCIÈRES, 2003 (Points-Seuil)

LE DERNIER AMI, 2004 (Points-Seuil)

LES PIERRES DU TEMPS ET AUTRES POÈMES, 2007 (Points-Seuil)

L'ISLAM EXPLIQUÉ AUX ENFANTS (ET À LEURS PARENTS), 2012

Chez d'autres éditeurs

LES AMANDIERS SONT MORTS DE LEURS BLES-SURES, Maspero, 1976 (Points- Seuil). Prix de l'Amitié franco-arabe, 1976

LA MÉMOIRE FUTURE, Anthologie de la nouvelle poésie du Maroc, Maspero, 1976

LA FIANCÉE DE L'EAU suivi d'ENTRETIENS AVEC M. SAÏD HAMMADI, OUVRIER ALGÉRIEN, Actes Sud, 1984

LA SOUDURE FRATERNELLE, Arléa, 1994

LES RAISINS DE LA GALÈRE, Fayard, 1996

LABYRINTHE DES SENTIMENTS, Stock, 1999 (Points-Seuil)

AU SEUIL DU PARADIS, Éditions des Busclats, 2012 (repris dans LETTRE À MATISSE ET AUTRES ÉCRITS SUR L'ART, Folio n° 5656)

COLLECTION FOLIO